Fonética e fonologia do português

ROTEIRO DE ESTUDOS E GUIA DE EXERCÍCIOS

Conselho Acadêmico
Ataliba Teixeira de Castilho
Carlos Eduardo Lins da Silva
Carlos Fico
Jaime Cordeiro
José Luiz Fiorin
Tania Regina de Luca

Proibida a reprodução total ou parcial em qualquer mídia
sem a autorização escrita da editora.
Os infratores estão sujeitos às penas da lei.

A Editora não é responsável pelo conteúdo deste livro.
A Autora conhece os fatos narrados, pelos quais é responsável,
assim como se responsabiliza pelos juízos emitidos.

Consulte nosso catálogo completo e últimos lançamentos em **www.editoracontexto.com.br**.

Thaïs Cristófaro Silva

Fonética e fonologia do português

ROTEIRO DE ESTUDOS E GUIA DE EXERCÍCIOS

Copyright © 1998 Thaïs Cristófaro Silva

Todos os direitos desta edição reservados à
Editora Contexto (Editora Pinsky Ltda.)

Diagramação
Niulze Aparecida Rosa

Revisão
Sônia Alexandre/Texto & Arte Serviços Editoriais

Projeto de capa
Antonio Kehl

Dados Internacionais de Catalogação na Publicação (CIP)
Andreia de Almeida CRB-8/7889

Silva, Thaïs Cristófaro
Fonética e fonologia do português: roteiro de estudos e guia de
exercícios / Thaïs Cristófaro Silva. – 11. ed., 6ª reimpressão. –
São Paulo : Contexto, 2024.
288 p. : il.

Bibliografia
ISBN 978-85-520-0021-1

1. Língua portuguesa – Fonética 2. Língua portuguesa –
Fonologia 3. Fonemática 4. Linguística – Problemas,
questões, exercícios I. Título

17-0956 CDD 469.15

Índices para catálogo sistemático:
1. Fonética
2. Fonologia

2024

EDITORA CONTEXTO
Diretor editorial: *Jaime Pinsky*

Rua Dr. José Elias, 520 – Alto da Lapa
05083-030 – São Paulo – SP
PABX: (11) 3832 5838
contato@editoracontexto.com.br
www.editoracontexto.com.br

Para
John, Thomas e Francis

O conteúdo de áudio que acompanha este livro
está disponível na página eletrônica da Editora Contexto
(https://www.editoracontexto.com.br/produto/fonetica-e-fonologia-do-
portugues-roteiro-de-estudos-e-guia-de-exercicios-nova/1496828)

Agradecimentos

Iniciei-me na linguística em um curso de línguas indígenas com os professores Marcio Ferreira da Silva e Marília Facó Soares. A eles agradeço o incentivo e a amizade. Carlos Gohn guiou-me com sua sabedoria para assumir a linguística profissionalmente. O professor e colega Marco Antônio de Oliveira contribuiu (e contribui) imensamente para com o meu desenvolvimento intelectual. Suas discussões claras e objetivas, seus comentários árduos e sua capacidade de compreensão são sempre gratificantes. Agradeço sua paciência, braveza e confiança. Mário Alberto Perini mostrou-me no curso de "Introdução à Fonologia" (Mestrado-UFMG), que apesar do interesse e dedicação havia uma longa estrada a ser percorrida para que eu começasse a entender os mistérios da fala. A ele agradeço a rigidez acadêmica e a gentileza constante. Meu orientador de mestrado, Luiz Carlos Cagliari, ensinou-me a trabalhar seriamente, com afinco e responsabilidade. Com ele aprendi a ter coragem para enfrentar os desafios impostos por análises que muitas vezes parecem impossíveis e o desejo de aprender sempre mais. Agradeço-lhe pela confiança e amizade. Com Jonathan Kaye aprendi durante a conclusão de meu doutoramento que a obsessão pelo trabalho pode levar à loucura. Com ele também aprendi a elaborar hipóteses ousadas e a buscar evidências para corroborá-las. Certamente ele é uma das pessoas mais brilhantes que já encontrei.

Outros tantos colegas compartilharam de diferentes maneiras a minha trajetória acadêmica. Entre estes agradeço a Antônio Augusto Farias, César Reis, Bernadete Abaurre, Leda Bisol, Luiz Antônio Marcuschi, Samuel Moreira da Silva, Seung-Hwa Lee e Yonne Leite pelo apoio intelectual e pela amizade. Agradeço também aos membros do Department of Portuguese and Brazilian Studies do King's College London que me acolheram tão bem. Um agradecimento especial a David Treece que abriu as portas do Centre for the Study of Brazilian Culture and Society onde este trabalho foi finalmente concluído.

Agradeço a Marco Antônio de Oliveira, Mário Alberto Perini, Luiz Carlos Cagliari, Seung-Hwa Lee e Ester Scarpa por terem lido e comentado parte de versões preliminares deste livro. Seus comentários foram muito valiosos para a conclusão deste trabalho na presente forma. As falhas e inconsistências ainda presentes nesta versão final são de minha responsabilidade. Agradeço ainda a Sebastian Jenkins pela produção gráfica dos desenhos deste livro.

Aos Krenak e aos Krahô agradeço por me ensinarem tanto sobre a diversidade cultural, social e linguística. Em especial agradeço a Tchɔn Krenak e a Krôkôk Krahô pela amizade e paciência como sábios informantes. Meus alunos da Faculdade de Letras da Universidade Federal de Minas Gerais e do Department of Portuguese and

Agradecimentos

Brazilian Studies do King's College London contribuíram com a leitura cuidadosa de manuscritos e fazendo os exercícios cuidadosamente. A eles agradeço pelos comentários extremamente significativos para o formato atual dos exercícios.

Ao Fábio agradeço o apoio logístico em Belo Horizonte durante a minha estada em Londres e por compartilhar sonhos e buscas, apesar das divergências. Agradeço ao Sanzio pelos comentários valiosos da ótica de um não linguista. Meus amigos partilharam os poucos momentos que sobraram para eles durante a elaboração deste livro. Agradeço em especial a Cecília, Isa, Nice, Zezé e Zina pela amizade constante, incentivo e carinho. Rosângela cuidou com dedicação da casa e do Thomas quando iniciei este projeto. A ela agradeço os lanchinhos trazidos com tanto afeto. A minha mãe e irmãos agradeço a confiança e amor e pela paciência em falar de linguística em momentos muitas vezes inadequados. A Lysle em especial agradeço por ser uma mãe tão original (no mínimo!). Finalmente, agradeço aos meus rapazes – John, Thomas e Francis – que tantas alegrias me dão por partilharem suas vidas comigo. A John, em especial por ter sido tão companheiro, alegre, bem-humorado e carinhoso nos momentos em que eu não tirava os olhos da tela do computador. A conclusão deste trabalho deve-se certamente a pessoas que porventura esqueci de agradecer aqui. A elas o meu apreço.

Agradeço a André Cavazotti Silva, César Reis, Daniela Mara Oliveira Guimarães, João Antônio de Moraes, Lucas Lourenção, Luiz Carlos Cagliari, Marco Antônio de Oliveira e Maria do Pilar Barbosa por contribuírem com o material que foi editado em áudio.

Sumário

Introdução, 11
1. A linguagem, 11
2. Áreas de trabalho, 20

Fonética, 23
1. Introdução, 23
2. O aparelho fonador, 24
3. A descrição dos segmentos consonantais, 26
4. Articulações secundárias, 34
5. Tabela fonética consonantal, 36
6. Exercícios complementares 1, 42
7. O sistema consonantal do português brasileiro, 48
(Tabela fonética consonantal destacável A)
8. A descrição dos segmentos vocálicos, 66
9. Articulações secundárias dos segmentos vocálicos, 70
10. Ditongos, 73
11. A sílaba, 76
12. A tonicidade, 77
13. O sistema vocálico do português brasileiro, 78
14. Vogais tônicas orais, 79
(Tabela fonética vocálica destacável B)
15. Vogais pretônicas orais, 81
16. Vogais postônicas orais, 85
17. Vogais nasais, 91
18. Ditongos, 94
19. Ditongos crescentes, 95
(Tabela de ditongos destacável C)
20. Ditongos decrescentes, 98
21. Consoantes complexas, 100
22. Exercícios complementares 2, 101
23. Transcrições fonéticas, 106
24. Exercícios complementares 3, 108
25. Exercício final, 114

Fonêmica, 117
1. Introdução, 117
2. A fonêmica, 118

3. As premissas da fonêmica, 119
4. Fonemas e alofones, 126
5. Os procedimentos da análise fonêmica, 135

O SISTEMA CONSONANTAL DO PORTUGUÊS, 136
1. Fonemas e alofones, 136
(Tabela fonêmica consonantal destacável D)

A ESTRUTURA SILÁBICA, 152
1. Introdução, 152
2. Sílabas constituídas de uma vogal, 153
3. Consoantes pré-vocálicas, 155
4. Consoantes pós-vocálicas, 157
5. Glides, 169
6. Conclusão, 171

O SISTEMA VOCÁLICO ORAL, 171
1. Fonemas vocálicos, 171
2. Alofonia vocálica, 173
(Tabela de alofonia vocálica destacável E)
3. Conclusão, 180
4. Exercício final, 181

O ACENTO, 182
CONCLUSÃO, 185

Modelos fonológicos, 187

1. Introdução, 187
2. O Estruturalismo, 187
3. A Fonologia Gerativa Padrão, 190
4. O modelo natural, 200
5. O modelo de sílaba na fonologia não linear, 202
6. Fonologia de Dependência, 209
7. Fonologia de Governo, 211
8. Fonologia Lexical, 213
9. Fonologia Métrica, 215
10. Teoria da Otimização, 216
11. Fonologia de Uso, 222
12. Teoria de Exemplares, 225
13. Interface Fonologia-Sintaxe, 228
14. Fonologia de Laboratório, 228
15. Tópicos para pesquisa, 229
16. Conclusão, 232

Respostas dos exercícios, 233

Índice remissivo, 259

Bibliografia, 265

Introdução

1. A linguagem

Falantes de qualquer **língua** fazem reflexões sobre o uso e a forma da **linguagem** que utilizam. Estes falantes são capazes de fazer observações quanto ao "sotaque" e às "palavras diferentes" utilizadas por um outro falante. Qual o falante que não se lembra de ter um dia discutido o "jeito diferente de falar" de uma pessoa que seja de uma outra região geográfica? Pode-se também determinar se o falante é estrangeiro e muitas vezes precisar o país de origem daquele falante. Qualquer indivíduo pode "falar sobre" a linguagem e discutir aspectos relacionados às propriedades das línguas que conhece. Isto faz parte do "conhecimento comum" das pessoas. Contudo, há um ramo da ciência cujo objeto de estudo é a linguagem.

A **linguística** é a ciência que investiga os fenômenos relacionados à linguagem e que busca determinar os princípios e as características que regulam as **estruturas das línguas**. Nas próximas páginas apresentamos ao leitor os principais termos técnicos da linguística que são adotados neste livro. Pretendemos também indicar o objeto de estudo da linguística e apontar áreas de trabalho que necessitam de profissionais com conhecimentos linguísticos, especialmente nas áreas de fonética e fonologia.

Sabemos que falar uma determinada língua implica um conhecimento que certamente transcende o escopo puramente linguístico. Quando duas pessoas falantes de uma mesma língua se encontram e passam a interagir linguisticamente, certamente se dá uma interação ampla em que cada uma das pessoas envolvidas passa a criar uma imagem da outra pessoa. Podemos identificar se a pessoa é **falante nativo** daquela língua. Um falante nativo é um indivíduo que aprendeu aquela língua desde criança e a tem como **língua materna** ou primeira língua. Caso classifiquemos o falante como sendo nativo, podemos afirmar se tal pessoa partilha da mesma **variante** regional daquela língua. Não precisamos nem mesmo ver um falante para determinar a sua idade ou sexo, e talvez seu grau de instrução. Isso pode ser facilmente atestado quando atendemos a um telefonema. Podemos também precisar se o falante é um estrangeiro que tem a língua em questão como **segunda língua**. Na grande maioria dos casos, falantes de uma segunda língua têm características de sua língua materna transpostas para a língua aprendida posteriormente. Tem-se portanto o "sotaque de estrangeiro" com características particulares de línguas específicas (como "sotaque" de americano, japonês, alemão, italiano etc.).

12 Introdução

Para procedermos à análise de uma língua devemos delimitar a variante a ser investigada. Idealmente devemos definir **parâmetros** linguísticos e não linguísticos, buscando constituir uma comunidade de fala homogênea. Uma **comunidade de fala** consiste de um grupo de falantes que compartilham de um conjunto específico de princípios subjacentes ao comportamento linguístico. Após definir-se a comunidade de fala a ser analisada passa-se, então, à coleta de dados que irão formar o corpus. O **corpus** fornece o material linguístico a ser analisado. Figueiredo (1994) discute aspectos interessantes relacionados à coleta de dados e à seleção de informantes.

Falantes de qualquer língua prestigiam ou marginalizam certas variantes regionais (ou pelo menos não as discriminam), a partir da maneira pela qual as sequências sonoras são pronunciadas. Assim, determinamos **variantes de prestígio** e **variantes estigmatizadas**. Algumas variantes podem ser consideradas neutras do ponto de vista de prestígio. Temos em qualquer língua as chamadas **variantes padrão** e **variantes não padrão**. Os princípios que regulam as propriedades das variantes padrão e não padrão geralmente extrapolam critérios puramente linguísticos. Na maioria das vezes o que se determina como sendo uma variante padrão relaciona-se à classe social de prestígio e a um grau relativamente alto de educação formal dos falantes. Variantes não padrão geralmente desviam-se destes parâmetros.

Vale dizer que as características das variantes padrão e não padrão nem sempre relacionam-se ao que é previsto pela gramática tradicional como correto. No português de **Belo Horizonte**, por exemplo, a terminação "-ndo" das formas de gerúndio é pronunciada como "-no": "comeno, fazeno, quereno, dançano, vendeno" etc. Note que a redução de "-ndo" para "-no" ocorre somente nas formas de gerúndio. A forma verbal "(eu) vendo" não permite a redução de "-ndo" para "-no", e uma sentença como "*Eu veno banana" não ocorre. Fazemos uso do asterisco antes de um determinado exemplo – como no caso de "*Eu veno banana" – com o objetivo de explicitar que tal exemplo é excluído ou não ocorre. Este recurso é adotado ao longo deste livro.

Vale ressaltar que a redução de "-ndo" para "-no" nas formas de gerúndio em Belo Horizonte (e em outras regiões do país) desvia-se do esperado como padrão. Contudo, sendo o fenômeno amplamente difundido entre os falantes, temos que a redução de gerúndio faz parte da variante padrão em Belo Horizonte.

Um exemplo de variante não padrão pode ser ilustrado com as formas verbais de primeira pessoa do plural. Em vários dialetos do **português brasileiro** tem-se duas formas pronominais para a primeira pessoa do plural: "nós" e "a gente". Cada uma destas formas requer uma forma verbal distinta: "nós gostamos" e "a gente gosta". Ambas as formas são aceitas como parte da variante padrão em vários dialetos. O que caracteriza a variante não padrão é a troca de formas de pessoa com a forma verbal: "nós gosta" e "a gente gostamos".

Há ainda casos de **lexicalização**. Simplificando podemos dizer que o **léxico** consiste de um conjunto de itens lexicais e de suas respectivas propriedades relevantes para a organização da gramática. Falantes do português têm, por exemplo, uma entrada lexical como "planeta", cujas propriedades listadas podem ser: substantivo, masculino. Cada palavra é associada a uma entrada lexical. No caso da palavra "planeta" todos os falantes têm a mesma entrada lexical e as mesmas propriedades específicas: substantivo, masculino. Há contudo exemplos como "guaraná" ou "telefonema" que não apresentam a mesma entrada lexical para todos os falantes. Para alguns falantes há a especificação de que estas palavras são masculinas – "o guaraná", "o telefonema" – e para outros falantes há a especificação de que estas palavras são femininas – "a guaraná", "a telefonema". Dizemos neste caso que para as palavras "guaraná", "telefonema" o gênero é especificado lexicalmente podendo ter duas alternativas possíveis: masculino ou feminino. Não há uma opção melhor-pior ou certa-errada. Dizemos que a lexicalização deste item para os falantes determina a forma a ser adotada. No caso de "guaraná, telefonema" temos que a mesma entrada lexical tem propriedades específicas diferentes.

Há um outro caso de lexicalização que envolve palavras que têm a entrada lexical diferente e as mesmas propriedades específicas. Para alguns falantes as formas "**v**assoura, **a**ssovio" são substantivos sendo "**v**assoura" feminino e "**a**ssovio" masculino. Para outros falantes as formas "**v**assoura, **a**ssovio" não existem. As formas correspondentes com o mesmo significado e as mesmas propriedades específicas são: "**b**assoura, asso**b**io". Estas formas são substantivos sendo "**b**assoura" feminino e "asso**b**io" masculino. Pode ser que um falante tenha as entradas lexicais "**v**assoura" e "asso**b**io". O falante faz uso da forma registrada em seu léxico. Finalmente, há casos de uma palavra apresentar duas formas lexicalizadas diferentes para o mesmo falante. Um exemplo é a palavra "ruim" que para inúmeros falantes do português pode ser pronunciada como "ruím" ~ "rúim" (o símbolo ~ indica a alternância entre formas).

Podemos concluir que não há variante melhor ou pior de uma língua. Há variantes de prestígio, estigmatizadas ou neutras. Para definir as propriedades a serem adotadas em sua variedade pessoal um falante conta com várias fontes de informação linguística e não linguística de outros falantes. Mesmo que a seleção não se dê conscientemente, definem-se opções e caracterizam-se assim as particularidades da fala de um indivíduo: ou seja um **idioleto**. O que é interessante é que embora todo e qualquer indivíduo tenha características específicas em sua fala, há uma enorme porção compartilhada com os outros indivíduos e definem-se assim os dialetos ou variantes de uma língua. Consideremos a seguir algumas variantes não linguísticas que deixam marcas na organização linguística.

A fala do homem e da mulher por exemplo se faz marcar na organização linguística. Temos **variantes de sexo** (masculino ou feminino). No português mineiro observamos que o uso do diminutivo é recorrente na fala feminina: "Olha que gracinha aquele vestidinho amarelinho!". Parece difícil imaginar um homem dizendo o

14 Introdução

mesmo enunciado. Geralmente, na fala masculina observa-se com menos frequência o uso do diminutivo. No caso do português, quando ocorre a variante de sexo, esta é expressa em termos de frequência de uso. Não há em português marcas gramaticais, palavras específicas ou padrões de **entoação** que sejam somente utilizados por falantes de um único sexo. Contudo, isto ocorre em algumas línguas. O **japonês** pode ser tomado como exemplo. A língua japonesa apresenta as variantes masculina, feminina e neutra. Um exemplo que marca a diferença gramatical entre estas três variantes de sexo é o uso da partícula que segue um substantivo: na fala masculina é "da"; na fala feminina é "yo" e na fala neutra é "desu yo". Várias outras marcas de sexo podem ser observadas em japonês.

Contamos também com **variantes etárias**. Note que pessoas mais idosas, por exemplo, são mais propensas a pronunciar o r final das formas de infinitivo dos verbos (cf. "canta**r**"), ou o **s** plural em substantivo ("os meninos"). Jovens tendem a omitir estes sons nestes contextos (cf. "cantá" e "os menino").

Qualquer pessoa está ciente de **variantes formais** e **variantes informais** de sua língua. Estas variantes são estilísticas. Claro que namorar ou brincar com os filhos envolve o uso de uma variante diferente daquela utilizada em um encontro formal em uma entrevista de emprego ou numa Corte de Justiça.

Fazer uso da linguagem certamente leva-nos a compartilhar de princípios sociais e linguísticos. Estes princípios são determinados sem nenhum encontro específico dos falantes para tal finalidade ou de uma lei ou decreto criados especificamente para este fim. Entretanto, tais princípios são compartilhados pela comunidade em questão e são parte do universo dinâmico e passíveis de mudanças a cada instante. Certamente, a intuição de falante nativo contribui para a seleção da variante a ser usada em cada **contexto**. Em outras palavras sabemos o que falar, para quem, como, quando e onde.

Portanto, ao empreendermos uma análise linguística devemos considerar parâmetros linguísticos e não linguísticos. Dentre os fatores não linguísticos ressaltamos: região geográfica, faixa etária, gênero (masculino, feminino, neutro), estilo (formal, não formal), grau de instrução, classe social.

Faremos uso do termo **variante** para caracterizar as propriedades linguísticas compartilhadas por um grupo específico de falantes. Temos, assim, variantes etárias, variantes de sexo, variantes geográficas (como por exemplo *a variante de Belo Horizonte*), etc. O termo **dialeto** é também utilizado como sinônimo de variante. Ao referirmos à fala específica de um indivíduo adotamos o termo **idioleto**. As propriedades particulares da fala de um indivíduo caracterizam seu idioleto.

Gostaríamos de ressaltar que toda e qualquer variante de uma língua é adequada linguisticamente e é inapropriado dizer que há variantes piores ou melhores. Sugerimos que o leitor faça o exercício abaixo com o objetivo de refletir sobre a sua variedade linguística pessoal.

Introdução 15

Exercício 1

1.1. Procure um colega de turma (ou um amigo) que seja de uma região diferente da sua e liste cinco palavras que vocês pronunciam de maneira diferente. Indique as regiões consideradas. Identifique a letra (ou letras) correspondentes ao som (ou sons) que marcam esta diferença.

1.2. Como você categoriza a sua variedade linguística individual em termos comparativos com outras variedades do português? Tente comparar a sua variante com outras que você considera de prestígio, estigmatizadas e neutras. Compare a sua seleção com a de um colega e discuta os fatores que levaram a diferenças.

1.3. Aponte um aspecto do português que marque a variação linguística entre faixas etárias diferentes. Ilustre com exemplos.

Ao linguista compete a tarefa de formular explicações sobre o mecanismo subjacente à linguagem. Tal tarefa, em última instância, consiste da formalização da gramática de uma determinada língua. Entendemos que uma **gramática** deve explicitar os princípios e as características da língua analisada. Tal proposta deve explicar todos os enunciados possíveis de ocorrer naquela língua e também excluir enunciados que não sejam atestados. Note que excluímos neste livro referência à gramática enquanto um volume que lista técnicas para a análise de sentenças em termos de suas partes (como sujeito, predicado, etc.). O termo *gramática* é tradicionalmente utilizado em referência às gramáticas prescritivas ou normativas.

A **gramática prescritiva** ou **gramática normativa** explicita as regras determinadas para uma língua qualquer. Contudo, é basicamente impossível encontrar um falante que faça uso de todas as regras gramaticais prescritas, sem violações. Há méritos nas gramáticas normativas, sobretudo quanto ao estabelecimento dos padrões que são compartilhados pelos falantes. Entretanto, a consulta a uma gramática normativa deve ser feita criticamente, avaliando-se as particularidades da linguagem utilizada pelos falantes. Um exemplo no português brasileiro é o uso do futuro simples: "Eu buscarei o livro amanhã". Para uma grande maioria de falantes do português brasileiro o futuro simples não ocorre na língua falada. Em seu lugar ocorre o futuro composto: "Eu vou buscar o livro amanhã". Note, contudo, que o futuro simples é utilizado na linguagem escrita e em algumas variantes do português brasileiro (e certamente no **português europeu**). Faz-se, portanto, pertinente registrar a norma que prescreve o uso do futuro simples. De posse desta informação falantes podem fazer uso apropriado do futuro simples se lhes for necessário.

Temos também a **gramática descritiva** que tem por objetivo descrever as observações linguísticas atestadas entre os falantes de uma determinada língua. Sem prescrever normas ou definir padrões em termos de julgamento de correto-incorreto, busca-se documentar uma língua tal como ela se manifesta no momento da descrição.

16   Introdução

Podemos dizer que no caso do futuro simples uma gramática descritiva deve documentar a sua ausência no português falado de vários dialetos e registrar suas características nas variantes em que ele ocorre. Tais gramáticas são formuladas com o apoio teórico da linguística. [cf. Perini (1995)].

Exercício 2

Discuta com um exemplo do português a diferença entre a gramática prescritiva (ou normativa) e a gramática descritiva.

Uma descrição linguística pode ter um caráter diacrônico ou sincrônico. A **linguística diacrônica**, que é também chamada linguística histórica, analisa a linguagem e suas mutações durante um determinado período. Neste caso explicita-se o período a ser considerado e o material linguístico a ser adotado na análise. Para análises diacrônicas do **sistema sonoro** do português ver Williams (1975), Mattos e Silva (1991) e Tessyer (1997). A **linguística sincrônica** investiga as propriedades linguísticas de uma determinada língua em seu estágio evolutivo atual. Deve-se explicitar a comunidade de fala observada e as condições da coleta do corpus a ser adotado na análise.

No início desta introdução definimos a **linguística** como sendo a ciência que investiga os fenômenos relacionados à linguagem e que busca determinar os princípios e as características que regulam as estruturas das línguas. Aceitando-se que a linguística investiga a linguagem humana, tentemos, então, delimitar mais especificamente o seu objeto de estudo. Discutimos brevemente a seguir as propostas de Saussure e Chomsky.

A proposta de Saussure (1916) é de cunho **estruturalista** e tem como mérito explicitar o objeto de estudo da linguística de maneira clara e objetiva. A leitura deste trabalho – denominado *Curso de Linguística Geral* – é essencial para os iniciantes em linguística. Saussure propõe a dicotomia entre *língua* e *fala*. A **língua** constitui um sistema linguístico compartilhado por todos os falantes da língua em questão. A **fala** expressa as idiossincrasias particulares da língua utilizada por cada falante. O linguista busca seu material para análise na *fala*. Coleta-se um corpus e busca-se definir e descrever um sistema linguístico – ou seja, a língua – a partir da análise das particularidades individuais e das semelhanças compartilhadas pelos indivíduos. Portanto, o sistema a ser definido e descrito pelo linguista constitui a *língua*. A dicotomia entre *língua-fala* estabelece o objeto de estudo da linguística: a *língua*. Tal objeto é investigado a partir de material proveniente da *fala*.

Chomsky (1965 e publicações subsequentes) inova a ciência da linguagem por associar o evento linguístico à mente em termos psicológicos ao propor a **Gramática Gerativa**. A Gramática Gerativa – ou Gramática Transformacional – contribuiu para a mudança de foco teórico e metodológico da linguística do século XX.

Perini (1976) discute a proposta inicial de Chomsky a partir de exemplos do português. A proposta teórica gerativa assume que à linguística interessa o estudo da **competência**. A *competência* consiste do conhecimento subjacente e internalizado que o falante tem de sua língua (semelhante a *língua* para Saussure). O uso que o falante faz de sua língua é denominado **desempenho**. O *desempenho* relaciona-se ao que Saussure denominou *fala*. A grande diferença teórica entre *língua-competência* e *fala-desempenho* pauta-se no argumento de Chomsky de que o conhecimento linguístico do falante (em termos de competência) transcende qualquer corpus. Os falantes têm um conhecimento ilimitado de sua língua ao criarem e reconhecerem enunciados completamente novos e ao serem capazes de identificar erros de desempenho. A intuição do falante nativo de uma língua é a referência para definir-se os parâmetros gramaticais (em termos de estruturas aceitáveis naquela língua). A análise linguística, segundo Chomsky, deve descrever as regras que governam a estrutura da competência. Chomsky argumenta que a linguística pode contribuir para a compreensão da natureza da organização da mente humana [cf. por exemplo Chomsky (1986, 1992)].

Um outro aspecto importante da proposta teórica de Chomsky é a postulação de diferentes níveis da gramática e a inter-relação entre eles. O esquema abaixo expressa tal proposta.

Os níveis básicos de representação assumidos são **fonologia, sintaxe** e **semântica**. A fonologia estabelece os princípios que regulam a estrutura sonora das línguas, caracterizando as sequências de sons permitidas e excluídas na língua em questão. A sintaxe analisa o mecanismo subjacente à estrutura gramatical, definindo a organização dos **constituintes** internos das sentenças e estabelecendo a relação entre tais constituintes. A semântica estuda a relação entre conteúdo e significado. Sugiro que o leitor escolha e consulte um livro de introdução à linguística e faça o exercício abaixo.

Exercício 3

3.1. Qual é o objeto de estudo da linguística? Justifique a sua resposta.

3.2. Explique os objetivos dos seguintes níveis da gramática: fonologia, sintaxe e semântica. Indique um tópico abordado na análise do português para cada um destes níveis. Dê exemplos.

A análise linguística requer que se observe, descreva e, idealmente, explique os fenômenos atestados. A observação de um fenômeno pode ser feita de vários ângulos,

18 Introdução

fornecendo-se assim diversas formas de interpretação. Geralmente a maneira de observação assumida é decorrente dos pressupostos teóricos e metodológicos adotados na descrição. A descrição de qualquer fenômeno deve ser pautada em uma teoria que regule os princípios de tal descrição. A explicação dos fenômenos observados e descritos se dá a partir da fundamentação teórica adotada. É essencial que qualquer análise adote um modelo teórico e que tal proposta seja adotada integralmente (embora com criticidade!). Teorias diferentes possuem premissas diferentes e a combinação de teorias deve ser feita cuidadosamente. Sem o devido cuidado, a mescla de modelos teóricos pode incorrer na criação de uma teoria nova sem pressupostos teóricos e metodológicos que sejam coerentes. Ao analisar qualquer material, o cientista depara-se com fatos que porventura podem não ter sido considerados anteriormente e pode ter, então, que complementar um modelo teórico. Contribui-se, assim, para com o progresso da ciência. Pode-se também sugerir que um determinado aspecto de um modelo teórico deva ser alterado a partir de evidências da análise. Teorias devem ser vistas como recursos a serem utilizados e alterados se for necessário.

Além de não haver língua melhor ou pior, não há **línguas primitivas** ou mais evoluídas. Toda língua permite a expressão de qualquer conceito. Caso seja necessário incorpora-se vocabulário novo ampliando-se o léxico da língua em questão. Isto faz parte do caráter evolutivo das línguas. Todas as línguas mudam continuamente.

Precisar exatamente as fronteiras geográficas de uma determinada língua pode muitas vezes ser difícil. Ao viajarmos de **Portugal** à Espanha passando pela Galícia não perceberemos qualquer mudança abrupta do ponto de vista linguístico. Contudo, se sairmos de Portugal e viajarmos diretamente à Espanha identificaremos as características do português falado em Portugal como bastante distintas do espanhol falado na Espanha. O mesmo fenômeno pode ser observado em regiões de fronteira do Brasil com outros países da América do Sul. O português e o espanhol da fronteira têm várias características comuns. Portanto, definir uma *língua* ou um *dialeto* transcende o caráter puramente linguístico. Muitas vezes fatores políticos e sociais têm forte influência nas delimitações geográficas das línguas.

Línguas que se desenvolvem sem interferência formal externa são chamadas **línguas naturais**. O português é uma língua natural por evoluir de acordo com parâmetros gerados pela própria língua a partir do uso feito pelos falantes. Há também línguas artificiais (também chamadas línguas auxiliares). Uma **língua artificial** é uma língua inventada com o propósito específico de comunicação ou para fins de linguagem computacional. O esperanto é geralmente a língua artificial mais difundida (criada em 1887 pelo polonês Ludwik Lejzer Zamenhof). O léxico de tal língua foi construído com influência de línguas da Europa ocidental e há influência de línguas eslavas na sintaxe e na ortografia.

O português é classificado como pertencendo à família de **línguas românicas** do tronco indo-europeu. Estima-se que há aproximadamente 206 milhões de falantes no

Brasil [conforme dados do IBGE de novembro de 2016]. O português é língua oficial e majoritária no Brasil, em Portugal e nas ilhas atlânticas da Madeira, dos Açores e de São Miguel. Alguns países da África, cuja colonização foi feita por Portugal, têm o português como língua oficial, embora, em conjunto, as línguas nativas sejam majoritárias. Dentre estes destacamos Angola, Moçambique, São Tomé e Príncipe, Guiné-Bissau e Cabo Verde. Na Ásia o português é falado em Macau, Damão, Diu Goa, e na Oceania o português é falado em Timor Leste.

Há ainda as chamadas línguas crioulas que são derivadas do português. Tais línguas surgiram como línguas francas com o propósito de permitir o comércio entre falantes do português e de outras línguas. Criou-se então uma língua distinta baseada no português e na(s) língua(s) nativa(s). Em seu estágio inicial tal língua é denominada **pidgin**. Ao ter falantes nativos e adquirir um status dinâmico de língua natural, tal língua passa a ser denominada **crioulo** [cf. Holm (1988) e Couto (1995)]. Há crioulos baseados em outras línguas além do português (como, por exemplo, francês, **inglês**, etc). Dentre os crioulos derivados do português que se encontram na África temos o da ilha de Cabo Verde, os das ilhas do golfo da Guiné (São Tomé, Príncipe e Ano Bom), o da Guiné-Bissau e o de Casamance (no Senegal). Na Ásia temos os crioulos de Malaca (na Malásia), de Macau (em Hong Kong), do Sri Lanka (em Vaipim e Baticaloa) e na Índia temos crioulos em Chaul, Korlai, Tellicherry, Cananor e Cochim. Na Oceania há o crioulo de Tugu (perto de Jacarta).

Exercício 4

Consulte um atlas e identifique as áreas em que se falam o português e os crioulos baseados na língua portuguesa.

Neste livro tratamos da organização do sistema sonoro com ênfase na descrição do português brasileiro. Referência a outras variedades do português e a outras línguas se dá quando não podemos exemplificar um determinado fenômeno ou um certo aspecto teórico com exemplos do português brasileiro.

Tratamos do sistema sonoro do português do ponto de vista prático e teórico. O objetivo básico deste livro é fornecer ao leitor o instrumental necessário para a caracterização de sua fala. Pretende-se também fomentar o interesse pelos estudos fonológicos. Este livro se divide em três partes: **Fonética**, **Fonêmica** e Modelos Fonológicos. A primeira parte, intitulada Fonética, é dedicada ao estudo da **Fonética Articulatória** aplicada ao português. Tratamos dos parâmetros envolvidos na articulação dos segmentos vocálicos e consonantais e da organização de tais segmentos na **estrutura silábica**. Espera-se que ao fazer os exercícios que acompanham o texto o leitor identifique as características articulatórias específicas dos segmentos consonantais e vocálicos que ocorrem em seu idioleto, descrevendo assim, a sua variedade linguística individual. Como conclusão temos que as res-

20 Introdução

postas a vários exercícios da parte de Fonética podem diferir de uma pessoa para outra. A segunda parte, intitulada Fonêmica, apresenta os princípios teóricos e metodológicos da análise fonêmica. O leitor deve fazer os exercícios e postular um sistema fonêmico para o português. Tal sistema é idêntico para todos os falantes do português (sendo correlato ao sistema da *língua* proposto por Saussure). As particularidades da *fala* de cada indivíduo são expressas na análise fonética de cada idioleto. Finalmente, a terceira parte que é intitulada Modelos Fonológicos, apresenta uma visão da trajetória pós-estruturalista da análise do **componente sonoro**: a fonologia. Apontamos os princípios gerais de cada modelo e indicamos referências bibliográficas primárias. Quando possível fornecemos bibliografia em português e referências de análises que demonstrem a aplicabilidade de um determinado modelo a dados da língua portuguesa. Sugerimos ainda uma série de tópicos teóricos e aplicados que podem potencialmente gerar trabalhos de monografia, dissertações de mestrado ou teses de doutorado.

Pretendemos, portanto, introduzir o leitor ao estudo do componente sonoro da linguagem com ênfase no português brasileiro. Não se espera qualquer conhecimento prévio e assume-se que ao concluir a leitura e exercícios propostos o leitor deve ser capaz de avaliar as características de sua fala e de outros falantes. Espera-se também que o leitor possa discutir os pressupostos teóricos da análise fonêmica e avaliar criticamente aspectos controvertidos do sistema sonoro do português. Com a discussão apresentada na parte final deste livro espera-se contribuir para que o leitor amplie seus conhecimentos teóricos dos vários modelos fonológicos.

Para finalizar, apontamos áreas de trabalho que requerem profissionais com formação em linguística e mais especificamente nas áreas de fonética e fonologia.

2. Áreas de trabalho

Linguística: O teórico da linguagem busca explicar os mecanismos subjacentes aos sistemas linguísticos. A compreensão dos sistemas sonoros das línguas, bem como a relação destes sistemas com os demais componentes da gramática (como **morfologia**, sintaxe, semântica) consistem no trabalho do pesquisador. Teóricos da linguagem podem investigar um determinado aspecto da linguagem do ponto de vista sincrônico ou podem empreender uma pesquisa de um aspecto diacrônico da língua escolhida. **Formação**: Graduação em Letras e Linguística e pós-graduação em áreas afins.

Ensino de língua materna: Ao conhecer em detalhes a estrutura sonora da língua portuguesa, o profissional pode avaliar problemas enfrentados por estudantes e formular propostas para solucioná-los. Tal conhecimento é sobretudo valioso aos alfabetizadores e professores de português. **Formação**: Curso Normal (segundo grau) e Graduação em Letras – português.

Introdução 21

Ensino de língua estrangeira: O professor de língua estrangeira deve conhecer bem a língua que ensina e ser capaz de compará-la ao português. A comparação permite avaliar problemas de interferência linguística de uma língua na outra e formular propostas para bloquear tal interferência. **Formação**: Graduação em Letras – português e outra língua.

Planejamento linguístico-social: A variedade linguística em um país com a dimensão territorial do Brasil impõe desafios. Em áreas com grande migração nacional depara-se com as diferenças linguísticas entre o educador e os educandos. Muitas vezes alunos com excelente potencial são excluídos do sistema educacional devido ao fato de sua fala desviar da norma prescrita. A exclusão ocorre às vezes na mesma região geográfica sendo que educador e educando compartilham de variedades linguísticas diferentes e problemas até mesmo de inteligibilidade podem surgir. Cabe ao planejador educacional avaliar situações de conflito e propor alternativas para os problemas existentes. **Formação**: Graduação em Letras, Pedagogia, Sociologia e Assistência Social. Pós-graduação em áreas afins com pesquisa específica em planejamento.

Tradução e interpretação: A tradução e interpretação tornam-se áreas de trabalho muito relevantes no mundo globalizante em que vivemos. Tradutores necessitam conhecer os sistemas sonoros das línguas com que trabalham para explicar aspectos que muitas vezes são opacos em textos escritos (a tradução de poesias e canções é um caso explícito). Para o intérprete, o conhecimento dos sistemas sonoros das línguas com que trabalha é fundamental para que o mínimo de incompreensão incorra durante uma sessão de trabalho. **Formação**: Graduação em Letras, Tradução e pós-graduação em áreas afins.

Dramaturgia: A expressão oral tem um papel fundamental na dramaturgia. Pense por exemplo que um ator/atriz às vezes desempenha um papel cujo personagem tem um sotaque diferente do seu. Colaboração profissional entre atores e profissionais que trabalham com a linguagem se faz necessária. O linguista pode também ensinar aos atores o melhor meio de utilizar os mecanismos que permitam o uso pleno das partes do corpo envolvidas na linguagem. **Formação**: Graduação em Letras, Teatro e Escolas de Dramaturgia.

Fonoaudiologia: O profissional que trabalha com aspectos relacionados à patologia da fala é o fonoaudiólogo. Este profissional deve conhecer bem os aspectos articulatórios e acústicos envolvidos na produção da fala e também ser capaz de avaliar a organização fonológica do sistema da língua em questão. Aspectos como a gagueira ou a "troca de sons" na fala são tratados por fonoaudiólogos ou terapeutas da fala. **Formação**: Graduação em Fonoaudiologia e pós-graduação em áreas afins (como Linguística, por exemplo).

Línguas de sinais: Os sistemas de comunicação de pessoas que não escutam ou que não falam têm uma complexidade gramatical específica e em princípio estão sujeitos a **mudanças linguísticas** semelhantes às que ocorrem nas línguas orais. Alguns surdos

22 Introdução

podem utilizar a linguagem oral se adequadamente orientados por profissionais. A **Libras** é a Língua Brasileira de Sinais e foi decretada língua oficial do Brasil, junto com o português, em 2005 (Decreto n. 5626/2005). **Formação**: Graduação em Letras e áreas afins. Também o desenvolvimento de pesquisas em cursos de pós-graduação em áreas afins (como a Linguística, por exemplo).

Linguística computacional: Um dos grandes desafios da ciência computacional é encontrar correlatos acústicos da fala que sejam conversíveis em sinais digitais. Muito tem sido desenvolvido nesta área nos últimos anos. Um exemplo da relação linguística-computação é a possibilidade de se obter e passar informações por telefone entre um ser humano e um computador (via telefonia, por exemplo). Ao definir-se os aspectos acústicos e articulatórios da língua e seu sistema fonológico, pode-se aperfeiçoar mecanismos já existentes. Desafios são impostos sobretudo na área da sintaxe e semântica. **Formação**: Graduação em Computação, Física e Linguística e pós-graduação em áreas afins.

Ciência da telecomunicação: A transmissão da fala em termos físicos impõe desafios para a ciência. O som deve ser transmitido nitidamente para que não se perca conteúdo de informação. A transmissão dos meios de comunicação – como rádio e televisão – depende de pesquisa nesta área. Obter-se um meio eficaz, rápido e econômico de transmitir a fala são ambições desta área de pesquisa. **Formação**: Graduação em Computação, Física e Linguística e pós-graduação em áreas afins.

Zoobiologia: Definir os parâmetros envolvidos na comunicação animal e caracterizar a organização dos sistemas linguísticos animais são tópicos de pesquisa na área de zoobiologia. Linguagens de chimpanzés, golfinhos, baleias e abelhas são relativamente bem estudadas. Faz-se relevante caracterizar as relações de comunicação entre diversos membros de uma mesma espécie em diferentes regiões do planeta. **Formação**: Graduação em Linguística, Biologia, Zootecnia e pós-graduação em áreas afins.

Linguística forense: A fala de um indivíduo apresenta características específicas e únicas. Estudos têm sido realizados para caracterizar as particularidades da fala individual e definir os parâmetros do que corresponde à "impressão digital" da fala. Espera-se que o progresso nesta área de pesquisa permita a utilização de evidências da fala em tribunais. **Formação**: Graduação em Linguística com complementação das áreas de Física e Direito. Pós-graduação em áreas afins.

Linguística indígena: Temos hoje aproximadamente 120 línguas indígenas faladas em todo o território brasileiro. Destas, apenas umas poucas foram amplamente estudadas. Do ponto de vista teórico o estudo destas línguas permite a ampliação do conhecimento dos mecanismos que regulam as línguas naturais. Do ponto de vista prático registra-se tecnicamente a língua nativa que pode ser eventualmente utilizada em projetos educacionais se for de interesse da comunidade. **Formação:** Graduação em Linguística, Letras, Antropologia e pós-graduação em áreas afins.

Fonética

1. Introdução

Esta parte é dedicada ao estudo da produção da fala do ponto de vista fisiológico e articulatório. Inicialmente, descrevemos o **aparelho fonador** e discutimos o mecanismo fisiológico envolvido na produção da fala. Em seguida, consideramos as **propriedades articulatórias** envolvidas na produção dos segmentos consonantais e vocálicos. De posse deste instrumental podemos descrever, classificar e transcrever os sons da nossa fala. O instrumental a ser apresentado nas próximas páginas permite-nos descrever qualquer som de qualquer língua natural. Neste livro enfatizamos a descrição dos sons do português brasileiro.

A **fonética** é a ciência que apresenta os métodos para a descrição, classificação e transcrição dos sons da fala, principalmente aqueles sons utilizados na linguagem humana. As principais áreas de interesse da fonética são:

Fonética articulatória – *Compreende o estudo da produção da fala do ponto de vista fisiológico e articulatório.*

Fonética auditiva – *Compreende o estudo da percepção da fala.*

Fonética acústica – *Compreende o estudo das propriedades físicas dos sons da fala a partir de sua transmissão do falante ao ouvinte.*

Fonética instrumental – *Compreende o estudo das propriedades físicas da fala, levando em consideração o apoio de instrumentos laboratoriais.*

Nas próximas páginas, investigamos aspectos fonéticos do português brasileiro do ponto de vista articulatório com o objetivo de entendermos a produção dos sons que utilizamos em nossa fala.

Nota: Os trechos do livro que possuem informações complementares no site (https://www.editoracontexto.com.br/produto/fonetica-e-fonologia-do-portugues-roteiro-de-estudos-e-guia-de-exercicios-nova/1496828) estão indicados pelo ícone (𝄞), acompanhado do número da faixa respectiva.

2. O aparelho fonador

Os órgãos que utilizamos na produção da fala não têm como função primária a articulação de sons. Na verdade, não existe nenhuma parte do corpo humano cuja única função esteja apenas relacionada com a fala. As partes do corpo humano que utilizamos na produção da fala têm como função primária outras atividades diferentes como, por exemplo, mastigar, engolir, respirar ou cheirar. Entretanto, para produzirmos qualquer som de qualquer língua fazemos uso de uma parte específica do corpo humano que denominaremos de **aparelho fonador**.

Com o objetivo de compreendermos o mecanismo de produção da fala e da articulação dos sons é que passamos, então, à descrição do aparelho fonador. Podemos dividir em três grupos os órgãos do corpo humano que desempenham um papel na produção da fala: o **sistema respiratório**, o **sistema fonatório** e o **sistema articulatório**.

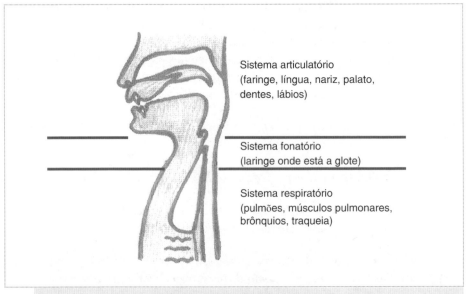

Figura 1: *Os sistemas respiratório, fonatório e articulatório*

Consideremos cada um dos sistemas ilustrados acima. O **sistema respiratório** consiste dos pulmões, dos músculos pulmonares, dos tubos brônquios e da traqueia. O sistema respiratório encontra-se na parte inferior à glote, que é denominada cavidade infraglotal (cf. figura 1). A função primária do sistema respiratório é obviamente a produção da respiração.

O **sistema fonatório** é constituído pela laringe. Na laringe localizam-se músculos estriados que podem obstruir a passagem da **corrente de ar** e são denominados **cordas vocais**. O espaço decorrente da não obstrução destes músculos laríngeos é chamado de **glote**. A função primária da laringe é atuar como uma válvula que

Fonética – O aparelho fonador   25

obstrui a entrada de comida nos pulmões por meio do abaixamento da epiglote. A epiglote é a parte com mobilidade que se localiza entre a parte final da língua (ao fundo da garganta) e acima da laringe (cf. figura 1). O ato de engasgar envolve o fato de que a epliglote não obstruiu a entrada de alimento no sistema respiratório. O ar dos pulmões sai então visando a impedir a entrada do corpo estranho (o alimento) no sistema respiratório.

O **sistema articulatório** consiste da faringe, da língua, do nariz, dos dentes e dos **lábios**. Ou seja, das estruturas que se encontram na parte superior à glote (cf. figura 1). São várias as funções primárias desempenhadas pelos órgãos do sistema articulatório. Estas funções relacionam-se principalmente com o ato de comer e podemos salientar: morder, mastigar, sentir o paladar, cheirar, sugar, engolir.

Os três sistemas descritos acima caracterizam o **aparelho fonador** e são fisiologicamente responsáveis pela produção dos sons da fala. Levando-se em consideração as características fisiológicas do aparelho fonador, podemos afirmar que há um número limitado de sons possíveis de ocorrer nas línguas naturais. Isto deve-se ao fato de ser fisiologicamente impossível articular um som em que a língua toca a ponta do nariz. Por outro lado, sons cuja articulação envolve a língua tocar os dentes incisivos superiores são atestados em inúmeras línguas. Em outras palavras, enquanto certas articulações são fisiologicamente impossíveis, outras são recorrentes.

Considerando-se, portanto, as limitações fisiológicas impostas ao aparelho fonador, podemos dizer que o conjunto de sons possíveis de ocorrer nas línguas naturais é limitado. Na verdade, um conjunto de aproximadamente 120 símbolos é suficiente para categorizar as **consoantes** e **vogais** que ocorrem nas línguas naturais.

Considerando que seres humanos sem patologia apresentam um aparelho fonador semelhante (variando quanto às dimensões dos órgãos), podemos deduzir que toda e qualquer pessoa sem deficiências fisiológicas seja capaz de pronunciar todo e qualquer som em qualquer língua. Tal afirmação é verdadeira. Porém, parece que na adolescência a capacidade das pessoas de articularem sons novos (de línguas estrangeiras) passa a ser reduzida. Precisar exatamente esta idade e as razões que levam a essa perda da capacidade de produção de sons novos, certamente nos levaria muito além do objetivo deste livro. O que podemos explicar aqui é o fato de que a maioria das crianças que venham a estar expostas a uma segunda língua falarão esta língua sem qualquer sotaque. Adultos que sejam expostos a uma segunda língua, quase que em sua totalidade apresentam sotaque com características de sua língua materna.

Descrevemos acima o aparelho fonador. Nas próximas páginas discutimos a produção de segmentos consonantais e vocálicos que são possíveis de ser articulados pelo aparelho fonador. Nosso objetivo é fornecer um instrumental que permita a descrição e classificação dos sons do português brasileiro. Portanto, damos ênfase à caracterização dos segmentos consonantais e vocálicos que ocorrem nesta língua. Outras línguas podem ser utilizadas para ilustrar aspectos que não ocorrem no português. Descrevemos inicialmente os segmentos consonantais e, posteriormente, consideramos a descrição dos segmentos vocálicos.

3. A descrição dos segmentos consonantais

Todas as línguas naturais possuem consoantes e vogais. Entenderemos por **segmento consonantal** um som que seja produzido com algum tipo de obstrução nas cavidades supraglotais de maneira que haja obstrução total ou parcial da passagem da corrente de ar podendo ou não haver fricção. Por outro lado, na produção de um **segmento vocálico** a passagem da corrente de ar não é interrompida na linha central e portanto não há obstrução ou fricção. Certos segmentos têm características fonéticas não tão precisas, seja de consoante ou de vogal. Estes segmentos são denominados na literatura de semivogais, semicontoides ou glides. Adotamos o termo **glide** (pronuncia-se "gl[ai]de") para referir a tais segmentos. Segmentos vocálicos e glides são tratados neste livro após a descrição dos segmentos consonantais.

A descrição apresentada abaixo segue parâmetros articulatórios. Há ainda a possibilidade de caracterizar segmentos adotando-se parâmetros acústicos. Tais parâmetros descrevem as propriedades físicas dos sons da fala. Recomendamos a leitura de Fry (1979) aos interessados em investigar aspectos teóricos da descrição **acústica**. Um texto em português que aborda aspectos acústicos da fala é Motta Maia (1985).

Classificamos as consoantes de acordo com a proposta apresentada em Abercrombie (1967). Embora tenha sido publicado há quatro décadas o texto de Abercrombie oferece recursos teóricos ainda atuais, sendo a obra mais adequada para a caracterização dos parâmetros articulatórios dos sons da fala. Na produção de segmentos consonantais os seguintes parâmetros são relevantes: o mecanismo e direção da corrente de ar; se há ou não vibração das cordas vocais; se o som é **nasal** ou oral; quais são os articuladores envolvidos na produção dos sons e qual é a maneira utilizada na obstrução da corrente de ar. A descrição articulatória de qualquer segmento consonantal é possível a partir das respostas a estes parâmetros. Faremos uso das questões abaixo para a melhor compreensão desta descrição.

Q1. Qual o mecanismo da corrente de ar?

Q2. A corrente de ar é ingressiva ou egressiva?

Q3. Qual o estado da glote?

Q4. Qual a posição do véu palatino?

Q5. Qual o articulador ativo?

Q6. Qual o articulador passivo?

Q7. Qual o grau e natureza da estritura?

Passemos então a consideração de cada uma destas perguntas em detalhes.

Fonética – A descrição dos segmentos consonantais   27

Q1. Qual o mecanismo da corrente de ar?

Poucos sons produzidos por seres humanos podem ser descritos sem levarmos em consideração o mecanismo da corrente de ar. Entre os sons que não fazem uso do mecanismo de corrente de ar em sua produção o mais conhecido é o ranger dos dentes. A corrente de ar pode ser pulmonar, glotálica ou **velar**. Os segmentos consonantais do português são produzidos com o mecanismo de corrente de ar pulmonar. Este é o mecanismo utilizado normalmente no ato de respirar. O mecanismo de corrente de ar glotálico não ocorre em português e o mecanismo de corrente de ar velárico ocorre em algumas exclamações de deboche e negação.

Q2. A corrente de ar é ingressiva ou egressiva?

Em sons produzidos com a corrente de ar egressiva o ar se dirige para fora dos pulmões e é expelido por meio da pressão exercida pelos músculos do diafragma. Os segmentos consonantais do português são produzidos com a corrente de ar egressiva. Já nos sons produzidos com uma corrente de ar ingressiva o ar se dirige de fora para dentro dos pulmões (como se estivéssemos "engolindo" ar). A corrente de ar ingressiva ocorre em exclamações de surpresa de certos falantes do francês e não ocorre em português.

Q3. Qual o estado da glote?

A **glote** é o espaço entre os músculos estriados que podem ou não obstruir a passagem de ar dos pulmões para a faringe. Estes músculos são chamados de cordas ou pregas vocais. Diremos que o estado da glote é **vozeado** (ou sonoro) quando as pregas vocais estiverem vibrando durante a produção de um determinado som. Em outras palavras, durante a produção de um som vozeado os músculos que formam a glote aproximam-se e devido a passagem da corrente de ar e da ação dos músculos ocorre vibração. Em oposição, denominamos o estado da glote de **desvozeado** (ou **surdo**) quando não houver vibração das cordas ou pregas vocais. Não há vibração das pregas vocais nem ocorre ruído durante a produção de um segmento desvozeado. Isto se dá porque os músculos que formam a glote encontram-se completamente separados de maneira que o ar passa livremente. Na verdade as categorias *vozeado* e *desvozeado* podem ser interpretadas como limites de um contínuo que faz uma gradação de sons vozeados a sons desvozeados (passando por sons que têm características de vozeamento intermediárias). Por exemplo, os sons [b, d, g] no português são produzidos com a vibração das pregas vocais e são portanto sons vozeados. Já em inglês os sons [b, d, g] são produzidos com a vibração das pregas vocais em um grau menor do que aquele observado para o português. Embora os sons [b, d, g] sejam vozeados tanto em português quanto em inglês ao fazermos uma descrição destes sons em cada uma destas línguas devemos caracterizar os diferentes graus de vozeamento: completamente vozeados em português e parcialmente vozeados em inglês. Entretanto, estas duas modalidades – *vozeado* e *desvozeado* – são suficientes para o propósito da descrição dos segmentos consonantais apresentada aqui. Observe a vibração (ou não) das pregas vocais na produção dos sons **v** e **f**.

Tarefa

Coloque a sua mão espalmada contra a parte central anterior do pescoço (onde nos homens temos o "Pomo de Adão"). Pronuncie então o som inicial da palavra "vá" de maneira contínua (verifique que apenas a consoante esteja sendo pronunciada). Agora pronuncie da mesma maneira continuada o som inicial da palavra "fé". Faça a alternância entre **v** e **f** algumas vezes (pronuncie apenas a consoante!). Você deve observar que durante a produção de **v** haverá vibração transferida para a sua mão e que durante a produção de **f** a vibração não ocorre. O som **v** é vozeado e o som **f** é desvozeado.

No diagrama abaixo ilustramos o caso em que as pregas vocais estão vibrando e portanto temos um segmento vozeado ou sonoro (esquerda) e o caso em que as pregas vocais não estão vibrando e temos um som desvozeado ou surdo (direita).

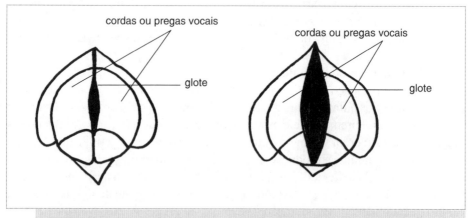

Figura 2: *O estado da glote em segmentos vozeados (esquerda) e desvozeados (direita)*

Na figura da direita os músculos que formam as pregas vocais estão separados e não vibram com a passagem da corrente de ar que vem dos pulmões. Na figura da esquerda os músculos que formam as pregas vocais vibram com a passagem da corrente de ar que vem dos pulmões.

Q4. Qual a posição do véu palatino?

Para observarmos a oposição entre um segmento **oral** e um segmento **nasal** devemos nos concentrar na posição do véu palatino. Para isto, podemos acompanhar o que acontece com a úvula, pois ela localiza-se no final do véu palatino ou **palato mole**. A úvula é comumente chamada de "campainha". É aquela "gota de carne" que vemos quando observamos a boca de uma pessoa aberta (por exemplo para ver se a pessoa está com dor de garganta – consulte a figura 5). Peça a um colega para alternar a pronúncia da vogal **a** (como em "lá") com a vogal **ã** (como em "lã") mantendo a boca o mais aberta possível (somente as vogais devem ser pronunciadas!). O que você deverá observar é que durante a produção da vogal **a** a úvula deverá estar levantada portanto o ar não terá acesso à **cavidade nasal** e não haverá ressonância nesta cavidade. Temos então um som oral. Na produção da vogal **ã** a úvula deverá estar abaixada e o ar deve então penetrar na cavidade nasal havendo ali ressonância. Temos então um som nasal. Concentre-se agora na posição assumida por sua própria úvula na produção de um segmento oral e nasal.

> **Tarefa**
> Alterne a pronúncia de **a** e **ã** sentindo a mudança de posição da úvula.

4

Observar a posição da própria úvula durante a produção de segmentos consonantais não é tão simples, mas vale a pena tentar verificar se o véu palatino encontra-se levantado na produção dos segmentos orais **p, l** em oposição ao seu abaixamento na produção dos segmentos nasais **m, n**. Para isto, articule cada um destes segmentos consonantais alternadamente observando a mudança de posição da úvula, (articule somente a consoante!). A figura abaixo ilustra uma articulação com o véu palatino levantado – quando ocorre um segmento oral (esquerda) – e uma articulação com o véu palatino abaixado – quando ocorre um segmento nasal (direita). Qualquer segmento produzido com o véu palatino levantado obstruindo a passagem do ar para a cavidade nasal é chamado de **oral** (figura à esquerda). Um segmento produzido com o abaixamento do véu palatino de maneira que haja ressonância na cavidade nasal é chamado de **nasal** (figura à direita).

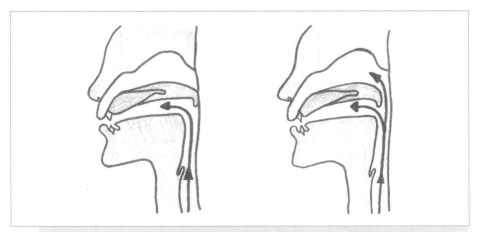

Figura 3: *A posição da úvula na produção de segmentos orais (esquerda) e segmentos nasais (direita)*

Q5. Qual o articulador ativo?
Os **articuladores ativos** têm a propriedade de movimentar-se (em direção ao **articulador passivo**) modificando a configuração do **trato vocal**. Os articuladores

ativos são: o lábio inferior (que modifica a **cavidade oral**), a língua (que modifica a cavidade oral), o **véu palatino** (que modifica a cavidade nasal) e as pregas vocais (que modificam a cavidade faringal). Eles são denominados articuladores ativos devido ao seu papel ativo (no sentido de movimento) na articulação consonantal (em oposição aos articuladores passivos que são discutidos abaixo). Identifique cada um dos articuladores na figura abaixo.

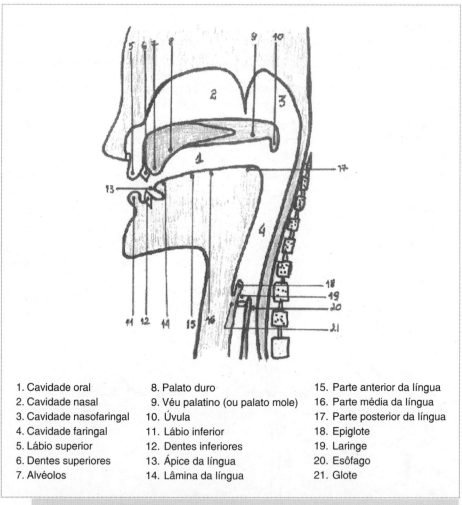

1. Cavidade oral
2. Cavidade nasal
3. Cavidade nasofaringal
4. Cavidade faringal
5. Lábio superior
6. Dentes superiores
7. Alvéolos
8. Palato duro
9. Véu palatino (ou palato mole)
10. Úvula
11. Lábio inferior
12. Dentes inferiores
13. Ápice da língua
14. Lâmina da língua
15. Parte anterior da língua
16. Parte média da língua
17. Parte posterior da língua
18. Epiglote
19. Laringe
20. Esôfago
21. Glote

Figura 4: *O aparelho fonador e os articuladores passivos e ativos, as cavidades oral, nasal, faringal e a glote (cordas vocais)*

A língua é dividida em **ápice**, lâmina, parte anterior, parte medial e parte posterior. O céu da boca é dividido em **alvéolos**, **palato duro**, véu palatino (ou palato mole) e úvula. Observe que o véu palatino pode também ser denominado palato mole. Identifique o ápice e a **lâmina da língua**, a úvula e os álveolos na figura 5 apresentada a seguir.

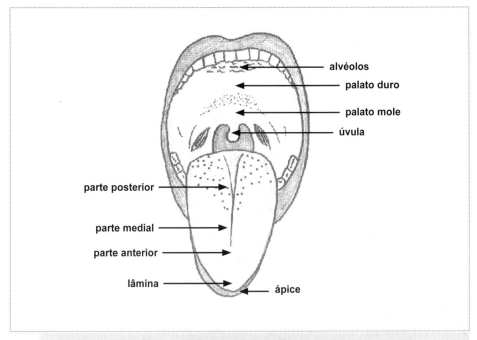

Figura 5: *Esquema ressaltando os alvéolos, o ápice e lâmina da língua e a úvula*

Note que tanto o ápice quanto a lâmina da língua localizam-se na parte mais frontal da língua. Enquanto o ápice localiza-se na borda lateral frontal da língua, a lâmina localiza-se na borda superior frontal da língua. Nos segmentos consonantais do português não é relevante se o articulador ativo é o ápice ou a lâmina da língua. Contudo, tal parâmetro articulatório é relevante em outras línguas.

Q6. Qual o articulador passivo?

Os articuladores passivos localizam-se na mandíbula superior, exceto o véu palatino que está localizado na parte posterior do palato. Os articuladores passivos são o lábio superior, os dentes superiores e o céu da boca que divide-se em: alvéolos, palato duro, véu palatino (ou palato mole) e úvula conforme ilustrado na figura 4. Note que o véu palatino pode atuar como articulador ativo (na produção de segmentos nasais) ou como articulador passivo (na articulação de segmentos velares).

Vejamos a relação entre articuladores ativos e passivos. A partir da posição do articulador ativo em relação ao articulador passivo (podendo ou não haver o contato entre eles) podemos definir o **lugar de articulação** dos segmentos consonantais de acordo com as categorias listadas abaixo. Os números que se encontram entre parênteses indicam o número correspondente ao articulador – ativo ou passivo – na figura 4. Observe que as letras em negrito referem-se à pronúncia associada a tal letra. A relação letra/som não é uma relação direta um a um. Temos casos em que uma letra corresponde a dois sons

32 Fonética – A descrição dos segmentos consonantais

diferentes – como por exemplo **c** em "**c**á" e em "**c**ela". Temos também casos em que o mesmo som é representado por duas letras diferentes – como por exemplo **c** em "**c**ela" e **s** em "**s**ela". O leitor deve estar atento para o fato de que nos exemplos apresentados aqui estamos interessados nos **sons** produzidos e não nas letras correspondentes a estes sons. Para uma discussão detalhada da relação letra/som veja Lemle (1987), Cagliari (1989) e Faraco (1994). Listamos a seguir as categorias de **lugar de articulação** que são relevantes para a descrição do português.

Lugar de articulação

Bilabial: O articulador ativo é o lábio inferior (11) e como articulador passivo temos o lábio superior (5). Exemplos: **p**á, **b**oa, **m**á.

Labiodental: O articulador ativo é o lábio inferior (11) e como articulador passivo temos os dentes incisivos superiores (6). Exemplos: **f**aca, **v**á.

Dental: O articulador ativo é ou o ápice ou a lâmina da língua (13 ou 14) e como articulador passivo temos os dentes incisivos superiores (6). Exemplos: **d**ata, **s**apa, **Z**apata, **n**ada, **l**ata.

Alveolar: O articulador ativo é o ápice ou a lâmina da língua (13 ou 14) e como articulador passivo temos os alvéolos (7). Consoantes alveolares diferem de consoantes dentais apenas quanto ao articulador passivo. Em consoantes dentais temos como articulador passivo os dentes superiores. Já nas consoantes alveolares temos os alvéolos como articulador passivo. Exemplos: **d**ata, **s**apa, **Z**apata, **n**ada, **l**ata.

Alveolopalatal (ou alveopalatal): O articulador ativo é a parte anterior da língua (15) e o articulador passivo é a parte medial do palato duro (8). Exemplos: **t**ia, **d**ia (no dialeto carioca), **ch**á, **j**á.

Palatal: O articulador ativo é a parte média da língua (16) e o articulador passivo é a parte final do palato duro (8). Exemplos: ba**nh**a, pa**lh**a.

Velar: O articulador ativo é a parte posterior da língua (17) e o articulador passivo é o véu palatino ou palato mole (9). Exemplos: **c**asa, **g**ata, **r**ata (o som **r** de "rata" varia consideravelmente dependendo do dialeto em questão. Indicamos aqui a pronúncia velar que ocorre tipicamente no dialeto carioca. Uma discussão detalhada dos sons de **r** em português será apresentada posteriormente).

Glotal: Os músculos ligamentais da glote (21) comportam-se como articuladores. Exemplo: **r**ata (na pronúncia típica do dialeto de Belo Horizonte).

As categorias listadas acima caracterizam os lugares de articulação dos segmentos consonantais relevantes para a descrição do português. Uma vez definido o **lugar de articulação** de um segmento sabemos qual é o articulador passivo e qual é o articulador ativo envolvido na articulação. Além de identificarmos o lugar de articulação de um segmento, devemos caracterizar a sua **maneira ou modo de articulação**. A maneira ou modo de articulação de um segmento está relacionada ao tipo de obstrução da corrente

Fonética – A descrição dos segmentos consonantais   **33**

de ar causada pelos articuladores durante a produção de um segmento. Identificando o "grau e natureza da **estritura**" (ou seja, a maneira como se dá a obstrução da corrente de ar) estamos caracterizando a sua maneira ou modo de articulação. As categorias referentes ao grau e a natureza da estritura são listadas abaixo respondendo a sétima e última pergunta proposta por Abercrombie (1967).

Q7. Qual o grau e natureza da estritura?

Estritura é o termo técnico para a posição assumida pelo articulador ativo em relação ao articulador passivo, indicando como e em qual grau a passagem da corrente de ar através do aparelho fonador (ou trato vocal) é limitada neste ponto [Abercrombie (1967: 44)]. A partir da natureza da estritura classificamos os segmentos consonantais quanto à **maneira ou modo de articulação**. Definimos abaixo as categorias de estritura relevantes para a descrição do português.

Modo ou maneira de articulação

Oclusiva: Os articuladores produzem uma obstrução completa da passagem da corrente de ar através da boca. O véu palatino está levantado e o ar que vem dos pulmões encaminha-se para a cavidade oral. Oclusivas são portanto **consoantes orais**. As **consoantes oclusivas** que ocorrem em português são (brevemente identificaremos os símbolos fonéticos que serão utilizados em transcrições): **p**á, **t**á, **c**á, **b**ar, **d**á, **g**ol.

Nasal: Os articuladores produzem uma obstrução completa da passagem da corrente de ar através da boca. O véu palatino encontra-se abaixado e o ar que vem dos pulmões dirige-se às cavidades nasal e oral. Nasais são consoantes idênticas às oclusivas diferenciando-se apenas quanto ao abaixamento do véu palatino para as nasais. As consoantes nasais que ocorrem em português são: **m**á, **n**ua, ba**nh**o.

Fricativa: Os articuladores se aproximam produzindo fricção quando ocorre a passagem central da corrente de ar. A aproximação dos articuladores entretanto não chega a causar obstrução completa e sim parcial que causa a fricção. As consoantes fricativas que ocorrem em português são: **f**é, **v**á, **s**apa, **Z**apata, **ch**á, **j**á, **r**ata (em alguns dialetos o som **r** de "rata" pode ocorrer como uma **consoante vibrante**, descrita a seguir, e não como uma consoante fricativa indicada aqui. O **r** fricativo ocorre tipicamente no português do **Rio de Janeiro** e Belo Horizonte, por exemplo).

Africada: Na fase inicial da produção de uma africada os articuladores produzem uma obstrução completa na passagem da corrente de ar através da boca e o véu palatino encontra-se levantado (como nas oclusivas). Na fase final dessa obstrução (quando se dá a soltura da oclusão) ocorre então uma fricção decorrente da passagem central da corrente de ar (como nas fricativas). A oclusiva e a fricativa que formam a consoante africada devem ter o mesmo lugar de articulação, ou seja, são homorgânicas. O véu palatino continua levantado durante a produção de uma africada. Africadas são portanto consoantes orais. As consoantes africadas que ocorrem em algumas variedades do português brasileiro são **t**ia, **d**ia. Imagine as pronúncias "tchia" e "djia" para estes exemplos.

34 Fonética – Articulações secundárias

Para alguns falantes de **Cuiabá**, consoantes africadas ocorrem em palavras como "chá" e "já" (que são pronunciadas como "tchá" e "djá" respectivamente). Na maioria dos dialetos do português brasileiro temos uma consoante fricativa nas palavras "**chá**" e "**já**".

Tepe (ou vibrante simples): O articulador ativo toca rapidamente o articulador passivo ocorrendo uma rápida obstrução da passagem da corrente de ar através da boca. O tepe ocorre em português nos seguintes exemplos: ca**r**a, b**r**ava.

Vibrante (múltipla): O articulador ativo toca algumas vezes o articulador passivo causando vibração. Em alguns dialetos do português ocorre esta variante em expressões como "o**rr**a meu!" ou em palavras como "ma**rr**a". Certas variantes do estado de **São Paulo** e do português europeu apresentam uma consoante vibrante nestes exemplos.

Retroflexa: O palato duro é o articulador passivo e a **ponta da língua** é o articulador ativo. A produção de uma retroflexa geralmente se dá com o levantamento e encurvamento da ponta da língua em direção do palato duro. Ocorrem no dialeto "**caipira**" e no sotaque de norte-americanos falando português como nas palavras: ma**r**, ca**r**ta.

Laterais: O articulador ativo toca o articulador passivo e a corrente de ar é obstruída na linha central do trato vocal. O ar será então expelido por ambos os lados desta obstrução tendo portanto saída lateral. Laterais ocorrem em português nos seguintes exemplos: **l**á, pa**lh**a, sa**l** (da maneira que "sal" é pronunciada no **sul** do Brasil ou em Portugal).

Classificamos os segmentos consonantais quanto ao mecanismo da corrente de ar (egressiva); ao vozeamento ou desvozeamento; a oralidade/**nasalidade**; ao lugar e modo de articulação. A notação dos segmentos consonantais segue a seguinte ordem:

Notação dos segmentos consonantais

(Modo de articulação + Lugar de articulação + Grau de Vozeamento)
Exemplos:
[p] Oclusiva bilabial desvozeada
[b] Oclusiva bilabial vozeada

A seguir tratamos de aspectos de **articulações secundárias** que podem ser produzidos concomitantemente com uma determinada articulação consonantal.

4. Articulações secundárias

Segmentos consonantais podem ser produzidos com uma **propriedade articulatória secundária** em relação às propriedades articulatórias fundamentais ou primárias deste segmento. Por exemplo, quando pronunciamos uma sequência como **su** certamente arredondamos os lábios durante a articulação da consoante **s**. Uma vez que a articulação de segmentos consonantais normalmente não envolve o **arredondamento**

Fonética – Articulações secundárias 35

dos lábios dizemos que a labialização é uma propriedade articulatória secundária da consoante em questão. Propriedades articulatórias secundárias geralmente ocorrem de acordo com o contexto ou **ambiente**, ou seja, a partir de efeitos de segmentos adjacentes. Para marcarmos uma propriedade articulatória secundária utilizamos um **diacrítico** ou símbolo adicional junto à consoante em questão. A propriedade adicional de labialização descrita acima é condicionada ao fato de uma consoante ser seguida de uma vogal produzida com arredondamento dos lábios. Abaixo listamos as articulações secundárias dos segmentos consonantais relevantes para o português.

> **Labialização**: Consiste no arredondameto dos lábios durante a produção de um segmento consonantal. A consoante que apresenta a propriedade secundária de labialização é seguida de uma vogal que é produzida com o arredondamento dos lábios. A labialização geralmente ocorre quando a consoante é seguida de **vogais arredondadas** (orais ou nasais) como em "tutú, só, bolo, rum, som". Utilizamos o símbolo **w** colocado acima à direita do segmento para marcar a labialização: p^w, b^w, t^w, d^w, k^w, g^w, f^w, v^w, s^w, z^w, $ʃ^w$, $ʒ^w$, x^w, h^w, m^w, n^w, l^w, $ɾ^w$, $r̃^w$, $ɹ^w$.

> **Palatalização**: Consiste no levantamento da língua em direção a parte posterior do palato duro, ou seja, a língua direciona-se para uma posição anterior (mais para a frente da **cavidade bucal**) do que normalmente ocorre quando se articula um determinado segmento consonantal. A consoante que apresenta a propriedade secundária de palatalização apresenta um efeito auditivo de sequência de consoante seguida da vogal **i**. A palatalização geralmente ocorre quando uma consoante é seguida de **vogais anteriores i, e, é** (orais ou nasais). Ocorre mais frequentemente com consoantes seguidas da vogal **i** como em "aliado, **kilo, guia**". Pode ocorrer também em consoantes seguidas da vogal **e** como em "letra, **leva, tento**". Utilizamos o símbolo **j** colocado acima à direita do segmento para marcar a palatalização: k^j, g^j, t^j, d^j, l^j.

> **Velarização**: Consiste no levantamento da parte posterior da língua em direção ao véu palatino concomitantemente com a articulação de um determinado segmento consonantal. A consoante lateral **l** apresenta a propriedade articulatória secundária de velarização em certos dialetos do sul do Brasil e do português europeu. O contexto em que a velarização ocorre é quando a lateral encontra-se em final de **sílaba**: sal, salta. Utilizamos o símbolo [ɫ] para transcrever a lateral velarizada que acabamos de descrever.

> **Dentalização**: Algumas consoantes em português podem ser articuladas como dentais ou alveolares. Por exemplo a pronúncia de **t** em "tapa" pode se dar com a ponta da língua tocando os dentes (sendo portanto uma consoante dental) ou pode se dar com a ponta da língua tocando os alvéolos (sendo portanto uma consoante alveolar). Consoantes dentais têm como articulador passivo os dentes incisivos superiores e consoantes alveolares têm como articulador passivo os alvéolos. Pode-se articular um segmento dental ou alveolar com o ápice ou com a lâmina da língua como articulador ativo. Note que o fato da consoante ser dental ou alveolar expressa uma **variação linguística dialetal** (ou de idioleto) e não uma variação que seja condicionada pelo contexto (como é o caso de articulações secundárias apresentadas acima). Geralmente as consoantes listadas abaixo apresentam a propriedade de dentalização no dialeto **paulista** enquanto no dialeto mineiro ocorre uma articulação alveolar para as mesmas consoantes. Marcamos a dentalização com o símbolo [̪] colocado abaixo da consoante em questão: t̪, d̪, s̪, z̪, n̪, ɾ̪, l̪.

36 Fonética – Tabela fonética consonantal

Você deve avaliar o comportamento de sua fala em relação as articulações secundárias discutidas acima. Ao fazer o registro fonético de palavras do português omitiremos as propriedades articulatórias secundárias (exceto a velarização da lateral [ɫ]). Nossa escolha pauta-se em dois tipos básicos de transcrições que podem ser assumidas. Podemos ter uma **transcrição fonética ampla** ou uma **transcrição fonética restrita** [cf. Ladefoged (1982)]. Ao transcrevermos foneticamente uma palavra como "quilo" podemos por exemplo registrá-la como [ˈkʲilʷʊ] ou como [ˈkilʊ]. A transcrição [ˈkʲilʷʊ] explicita todos os detalhes observados articulatoriamente. Este tipo de transcrição é denominado **transcrição fonética restrita**. Note que na transcrição [ˈkʲilʷʊ] explicitamos a palatalização de [k] seguido de [i] e também a labialização de [l] seguido de [ʊ]. Tanto a palatalização quanto a labialização são previsíveis pela ocorrência do segmento seguinte: consoantes tendem a ser palatalizadas quando seguidas de [i] e consoantes tendem a ser labializadas quando seguidas de [ʊ].

Consideremos agora uma transcrição como [ˈkilʊ]. Este tipo de transcrição explicita apenas as propriedades segmentais e omite os aspectos condicionados por contexto ou características específicas da língua ou dialeto. Queremos dizer com isto que a palatalização e labialização não foram registradas em [ˈkilʊ] (pois tanto a palatalização quanto a labialização são previsíveis pela vogal seguinte). No registro do [l] pode-se interpretá-lo como um segmento alveolar ou dental sem haver a necessidade de utilizar-se o símbolo [l̪]. Isto porque a generalização quanto aos segmentos serem dentalizados deve ser expressa para a língua como um todo. No caso da língua fazer distinção entre segmentos alveolares e dentais faz-se então relevante acrescentar o diacrítico [̪] à transcrição fonética. Denomina-se **transcrição fonética ampla** aquela transcrição que explicita apenas os aspectos que não sejam condicionados por contexto ou características específicas da língua ou dialeto: como [ˈkilʊ] (em oposição a [ˈkʲilʷʊ] que é uma transcrição fonética restrita).

Neste trabalho adotamos a transcrição fonética ampla. Ao registrar os segmentos consonantais omitimos o registro das propriedades articulatórias secundárias previstas por contexto da vogal seguinte (palatalização, labialização) ou a dentalização (que pode ser interpretada como uma característica dialetal). Marcamos, contudo, a velarização da lateral [ɫ] cujo contexto de ocorrência depende da estrutura silábica: **posição final de sílaba**.

5. Tabela fonética consonantal

Apresentamos abaixo uma tabela consonantal que lista os segmentos consonantais que ocorrem no português brasileiro. A coluna da esquerda lista o modo ou maneira de articulação a partir da natureza da estritura conforme definido anteriormente. Quando relevante, foi indicado o estado da glote separando, portanto, segmentos vozeados e desvozeados. Na parte superior indicamos o lugar de articulação definido conforme a relação entre o articulador ativo e o articulador passivo.

Fonética – Tabela fonética consonantal

Articulação Maneira Lugar		Bilabial	Labiodental	Dental ou Alveolar	Alveolopalatal	Palatal	Velar	Glotal
Oclusiva	desv	p		t			k	
	voz	b		d			g	
Africada	desv				tʃ			
	voz				dʒ			
Fricativa	desv		f	s	ʃ		x	h
	voz		v	z	ʒ		ɣ	ɦ
Nasal	voz	m		n		ɲ ỹ		
Tepe	voz			ɾ				
Vibrante	voz			ř				
Retroflexa	voz			ɹ				
Lateral	voz			l ɫ		ʎ lʲ		

Tabela: *Símbolos fonéticos consonantais relevantes para transcrição do português*

O quadro abaixo lista exemplos de palavras que ilustram cada um dos segmentos da **tabela fonética** apresentada acima. No exemplo ortográfico a letra (ou letras) em negrito corresponde(m) ao segmento consonantal cujo símbolo fonético é apresentado na primeira coluna. A segunda coluna lista a nomenclatura do segmento consonantal. A forma ortográfica do exemplo é apresentada na terceira coluna e a **representação fonética** correspondente é fornecida na quarta coluna. Finalmente, a última coluna apresenta observações quanto a região dialetal predominante de ocorrência do segmento em questão. Note que as transcrições fonéticas encontram-se entre colchetes. Adotamos o símbolo [a] para as vogais transcritas abaixo (exceto para [i] em "tia, dia"). O símbolo [ˈ] precede a sílaba acentuada.

Símbolo	Classificação do segmento consonantal	Exemplo ortográfico	Transcrição fonética	Observação*
p	Oclusiva bilabial desvozeada	**p**ata	[ˈpata]	Uniforme em todos os dialetos do português brasileiro.
b	Oclusiva bilabial vozeada	**b**ala	[ˈbala]	Uniforme em todos os dialetos do português brasileiro.
t	Oclusiva alveolar desvozeada	**t**apa	[ˈtapa]	Uniforme em todos os dialetos do português brasileiro podendo ocorrer com articulação alveolar ou dental.
d	Oclusiva alveolar vozeada	**d**ata	[ˈdata]	Uniforme em todos os dialetos do português brasileiro podendo ocorrer com articulação alveolar ou dental.
k	Oclusiva velar desvozeada	**c**apa	[ˈkapa]	Uniforme em todos os dialetos do português brasileiro.
g	Oclusiva velar vozeada	**g**ata	[ˈgata]	Uniforme em todos os dialetos do português brasileiro.

Fonética – Tabela fonética consonantal

Aluno: Faça suas transcrições uniformizando o tamanho de todos os símbolos. Todos os símbolos devem ser registrados na mesma dimensão.

Símbolo	Classificação do segmento consonantal	Exemplo ortográfico	Transcrição fonética	Observação
tʃ	Africada alveolopalatal desvozeada	tia	[ˈtʃia]	Pronúncia típica do Sudeste brasileiro. Corresponde ao primeiro som da palavra "Tcheco-Eslováquia" em todos os dialetos. Ocorre também em outras regiões menos delimitadas (como Norte e Nordeste).
dʒ	Africada alveolopalatal vozeada	dia	[ˈdʒia]	Pronúncia típica do Sudeste brasileiro. Ocorre também em outras regiões menos delimitadas (como Norte e Nordeste).
f	Fricativa labiodental desvozeada	faca	[ˈfaka]	Uniforme em todos os dialetos do português brasileiro.
v	Fricativa labiodental vozeada	vaca	[ˈvaka]	Uniforme em todos os dialetos do português brasileiro.
s	Fricativa alveolar desvozeada	sala caça paz	[ˈsala] [ˈkasa] [ˈpas]	Uniforme em início de sílaba em todos os dialetos do português brasileiro podendo ocorrer com articulação alveolar ou dental. Marca variação dialetal em final de sílaba: paz; vasta.
z	Fricativa alveolar vozeada	Zapata casa paz	[zaˈpata] [ˈkaza] [ˈpaz]	Uniforme em início de sílaba em todos os dialetos do português brasileiro podendo ocorrer com articulação alveolar ou dental. Marca variação dialetal em final de sílaba: rasga.
ʃ	Fricativa alveolopalatal desvozeada	chá acha paz	[ˈʃa] [ˈaʃa] [ˈpaʃ]	Uniforme em início de sílaba em todos os dialetos do português brasileiro. Marca variação dialetal em final de sílaba: paz, vasta.
ʒ	Fricativa alveolopalatal vozeada	já haja	[ˈʒa] [ˈaʒa]	Uniforme em início de sílaba em todos os dialetos do português brasileiro. Marca variação dia-letal em final de sílaba: rasga.
x	Fricativa velar desvozeada	rata marra mar carta	[ˈxata] [ˈmaxa] [ˈmax] [ˈkaxta]	Pronúncia típica do dialeto carioca. Ocorre fricção audível na região velar. Ocorre em início de sílaba que seja precedida por silêncio e portanto encontra-se em início de palavra: "rata"; em início de sílaba que seja precedida por vogal: "marra" e em início de sílaba que seja precedida por consoante: "Israel". Em alguns dialetos ocorre em final de sílaba quando seguido por consoante desvozeada: "carta" e em final de sílaba que coincide com final de palavra: "mar".
ɣ	Fricativa velar vozeada	carga	[ˈkaɣga]	Pronúncia típica do dialeto carioca. Ocorre fricção audível na região velar. Ocorre em final de sílaba seguida de consoante vozeada.
h	Fricativa glotal desvozeada	rata marra mar carta	[ˈhata] [ˈmaha] [ˈmah] [ˈkahta]	Pronúncia típica do dialeto de Belo Horizonte. Não ocorre fricção audível no trato vocal. Ocorre em início de sílaba que seja precedida por silêncio e portanto encontra-se em início de palavra: "rata"; em início de sílaba que seja precedida por vogal: "marra" e em início de sílaba que seja precedida por consoante: "Israel". Em alguns dialetos ocorre em final de

Fonética – Tabela fonética consonantal 39

Símbolo	Classificação do segmento consonantal	Exemplo ortográfico	Transcrição fonética	Observação
h	Fricativa glotal desvozeada			sílaba quando seguido por consoante desvozeada: "carta" e em final de sílaba que coincide com final de palavra: "mar".
ɦ	Fricativa glotal vozeada	carga	[ˈkaɦga]	Pronúncia típica do dialeto de Belo Horizonte. Não ocorre fricção audível no trato vocal. Ocorre em final de sílaba seguida de consoante vozeada.
m	Nasal bilabial vozeada	mala	[ˈmala]	Uniforme em todos os dialetos do português brasileiro.
n	Nasal alveolar vozeada	nada	[ˈnada]	Uniforme em todos os dialetos do português brasileiro, podendo ocorrer com articulação alveolar ou dental.
ɲ ou ỹ	Nasal palatal vozeada ou Glide palatal nasalizado	banha	[ˈbãɲa] ou [ˈbãỹa]	A consoante nasal palatal [ɲ] ocorre na fala de poucos falantes do português brasileiro. Geralmente um glide palatal nasalizado que é transcrito como [ỹ] ocorre no lugar da consoante nasal palatal para a maioria dos falantes do português brasileiro. Esta variação será discutida em breve.
ɾ	Tepe alveolar vozeado	cara prata mar carta	[ˈkaɾa] [ˈpɾata] [ˈmaɾ] [ˈkaɾta]	Uniforme em posição intervocálica e seguindo consoante em todos os dialetos do português brasileiro, podendo ocorrer com articulação alveolar ou dental. Em alguns dialetos ocorre em final de sílaba em meio de palavra: "carta" ou em final de sílaba que coincide com final de palavra: "mar".
ř	Vibrante alveolar vozeada	rata marra	[ˈřata] [ˈmařa]	Ocorre em alguns dialetos (ou mesmo idioletos) do português brasileiro. Pronúncia típica do português europeu e ocorre em certas variantes do português brasileiro (por exemplo em certos dialetos do português paulista). Ocorre em início de sílaba que seja precedida por silêncio: "rata"; em início de sílaba que seja precedida por vogal: "marra" e em início de sílaba que seja precedida por consoante: "Israel".
ɻ	Retroflexa alveolar vozeada	mar	[ˈmaɻ]	Pronúncia típica do dialeto caipira do r em final de sílaba: mar, carta. Adota-se também o símbolo [ɹ]."
l	Lateral alveolar vozeada	lata plana	[ˈlata] [ˈplana]	Uniforme em início de sílaba e seguindo consoante em todos os dialetos do português brasileiro, podendo ocorrer com articulação alveolar ou dental.
ɫ ou w	Lateral alveolar vozeada velarizada ou Glide recuado arredondado	sal salta	[ˈsaɫ] [ˈsaɫta] [ˈsaw] [ˈsawta]	Ocorre em final de sílaba em alguns dialetos (ou idioletos) do português brasileiro, podendo ocorrer com articulação alveolar ou dental. Pode ocorrer a vocalização da lateral em posição final de sílaba e neste caso temos um segmento com as características articulatórias de uma vogal do tipo [u] que é transcrito como [w].

40 Fonética – Tabela fonética consonantal

Símbolo	Classificação do segmento consonantal	Exemplo ortográfico	Transcrição fonética	Observação*
ʎ ou ʎ	Lateral palatal vozeada	malha	[ˈmaʎa] ou [ˈmalʲa]	A consoante lateral palatal [ʎ] ocorre na fala de poucos falantes do português brasileiro. Geralmente uma lateral alveolar (ou dental) palatizada que é transcrita por [lʲ] ocorre para a maioria dos falantes do português brasileiro. Esta variação será discutida em breve. Pode ocorrer a vocalização da lateral palatal e neste caso temos um segmento com as características articulatórias de uma vogal do tipo [i] que é transcrito como [y]: [ˈmaya].

O leitor deverá encontrar um subconjunto dos segmentos consonantais apresentados acima para caracterizar as consoantes que ocorrem em seu idioleto. Os símbolos listados acima devem ser suficientes para caracterizar a fala sem distúrbios de qualquer falante do português brasileiro. Tais símbolos são propostos pela **Associação Internacional de Fonética** (IPA). Observa-se contudo na literatura a utilização de alguns símbolos concorrentes aqueles listados na tabela acima. Por exemplo, para representar um segmento "africado alveolopalatal desvozeado" a Associação Internacional de Fonética propõe o símbolo [tʃ] (este é o segmento inicial da palavra "tcheco"). Na literatura, encontra-se o símbolo [č] para representar o mesmo segmento africado alveolopalatal desvozeado (cf. "tcheco"). O símbolo [č] é geralmente utilizado na literatura norte-americana. Listamos abaixo símbolos fonéticos concorrentes aos do alfabeto da Associação Internacional de Fonética.

Símbolos propostos pela Associação Internacional de Fonética	Símbolos concorrentes
ʃ	š
ʒ	ž
tʃ	č ou tš
dʒ	ǰ ou dž
ɲ	ñ

Na página seguinte apresentamos a tabela proposta pela Associação Internacional de Fonética. Tal tabela propõe símbolos para transcrever qualquer som das línguas naturais. A partir dos parâmetros articulatórios descritos anteriormente o leitor deverá ser capaz de inferir e pronunciar todos os segmentos consonantais listados na tabela. Os segmentos vocálicos serão tratados posteriormente. Aos interessados em ter as **fontes** para tais símbolos, estas podem ser obtidas gratuitamente pela internet no seguinte endereço: http://www.sil.org/computing/fonts/Lang/silfonts.html (consulte também: https://www.internationalphoneticassociation.org/ para obter informações detalhadas desta associação. Para teclado virtual: http://ipa.typeit.org/full/).

Logo após a tabela da Associação Internacional de Fonética, apresentamos uma série de exercícios que tem por objetivo sedimentar os aspectos teóricos apresentados nas páginas precedentes. Respostas aos exercícios propostos são apresentadas no final do livro.

Fonética – Tabela fonética consonantal

O alfabeto internacional de fonética (revisado em 1993, atualizado em 1996*)
Consoantes (mecanismo de corrente de ar pulmonar)

	bilabial		labiodental	dental	alveolar	pós-alveolar	retroflexa	palatal	velar	uvular	faringal	glotal
Oclusiva	p	b			t	d		ʈ ɖ	c ɟ	k ɡ	q ɢ		ʔ
Nasal		m	ɱ		n			ɳ	ɲ	ŋ	ɴ		
Vibrante		ʙ			r						ʀ		
Tepe (ou flepe)					ɾ			ɽ					
Fricativa	ɸ	β	f v	θ ð	s z	ʃ ʒ	ʂ ʐ	ç ʝ	x ɣ	χ ʁ	ħ ʕ	h ɦ
Fricativa lateral					ɬ ɮ								
Aproximante			ʋ		ɹ			ɻ	j	ɰ			
Aprox. lateral					l			ɭ	ʎ	ʟ			

Em pares de símbolos tem-se que o símbolo da direita representa uma consoante vozeada. Acredita-se ser impossível as articulações nas áreas sombreadas.

Consoantes (mecanismo de corrente de ar não pulmonar)

Cliques	Implosivas vozeantes	Ejectivas
ʘ bilabial	ɓ bilabial	' como em
ǀ dental	ɗ dental/alveolar	p' bilabial
ǃ pós-alveolar	ʄ palatal	t' dental/alveolar
ǂ palatoalveolar	ɠ velar	k' velar
ǁ lateral alveolar	ʛ uvular	s' fricativa alveolar

Vogais

anterior   central   posterior

Fechada (u alta): i y — ɨ ʉ — ɯ u
Semi-fechada (u média-alta): e ø — ɘ ɵ — ɤ o
IY ʊ
Semi-aberta (u média-baixa): ɛ œ — ɜ ɞ — ʌ ɔ
æ ɐ
Aberta (ou baixa): a ɶ — ɑ ɒ
ə

Quando os símbolos aparecem em pares aquele da direita representa uma vogal arredondada.

Outros símbolos

ʍ fricativa labiovelar desvozeada	ɕ ʑ fricativas vozeadas
w aproximadamente labiovelar vozeada	ɺ flepe alveolar lateral
ɥ aproximadamente labiopalatal vozeada	ɧ articulação simultânea de ʃ e x
ʜ fricativa epiglotal desvozeada	Para representar consoantes africadas e uma articulação dupla utiliza-se um elo ligando os dois símbolos em questão.
ʢ fricativa epiglotal vozeada	
ʡ oclusiva epiglotal	k͡p ‿

Suprassegmentos

ˈ	acento primário
ˌ	acento secundário
	ˌfoʊnəˈtiʃən
ː	longa eː
ˑ	semilonga eˑ
̆	muito breve ĕ
.	divisão silábica ɹi.ækt
ǀ	grupo acentual menor
ǁ	grupo entonativo principal
‿	ligação (ausência de divisão)

Tons e acentos nas palavras

Nível		Contorno	
e̋ ou ˥	muito alta	ě ou ˩	ascendente
é	˦ alta	ê	˥ descendente
ē	˧ média	e᷄	˧ alto ascendente
è	˨ baixa	e᷅	˨ baixo ascendente
ȅ	˩ muito baixa	ẽ	˦ ascendente-descendente etc.
↓ downstep (quebra brusca)		↗ ascendência global	
↑ upstep (subida brusca)		↘ descendência global	

Diacríticos   Pode-se colocar um diacrítico acima de símbolos cuja representação seja prolongada na parte inferior, por exemplo ŋ̊

̥ desvozeado	n̥ d̥	̤ voz. sussurrado	b̤ a̤	̪ dental	t̪ d̪
̬ vozeada	s̬ t̬	̰ voz tremulante	b̰ a̰	̺ apical	t̺ d̺
ʰ aspirada	tʰ dʰ	̼ linguolabial	t̼ d̼	̻ laminal	t̻ d̻
̹ mais arred.	ɔ̹	ʷ labializado	tʷ dʷ	̃ nasalizado	ẽ
̜ menos arred.	ɔ̜	ʲ palatalizado	tʲ dʲ	ⁿ soltura nasal	dⁿ
̟ avançado	u̟	ˠ velarizado	tˠ dˠ	ˡ soltura lateral	dˡ
̠ retraído	e̠	ˤ faringalizado	tˤ dˤ	̚ soltura não audível d̚
̈ centralizada	ë	̴ velarizada ou faringalizada ɫ		
̽ centraliz. média	e̽	̝ levantada	e̝ (˔ = fricativa bilabial vozeada)
̩ silábica	n̩	̞ abaixada	e̞ (β̞ = aproximante alveolar vozeada)
̯ não silábica	e̯	̘ raiz da língua avançada	e̘
˞ roticização	ɚ ɝ	̙ raiz da língua retraída	e̙

A Associação Internacional de Fonética gentilmente autorizou a reprodução desta Tabela Fonética.

6. Exercícios complementares 1

1. Complete o diagrama denominando cada uma das partes do aparelho fonador apontadas para identificação. Siga o exemplo dado.

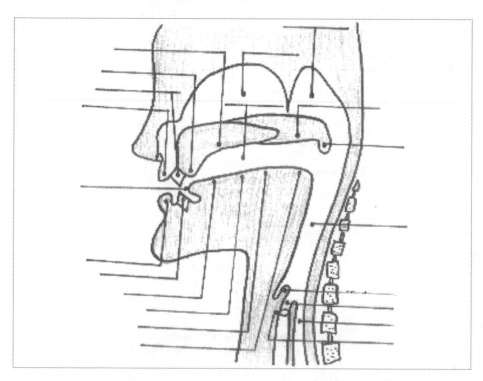

2. Complete o quadro abaixo indicando os articuladores ativos e passivos na produção de cada lugar de articulação. Siga o modelo.

Lugar de articulação	Articulador ativo	Articulador passivo
Bilabial	*lábio inferior*	*lábio superior*
Labiodental		
Dental		
Alveolar		
Alveolopalatal		
Palatal		
Velar		

Fonética – Exercícios complementares 1   43

3. Liste os articuladores passivos e os articuladores ativos no quadro abaixo.

Articuladores ativos	Articuladores passivos

4. Complete os diagramas do aparelho fonador apresentados a seguir. O primeiro exercício foi feito como exemplo para a consoante lateral [l]. Para cada diagrama indicamos uma consoante cujo símbolo fonético é apresentado ao lado superior esquerdo. Você deverá classificar tal consoante quanto ao modo de articulação no espaço fornecido após o símbolo fonético (lateral, fricativa, oclusiva, etc.). Caracterize ainda os seguintes parâmetros: vozeamento, posição do véu palatino e articuladores passivo e ativo. Utilize as seguintes marcas para caracterizar estes parâmetros:

Vozeamento: Desenhe uma linha reta cruzando a glote para os segmentos desvozeados. Para os segmentos vozeados desenhe uma linha em zigue-zague cruzando a glote.

Posição do véu palatino: Complete o desenho com o véu palatino levantado se o segmento for oral. Se o segmento for nasal complete o desenho com o véu palatino abaixado.

Articuladores: Desenhe uma seta saindo do articulador ativo que vá até ao articulador passivo.

[l]__*lateral*_____   [m]_____

44 Fonética – Exercícios complementares 1

[z] _____

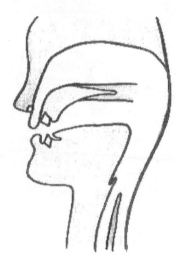

[ʃ] _____

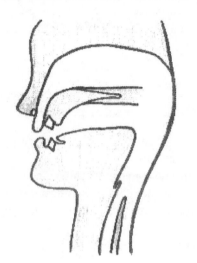

[k] _____

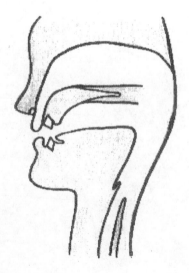

[n] _____

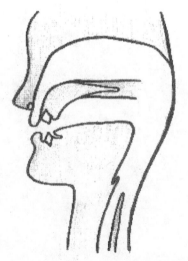

[p] _____   [ɾ] _____

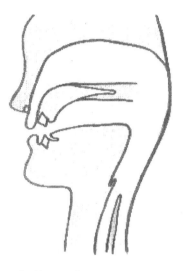
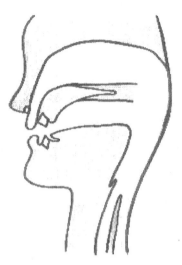

5. Categorize os segmentos consonantais do português quanto ao modo de articulação. Siga o exemplo.

Segmento consonantal	Modo de articulação
p, b, t, d, k, g	*Oclusivas*
tʃ, dʒ	
f, v, s, z, ʃ, ʒ, x, ɣ, h, ɦ	
m, n, ɲ	
ɾ	
ř	
ɹ	
l, lʲ, ʎ, ɫ	

6. Categorize os segmentos consonantais listados. Observe que a notação segue a seguinte ordem: modo de articulação + lugar de articulação + vozeamento + articulação secundária (se houver).

46 Fonética – Exercícios complementares 1

Símbolo	Categoria do segmento
[p]	*Oclusiva bilabial desvozeada*
[m]	
[ʃ]	
[ʎ]	
[v]	
[ɾ]	
[ɲ]	
[s]	
[ʒ]	
[f]	
[g]	
[n]	
[k]	
[dʒ]	
[z]	

7. Complete o quadro que é apresentado a seguir de acordo com os parâmetros definidos nas perguntas relevantes à classificação dos segmentos consonantais (cf. seção 3). Excluímos as respostas às questões 1 e 2 (mecanismo da corrente de ar e direção da corrente de ar) uma vez que todos os segmentos consonantais do português são produzidos com o *mecanismo de corrente de ar pulmonar egressivo*. As demais questões e as respostas potenciais para cada uma delas estão reproduzidas abaixo.

Q3. Qual o estado da glote?
Vozeado ou desvozeado?

Q4. Qual a posição do véu palatino?
Oral ou nasal?

Q5. Qual o articulador ativo?
Lábio inferior, língua (ápice, lâmina, parte anterior, parte média, parte posterior), véu palatino (ou palato mole) ou cordas vocais?

Q6. Qual o articulador passivo?
Lábio superior, dentes superiores, véu palatino (ou palato mole) ou palato duro?

Q7. Qual o grau e natureza da estritura?
Oclusiva, nasal, fricativa, africada, tepe, vibrante, retroflexa ou lateral?

Fonética – Exercícios complementares 1   **47**

Símbolo do segmento	Q3 Voz/Desv.	Q4 Oral/Nasal	Q5 Artic. ativo	Q6 Artic. Passivo	Q7 Estritura
[p]	desvozeado	oral	lábio inferior	lábio superior	oclusiva
[b]					
[t]					
[d]					
[k]					
[g]					
[tʃ]					
[dʒ]					
[f]					
[v]					
[s]					
[z]					
[ʃ]					
[ʒ]					
[x]					
[h]					
[m]	vozeado	nasal	lábio inferior	lábio superior	nasal
[n]					
[ɲ]					
[ɾ]					
[ř]					
[ɹ]					
[ʎ]					

8. Complete a coluna da esquerda com o símbolo correspondente ao segmento consonantal listado à direita. Apresente o símbolo fonético entre colchetes.

1. [b] Oclusiva bilabial vozeada
2. [ ] Nasal palatal vozeada
3. [ ] Fricativa alveolar desvozeada
4. [ ] Africada alveolopalatal vozeada
5. [ ] Lateral palatal vozeada
6. [ ] Tepe alveolar vozeado
7. [ ] Fricativa glotal desvozeada
8. [ ] Oclusiva velar vozeada
9. [ ] Nasal alveolar vozeada
10. [ ] Fricativa labiodental desvozeada

7. O sistema consonantal do português brasileiro

Apresentamos uma série de exercícios que têm por objetivo contribuir para a identificação dos segmentos consonantais que ocorrem em seu idioleto. As palavras listadas ortograficamente devem ser transcritas foneticamente de acordo com os símbolos apresentados na tabela fonética.

> **Tarefa**
> A tabela fonética destacável de segmentos consonantais é fornecida na página seguinte. Você deverá preenchê-la à medida que fizer os exercícios. Você deverá selecionar um subconjunto dos segmentos consonantais do português que foram apresentados na seção anterior. Destaque a tabela fonética e proceda à caracterização das consoantes em seu idioleto. Bom trabalho!

Transcreva todas as vogais com o símbolo [a] (os segmentos vocálicos são descritos na próxima seção). Seja consistente na transcrição de [a]. Utilize sempre o mesmo símbolo: [a], [ɐ] ou [ɑ], etc. Verifique que cada palavra transcrita foneticamente encontra-se entre colchetes como no exemplo [aˈɾaɾa] "arara" (veremos mais tarde que transcrições fonêmicas são representadas entre barras inclinadas como em /aˈɾaɾa/). O símbolo [ˈ] deve preceder a sílaba **tônica** ou acentuada. Os exemplos foram agrupados de maneira a facilitar a identificação dos segmentos consonantais que ocorrem em seu idioleto. Nos exercícios que se seguem cada som ou segmento consonantal identificado na transcrição dos dados deve ser colocado na tabela fonética destacável. Ao final dos exercícios apresentados nesta seção você terá uma tabela fonética que contém os segmentos consonantais que ocorrem em seu idioleto. Para colocar os segmentos na tabela no lugar adequado você deverá tomar como referência a tabela da seção anterior.

> Transcreva foneticamente as palavras abaixo. Observe cuidadosamente o segmento correspondente ao "r" ortográfico. Apresente a transcrição fonética entre colchetes.
> **Grupo 1**
> arara   [aˈɾaɾa]   marajá _____   prata _____   graxa _____
> brava _____   cara _____   barata _____   parada _____

Você deve ter observado que o som correspondente ao **"r" ortográfico** em todas as palavras do **grupo 1** acima é o tepe (ou vibrante simples): [ɾ]. Este grupo caracteriza o que denominamos **r-fraco**. Os contextos típicos em que o tepe ocorre no português brasileiro são: seguindo uma consoante que ocorre na mesma sílaba (como em "prata, graxa, brava, fraca") ou em posição intervocálica (como em "arara, marajá, cara, barata, parada").

Tabela destacável A

Tabela fonética consonantal destacável

Articulação Maneira / Lugar		Bilabial	Labiodental	Dental ou alveolar	Alveolopalatal	Palatal	Velar	Glotal
Oclusiva	desv							
	voz							
Africada	desv							
	voz							
Fricativa	desv							
	voz							
Nasal	voz							
Tepe	voz							
Vibrante	voz							
Retroflexa	voz							
Lateral	voz							

Tarefa

Você acabou de registrar a ocorrência do tepe alveolar (ou dental) [ɾ] em seu idioleto. Coloque este símbolo no lugar adequado na tabela fonética destacável.

Transcreva as palavras do grupo 2 considerando os segmentos consonantais relacionados ao "r" ortográfico (e "rr"). Entre os segmentos que você poderá utilizar temos [x, h, ř]. Lembre-se que cada palavra transcrita foneticamente deve vir entre colchetes e o acento tônico ['] deve preceder a sílaba acentuada.

Grupo 2
marra _____ barraca _____ jarra _____ farra _____
rata _____ rapaz _____ rama _____ rala _____

Você deve ter selecionado para o **grupo 2** um (ou talvez dois) dos segmentos [x, h, ř] para representar o "r" ortográfico (ou "rr"). Este grupo engloba o que denominamos **R-forte**. Note que o grupo 2 engloba o **contexto intervocálico** (como "marra", "barraca", "jarra", "farra") e o contexto de início de palavra (como "rata", "rapaz", "rama", "rala"). O mesmo segmento que você identificou para o contexto de início de palavra no grupo 2 (cf. "rata") deverá também representar o "r" ortográfico seguindo uma consoante que se encontra em sílaba diferente, como em "Israel". Transcreva agora as palavras do grupo 3:

Transcreva foneticamente as palavras. Utilize os colchetes para a transcrição fonética e marque a sílaba acentuada com ['].

Grupo 3
mar _____ bar _____ harpa _____ carta _____
farsa _____ lar _____ dar _____ marcha _____

Para o **grupo 3** uma das consoantes [x, h, ɾ, ɹ] também deve ocorrer representando o "r" ortográfico. O grupo 3 engloba o que denominamos **R-pós-vocálico** ou **R-em final de sílaba**. A sílaba pode estar em final de palavra (como em "mar", "bar", "dar", "lar") ou a sílaba pode ser seguida de consoante (como em "farsa", "carta", "harpa", "marcha").

Salientamos que alguns falantes terão o mesmo segmento consonantal para os grupos 2 e 3 enquanto outros falantes terão um segmento para o grupo 2 e outro segmento distinto para o grupo 3. Falantes que tenham a mesma consoante para os grupos 2 e 3 podem por exemplo ter o "r" ortográfico pronunciado como [h] em palavras como "marra, rata, Israel, mar, farsa". Falantes que tenham consoantes distintas para os grupos 2 e 3 podem por exemplo ter o "r" ortográfico pronunciado como [h] para o

50 Fonética – O sistema consonantal do português brasileiro

grupo 2 (em palavras como "marra", "rata", "Israel") e o "r" ortográfico pronunciado como [ɹ] para o grupo 3 (em palavras como "mar", "farsa").

Para concluirmos a discussão sobre os segmentos relacionados ao "r" ortográfico apresentamos a noção de assimilação. A **assimilação** é caracterizada pelo fato de um segmento adquirir uma propriedade de um segmento que lhe é adjacente (como por exemplo a propriedade de vozeamento ou nasalidade). Esta propriedade será então compartilhada pelos dois segmentos adjacentes envolvidos no processo. Observe o som de **s** nas palavras "casca" e "rasga". Você deve ter notado que o **s** é desvozeado (e ocorre como [s] ou [ʃ]) em "casca". Note que em "casca" o segmento adjacente ao **s** é a consoante desvozeada [k]. Na palavra "rasga" o **s** é vozeado (e ocorre como [z] ou [ʒ]) por ser adjacente ao segmento vozeado [g]. Em suma, o **s** em final de sílaba assimila a propriedade de vozeamento do segmento seguinte.

O processo de assimilação de vozeamento discutido para o **s** em posição final de sílaba, aplica-se ao **r** no mesmo contexto. Concluímos então que em uma palavra como "arca" o **r** em posição final de sílaba será desvozeado (por estar adjacente ao segmento desvozeado [k]). Na palavra "carga" o **r** será vozeado por estar adjacente ao segmento vozeado [g].

A observação do vozeamento ou desvozeamento de **s** em final de sílaba quando seguido de outra consoante não apresenta dificuldade para falantes do português. Assim o **s** em "casca" é percebido como desvozeado e o **s** em "rasga" é percebido como vozeado. A observação do vozeamento ou desvozeamento de **r** em final de sílaba quando seguido de outra consoante apresenta desafios em termos auditivos para os falantes do português (cf. a percepção do **r** desvozeado em "arca" e do **r** vozeado em "carga"). A percepção auditiva do vozeamento em limite de sílaba para **s** e a não percepção auditiva de vozeamento em limite de sílaba para **r** deve-se ao fato de que como falantes do português temos que distinguir as consoantes desvozeadas [s,ʃ] e as consoantes vozeadas [z,ʒ] como consoantes diferentes. Caso contrário não distinguiríamos as palavras "selo/zelo" ou "chá/já". A percepção de **s** em limite de sílaba requer a identificação dos segmentos: [s] e [z] (ou [ʃ,ʒ] em alguns dialetos). A consoante desvozeada [s] (ou [ʃ]) antes de consoante desvozeada: "casca". A consoante [z] (ou [ʒ]) antes de consoante vozeada: "rasga".

Quanto ao **r**, não temos um par de palavras em que a distinção de vozeamento se faz relevante (como para s/z temos "selo/zelo" ou "chá/já"). Portanto, percebemos auditivamente os sons de **r** da mesma maneira. Contudo, representaremos os sons de **r** fricativos em final de sílaba por um símbolo vozeado ou desvozeado dependendo do vozeamento da consoante que o segue. Os símbolos desvozeados são [x, h] e seus correspondentes vozeados são [ɣ, ɦ]. Em posição de final de sílaba que coincide com final de palavra, por exemplo "mar", ocorrem os segmentos desvozeados. Vale ressaltar que as observações de vozeamento do **s** e **r** ortográficos discutidas acima podem ser corroboradas por análises experimentais em que o vozeamento dos segmentos é observado e quantificado. O fato de falantes do português perceberem auditivamente o vozeamento/desvozeamento de **s** em final de sílaba e não perceberem auditivamente o

Fonética – O sistema consonantal do português brasileiro **51**

vozeamento/desvozeamento de **r** em final de sílaba caracteriza uma especificidade da distribuição consonantal do português.

Transcreva foneticamente as palavras (lembre-se que as transcrições devem vir entre colchetes!). Marque a sílaba tônica com [']. Observe o vozeamento de **r** em limite de sílaba.

Grupo 4

a. farsa _____ carta _____ harpa _____ marcha _____

b. carga_____ larva _____ arma_____ farda_____

Você deve ter observado que para o **grupo 4a** o **r** ortográfico correspon-de a um dos segmentos desvozeados [x, h]. Para o **grupo 4b** o **r** ortográfico corresponde a um dos segmentos vozeados [ɣ, ɦ]. Apresentamos no quadro a seguir algumas das distribuições possíveis para o **r** e **rr** ortográfico. Os dialetos de "Belo Horizonte, Rio de Janeiro, caipira, Portugal" refletem a pronúncia de alguns falantes destas regiões.

		Ambiente	Exemplo	Belo Horizonte	Rio de Janeiro	Caipira	Portugal
Grupo 1	/r/ r-fraco	Intervocálica	caro	[ɾ]	[ɾ]	[ɾ]	[ɾ]
		Seguindo C na mesma sílaba	prato	[ɾ]	[ɾ]	[ɾ]	[ɾ]
Grupo 2	/R/ R-forte	Intervocálica	carro	[h]	[x]	[ř]	[ř]
		Início de palavra	rua	[h]	[x]	[ř]	[ř]
		Seguindo C em outra sílaba	Israel	[h]	[x]	[ř]	[ř]
Grupo 3	/R/ R-pós-vocálico	Final de palavra	mar	[h]	[x]	[ɹ]	[ɾ]
		Final de sílaba antes de C voz.	gordo	[ɦ]	[ɣ]	[ɹ]	[ɾ]
		Final de sílaba antes de C desvoz.	torto	[h]	[x]	[ɹ]	[ɾ]

O quadro que se segue caracteriza os ambientes de ocorrência do **r** ortográfico no português brasileiro. Você deve estar apto a identificar os segmentos consonantais relacio-nados ao **r** ortográfico que ocorrem em seu idioleto. Complete a terceira coluna do quadro abaixo com o segmento correspondente a cada um dos exemplos da coluna da direita.

52 Fonética – O sistema consonantal do português brasileiro

Ambiente ou contexto	Grupo	Símbolo	Exemplo
Posição intervocálica	1 e 2		Mara marra
Seguindo C na mesma sílaba	1		brava
Início de palavra	2		rata
Seguindo C em sílaba distinta	2		Israel
Final de sílaba e palavra	3		mar
Final de sílaba antes de C desv.	4		arca
Final de sílaba antes de C voz.	4		carga

Quadro da distribuição do "r" ortográfico

Tarefa

Você acaba de identificar os segmentos que correspondem ao **r** ortográfico em seu idioleto. Acrescente à tabela fonética destacável os símbolos adotados em seu idioleto que foram atestados acima.

Discutimos a seguir a ocorrência das fricativas [s, z, ʃ, ʒ] que denominaremos **sibilantes**.

14

Transcreva os exemplos para caracterizar a ocorrência de fricativas sibilantes em final de palavra em seu idioleto (Lembre-se: transcrições fonéticas entre colchetes!). Marque a sílaba acentuada.
Grupo 5
paz _____ rapaz _____ gás _____
ás _____ favas _____ sapas _____

Você deve ter selecionado um dos segmentos: [s, ʃ, z] para representar o **s** e o **z** ortográficos nas palavras acima. O **grupo 5** ilustra as fricativas sibilantes em final de palavra. Neste contexto a variante [s] ocorre tipicamente por exemplo no dialeto de Belo Horizonte, a variante [ʃ] ocorre tipicamente no dialeto carioca e a variante [z] ocorre entre falantes da região de **Teófilo Otoni** (MG). Um destes segmentos deverá representar o **s** ou **z** ortográfico em final de palavra em seu idioleto. Note que tanto o **s** quanto o **z** ortográfico em final de palavra devem ser transcritos pelo mesmo símbolo: [s, ʃ, z].

Vejamos agora a representação fonética do **s** ortográfico em limite de sílaba seguido por consoante em palavras por exemplo como "casca". Vimos anteriormente que o **s** ortográfico apresenta um processo de assimilação de vozeamento semelhante aquele descrito para o **r** ortográfico em palavras do grupo 4.

Fonética – O sistema consonantal do português brasileiro 53

> Transcreva os dados observando o comportamento da propriedade de vozeamento do **s** ortográfico em limite de sílaba seguido por consoante.
>
> **Grupo 6**
>
> a. casca_____ aspas_____ pasta_____
> b. rasga_____ asma_____ Gasbrás_____

15

O **s** ortográfico pode manifestar-se de duas maneiras nas formas do **grupo 6**. A primeira alternativa é a ocorrência de uma das fricativas desvozeadas [s, ʃ] quando a consoante seguinte for desvozeada (como em 6a) e a ocorrência de uma das fricativas vozeadas [z, ʒ] quando a consoante seguinte for vozeada (como em 6b). Esta alternativa é selecionada por exemplo pelo dialeto de Belo Horizonte. Entre falantes do dialeto do Rio de Janeiro temos a ocorrência da fricativa alveolopalatal desvozeada [ʃ] quando a consoante seguinte for desvozeada (como em 6a) e a ocorrência da fricativa alveolopalatal vozeada [ʒ] quando a consoante seguinte for vozeada (como em 6b). Falantes do dialeto de Belo Horizonte selecionam [s] quando a consoante seguinte for desvozeada (como em 6a) e selecionam [z] quando a consoante seguinte for vozeada (como em 6b).

Neste estágio podemos concluir que os segmentos [s,ʃ,z] podem ocorrer em final de sílaba e palavra (como em "paz," cf. grupos 5). A escolha de um destes segmentos aponta para uma variedade dialetal (por exemplo [s] no dialeto de Belo Horizonte, [ʃ] no dialeto do Rio de Janeiro e [z] no dialeto de Teófilo Otoni). Observamos também que nos casos em que a fricativa ocorre em limite de sílaba seguida por consoante, temos o segmento desvozeado – [s] ou [ʃ] – quando a consoante seguinte é desvozeada (como em "casca", cf. grupo 6a) e temos o segmento vozeado – [z] ou [ʒ] – quando a consoante seguinte é vozeada (como em "rasga" cf. grupo 6b).

Para finalizarmos a discussão do **s** ortográfico em limite de sílaba, vale ressaltar que em certos dialetos, como por exemplo o de **Recife**, temos uma distribuição diferente daquelas apresentadas acima. Falantes de Recife pronunciam a fricativa alveolar desvozeada [s] em final de sílaba e palavra (como em "paz" [ˈpas], cf. grupo 5). Em limite de sílaba seguido de consoante não alveolar os segmentos [s] ou [z] ocorrem dependendo do vozeamento da consoante seguinte ("aspas" [ˈaspas] e "asma" [ˈazma], cf. grupo 6). A particularidade dialetal de Recife (e outras regiões no **Nordeste**) é marcada quando o **s** ortográfico ocorre em limite de sílaba seguido de uma das consoantes alveolares: [t, d, n, l]. Neste caso a fricativa alveolopalatal – [ʃ] ou [ʒ] – ocorre. Temos então um segmento alveolopalatal correspondendo ao **s** ortográfico em [ˈvaʃta] (e não *[ˈvasta]) e [ˈaʒnʊ] (e não [ˈaznʊ]) dependendo do vozeamento da consoante seguinte. Ao mesmo tempo temos "aspas" [ˈaspas] e "asma" [ˈazma] que apresentam um segmento alveolar correspondente ao **s** ortográfico (pois [p,m] não são consoantes alveolares).

Assim, entre falantes do dialeto de Recife o **s** ortográfico se manifesta como [s] ou [z] em limite de sílaba quando a consoante seguinte não for alveolar (cf. "aspa, casca, rasga, asma"). Quando a consoante que segue o **s** ortográfico for alveolar (ou seja, um dos segmentos [t, d, n, l]) temos então [ʃ] ou [ʒ] dependendo do vozeamento da consoante seguinte (cf. "vasta", "asno").

54 Fonética – O sistema consonantal do português brasileiro

Considere as palavras do **grupo 7** que ilustram fricativas sibilantes (correspondentes ao **s** ortográfico) em limite de sílaba seguidas de consoantes alveolares/dentais.

> **16**
> 🎧
>
> Transcreva *somente* o segmento correspondente ao **s** ortográfico em limite de sílaba seguido de consoante alveolar/dental em seu idioleto.
> **Grupo 7**
> pasta_____ desde_____ asno _____ islã _____

Vimos acima que as fricativas [s, ʃ, z] podem ocorrer em final de sílaba e palavra (cf. Grupo 5). As fricativas [s, z, ʃ, ʒ] ocorrem em posição final de sílaba concordando em vozeamento com a consoante que a segue (e considerando os segmentos alveolares em alguns dialetos).

> **17**
> 🎧
>
> Transcreva as palavras abaixo para finalizarmos a discussão da ocorrência das fricativas sibilantes no português (nas palavras "cerzir" e "argila" as vogais [e] e [i] ocorrem, além de [a]).
> **Grupo 8**
> a. sala_____ Zapata_____ chá _____ já_____
> b. assa_____ asa_____ acha _____ haja_____
> c. farsa _____ cerzir_____ marcha_____ argila_____

Em (8a) [s, z, ʃ, ʒ] ocorrem em início de palavra e em (8b) os mesmos segmentos ocorrem em posição intervocálica. Em posição pós-consonantal temos os segmentos [s, z, ʃ, ʒ] (cf. 8c). Note que nos grupos 5 a 7 haverá variação dialetal sendo que um subconjunto dos segmentos [s, z, ʃ, ʒ] é selecionado. No grupo 8 a distribuição das sibilantes é uniforme para o português (exceto para alguns falantes de Cuiabá que pronunciam "acha" [ˈatʃa] e "haja" [ˈadʒa]). Podemos concluir que em posição final de sílaba as sibilantes caracterizam variação dialetal (sendo que há concordância de vozeamento com a consoante seguinte (cf. grupos 5 a 7). Em contextos diferentes de final de sílaba as sibilantes são uniformes em qualquer variedade do português (cf. grupo 8). Considere os dados do grupo 9 e indique os ambientes discutidos acima para a distribuição das sibilantes.

> Indique a fricativa sibilante e o ambiente em que esta consoante ocorre. Siga o modelo.
> **Grupo 9**
> a. jazz, vacas [s] *em final de sílaba e palavra (dependendo do dialeto pode ser* [ʃ])
> b. casca, aspa _____

Fonética – O sistema consonantal do português brasileiro 55

c. rasga, asma _____

d. pasta, desde, asno, islã _____

e. sala, Zapata, chá, já _____

f. assa, asa, acha, haja _____

g. farsa, cerzir, marcha, argila _____

Tarefa

Complete a terceira coluna no quadro abaixo com o símbolo fonético adequado. Lembre-se de acrescentar à tabela fonética destacável os símbolos fonéticos que serão listados e que correspondem às sibilantes do português.

Ambiente ou contexto	Grupo	Símbolo	Exemplo
Final de sílaba e palavra	5		jazz
Final de sílaba seguido de C desv	6a		casca, caspa
Final de sílaba seguido de C voz	6b		rasga, esbarra
Final de sílaba seguido de C alveolar	7		pasta, desde, asno, islã
Início de sílaba e palavra	8a		sala, Zapata, chá, já
Intervocálico	8b		assa, asa, acha, haja
Início de sílaba precedido de C	8c		farsa, cerzir, marcha, argila

Quadro da distribuição das sibilantes [s, z, ʃ, ʒ]

O quadro acima define a distribuição das consoantes fricativas sibilantes em seu idioleto. Certifique-se de que os símbolos adotados para as sibilantes sejam acrescentados à tabela fonética destacável. Consideramos a seguir as fricativas labiodentais [f, v].

Transcreva os dados observando especificamente a ocorrência das fricativas labiodentais. Lembre-se de que as transcrições fonéticas devem vir entre colchetes e que as sílabas tônicas devem ser acentuadas.

Grupo 10

arfar _____ safada _____ fraca _____ fava _____

vala _____ savana _____ lavra _____ parva _____

Preencha o quadro abaixo observando a distribuição dos segmentos [f] e [v] em relação aos contextos em que estes segmentos ocorrem e considere os dados do **grupo 10**.

56 Fonética — O sistema consonantal do português brasileiro

Ambiente ou contexto	Símbolo	Exemplo
Início de palavra	[f] [v]	[ˈfaka] "faca" [ˈvaka] "vaca"
Posição intervocálica		
Seguido de C na mesma sílaba		
Seguindo C em sílaba distinta		

Quadro da distribuição de [f] e [v]

O quadro acima expressa a distribuição das consoantes fricativas labiodentais em seu idioleto. Observe que os segmentos [f, v] combinam-se na mesma sílaba com o tepe [ɾ] e com a lateral [l] (cf. "livraria", "flor"). Contudo, [vl] ocorre apenas nos nomes "Wladmir", "Vlamir" e [vɾ] não ocorre em início de palavra *[ˈvɾidu]. [Atestei, [ˈvɾidu] "vidro" entre falantes de classe baixa de Belo Horizonte. Estes mesmos falantes também falam [ˈpɾɛdaˈ] "pedra". Para este fato ver Cristófaro Silva (2000) e Freitas (2001)].

> **Tarefa**
> Acrescente os segmentos labiodentais [f, v] à tabela fonética destacável.

O **grupo 11** listado abaixo visa a identificação dos segmentos oclusivos que ocorrem no português brasileiro: [p, b, t, d, k, g].

> Transcreva foneticamente os dados. Apresente as transcrições fonéticas entre colchetes.
> **Grupo 11**
> pá _____   tapa _____   cá _____   gata _____
> ataca _____ dá _____   bata _____ aba _____
> cada _____ paga _____   babá _____ data _____
> brava _____ praga _____ clava _____ ladra _____
> graxa _____ atlas _____ barba _____ harpa _____
> lasca _____ farda _____ rasga _____ gasta _____

Você deve observar que os segmentos oclusivos ocorrem em início de palavra (como em "pá, tapa, cá, bata, dá, gata"); em posição intervocálica (como em "tapa, ataca, aba, cada, paga"); seguindo consoante na mesma sílaba (como em "praga, atlas, clava, brava, ladra, graxa") e seguindo consoante em sílaba diferente (como em "harpa, gasta, lasca, barba, farda, rasga").

Fonética – O sistema consonantal do português brasileiro 57

> **Tarefa**
>
> Acrescente os segmentos oclusivos [p, b, t, d, k, g] à tabela fonética destacável.

Descrevemos a seguir um processo que ocorre em certos dialetos do português brasileiro, principalmente na região **Sudeste**. Denominamos tal processo de **palatalização de oclusivas alveolares**. Nos dialetos em que este processo aplica-se as oclusivas t/d manifestam-se como africadas alveolopalatais tʃ/dʒ quando seguidas da vogal **i** (oral ou nasal). Nestes dialetos temos [tʃiˈtʃia] para "titia" e [ˈdʒika] para "dica" [Cristófaro Silva (1999c)]. Os dialetos que não têm este processo apresentam as pronúncias [tiˈtia] "titia" e [ˈdika] "dica". Caso o processo de palatalização de oclusivas alveolares ocorra em seu idioleto transcreva os dados abaixo de acordo com a sua pronúncia. Caso contrário tente encontrar um falante que seja de uma variedade dialetal que apresente este processo. Uma outra alternativa é tentar inferir como seria a pronúncia das palavras abaixo em dialetos que apresentam a palatalização das oclusivas t/d. Além da vogal [a] você deverá utilizar o símbolo [i] para transcrever as vogais que ortograficamente ocorrem como **i** e as **vogais átonas** finais que ortograficamente ocorrem como **e** (como em "bate") que na maioria dos dialetos do português brasileiro se manifesta foneticamente como [i].

> Transcreva foneticamente os dados. 20
>
> **Grupo 12**
>
> a. dia _____ tia _____ vadia _____ ártica _____
> típica _____ dica _____ tipití_____ mártir_____
> b. arde _____ bate _____ abade _____ arte_____

Em dialetos em que a palatalização de oclusivas alveolares ocorre – como o de Belo Horizonte por exemplo – todos os t/d ortográficos no grupo 12 são foneticamente segmentos africados [tʃ, dʒ] (seguidos de [i]). Nestes dialetos ocorrem também os segmentos [t, d] seguidos de vogais diferentes de [i] ou seguidos das consoantes [l, ɾ]. Em dialetos em que a palatalização de oclusivas alveolares não ocorre temos foneticamente apenas [t, d] correspondendo ao t/d ortográficos nos dados do **grupo 12**. O que condiciona a ocorrência dos segmentos africados [tʃ,dʒ] nos dialetos que apresentam a palatalização de oclusivas alveolares é o fato da vogal imediatamente seguinte ser [i] [(embora ortograficamente a vogal possa ser registrada como **e** (cf. "bate", "arde")].

Uma outra alternativa de pronúncia para os dados acima é atestada entre falantes do dialeto de **Curitiba**. Neste dialeto o t/d ortográfico das palavras listadas no **grupo 12a** manifestam-se como segmentos africados [tʃ, dʒ]: [ˈdʒia]. As palavras do **grupo 12b** entretanto são pronunciadas como segmentos oclusivos [t,d] embora a vogal imediatamente seguinte seja pronunciada como [i]: [aˈbadi]. Portanto, embora os t/d ortográficos sejam seguidos de [i] nos grupos 12a e 12b –

58 Fonética – O sistema consonantal do português brasileiro

por exemplo em "dia" e "abade"– no dialeto de Curitiba a consoante africada ocorre apenas quando a vogal [i] não corresponde ao sufixo de gênero (o que é o caso em 12b: "aba[di]").

Observe que enquanto falantes de Belo Horizonte pronunciam "hepatite" como [epaˈtʃitʃi] (com os dois últimos segmentos consonantais sendo africados), os falantes de Curitiba pronunciam [epaˈtʃiti] "hepatite" (onde o último segmento consonantal que é seguido pelo sufixo de gênero é uma oclusiva e a penúltima consoante é uma africada).

Consideramos a seguir um processo relacionado à palatalização das oclusivas t/d. Tal processo palataliza o "s" ortográfico em limite de sílaba quando seguido por [tʃ, dʒ] e é atestado entre falantes do português de Belo Horizonte. Quando o "s" ortográfico que ocorre em posição final de sílaba é seguido de uma das africadas [tʃ, dʒ] – por exemplo em palavras como "castiga, desdisse" – ocorre a palatalização do "s" ortográfico. O "s" ortográfico manifesta-se foneticamente então como [ʃ, ʒ]: [kaʃˈtʃiga] "castiga" e [dʒiʒˈdʒisi] "desdisse".

Temos, portanto, uma sequência de *fricativa alveolopalatal* + *africada alveolopalatal*: [ʃtʃ] e [ʒdʒ]. Observe que tal processo aplica-se em limite de sílaba e não é atestado em todos os dialetos do português brasileiro. Há dialetos (ou idioletos) em que o "s" ortográfico seguido de africadas ocorre como uma fricativa alveolar (ou dental). Neste caso temos uma sequência de *fricativa alveolar (ou dental)* + *africada alveolopalatal*: [stʃ] e [zdʒ] (para a sequência de consoantes em "castiga" e "desdisse" respectivamente). Há ainda dialetos em que o "s" ortográfico é sempre palatalizado em posição final de sílaba independente dos segmentos adjacentes. Este é por exemplo o caso do dialeto carioca que sempre apresenta [ʃ, ʒ] em posição final de sílaba.

Para verificar o comportamento do "s" ortográfico em seu idioleto no contexto de posição final de sílaba quando seguido de consoantes africadas, transcreva as sequências de **st** ortográficos nos exemplos do **grupo 13**. Pedimos que sejam transcritos apenas os segmentos correspondentes à sequência ortográfica **st** porque estes segmentos são aqueles envolvidos no processo de palatalização do **s** ortográfico. Como ainda não apresentamos o instrumental para transcrever os segmentos vocálicos transcreva apenas os segmentos relevantes para o tópico em discussão.

---

21 🎧

Transcreva foneticamente **somente** as sequências de **st** ortográfico.
Grupo 13

triste _____	vestido _____	haste _____
lástima _____	poste _____	estilo _____

Se para você o **st** ortográfico nas palavras acima manifesta-se como uma sequência de *fricativa alveolopalatal* + *africada alveolopalatal*, ou seja [ʃtʃ] ou [ʒdʒ], temos então que o processo de palatalização de **S**-pós-vocálico aplica-se por meio de limite de sílaba para você (Guimarães, 2004). Caso contrário (se o **st** ortográfico ocorre como [stʃ] ou [zdʒ]) o processo não se aplica em seu idioleto.

Fonética – O sistema consonantal do português brasileiro   59

Concluindo a discussão sobre segmentos africados vale mencionar uma particularidade que ocorre entre falantes do dialeto de Cuiabá. Certos falantes deste dialeto apresentam os segmentos africados [tʃ, dʒ] onde os segmentos fricativos ocorrem na grande maioria dos outros dialetos do português brasileiro. Os exemplos do **grupo 14** ilustram este caso para os dialetos de certos falantes de Cuiabá e Belo Horizonte.

Grupo 14	Belo Horizonte	Cuiabá
chá	[ˈʃa]	[ˈtʃa]
acha	[ˈaʃa]	[ˈatʃa]
já	[ˈʒa]	[ˈdʒa]
haja	[ˈaʒa]	[ˈadʒa]
chia	[ˈʃia]	[ˈtʃia]
gia	[ˈʒia]	[ˈdʒia]
tia	[ˈtʃia]	[ˈtia]
dia	[ˈdʒia]	[ˈdia]

Tarefa

Caso os segmentos [tʃ, dʒ] ocorram em seu idioleto acrescente-os à tabela fonética destacável.

Até o momento identificamos os seguintes segmentos consonantais: os segmentos correspondentes ao **r** ortográfico (que compreende um subconjunto dos segmentos [x, ɣ, h, ɦ, ř, ɾ, ɹ]); as fricativas sibilantes [s, z, ʃ, ʒ]; as fricativas labiodentais [f, v]; as oclusivas [p, b, t, d, k, g] e as africadas [tʃ, dʒ]. Certifique-se de que um subconjunto destes segmentos constam de sua tabela fonética destacável.

Note que uma consulta à tabela fonética destacável indica que devemos identificar ainda os segmentos nasais e laterais. Consideramos primeiro as consoantes nasais. Transcreva as palavras listadas no quadro que se segue. Utilize o símbolo [m] para transcrever a consoante nasal bilabial que ocorre por exemplo no início da palavra "má". O segmento nasal que ocorre no início da palavra "nata" deverá ser transcrito como [n] (observe contudo se a articulação é alveolar ou dental).

Transcreva foneticamente os dados. Certifique-se de que as transcrições fonéticas estejam entre colchetes e que a sílaba tônica seja marcada.

Grupo 15

a. mala _____ mamá _____ carma _____ amada _____

b. nata_____ ananás _____ sarna _____ sanada_____

60 Fonética – O sistema consonantal do português brasileiro

O segmento nasal bilabial [m] exemplificado no **grupo 15a** ocorre consistentemente em todos os dialetos do português. Os ambientes em que o segmento [m] ocorre são: início de palavra (cf. "mala"), seguindo consoante em sílaba distinta (cf. "carma") e em posição intervocálica (cf. "amada"). Lembramos aqui que estamos nos referindo a articulação fonética do segmento [m]. Observe que *ortograficamente* a letra **m** ocorre em fim de sílaba e em final de palavra (como em "campo" ou "fim"). Neste caso a letra **m** marca a nasalidade da vogal anterior e não a articulação de uma consoante nasal.

O segmento nasal que ocorre no **grupo 15b** pode ser alveolar ou dental, dependendo do dialeto (ou mesmo idioleto). Os ambientes em que o segmento [n] ocorre são: início de palavra (cf. "nata"), seguindo consoante em sílaba distinta (cf. "sarna") e em posição intervocálica (cf. "sanada"). Nos referimos aqui à articulação fonética do segmento [n]. Observe que *ortograficamente* a letra **n** ocorre em final de sílaba como na palavra "santa". Neste caso a letra **n** marca a nasalidade da vogal anterior e não a articulação de uma consoante nasal. Note que em algumas palavras do português temos ortograficamente a letra **n** precedida de outra consonante como em "pneu, pneumonia". Contudo, no português brasileiro sempre ocorre uma vogal entre as duas consoantes em questão: [pi'neu] ou [pe'neu]. A vogal que pode opcionalmente ocorrer entre duas consoantes é denominada **vogal epentética**.

Complete a tabela da distribuição das consoantes nasais apresentada a seguir. Tente na medida do possível encontrar seus próprios exemplos.

Ambiente ou contexto	Símbolo	Exemplo
Início de palavra	[m] [n]	
Seguindo C em sílaba distinta	[m] [n]	
Posição intervocálica	[m] [n]	

Quadro da distribuição das nasais [m, n]

Tarefa

Não se esqueça de acrescentar à tabela fonética destacável os símbolos correspondentes às consoantes nasais [m, n].

Consideremos agora o segmento que na ortografia é representado pelo dígrafo "nh" como por exemplo na palavra "banha". Tal segmento ocorre exclusivamente em posição intervocálica e a vogal precedente é geralmente nasalizada. No português brasileiro temos geralmente duas manifestações possíveis para o segmento que corresponde ao dígrafo "nh". Podemos ter uma consoante nasal palatal que será transcrita como [ɲ] ou podemos ter um segmento vocálico nasalizado que será transcrito como [ỹ]. Portanto, uma palavra como "banha" pode ser transcrita foneticamente como ['bãɲa] ou como [ˈbãỹa]. Vejamos os parâmetros articulatórios envolvidos na articulação dos segmentos [ɲ] e [ỹ]. Se em uma palavra como "banha" você pronuncia uma consoante nasal palatal em posição intervocálica – ou seja [ɲ] – você deverá observar a obstrução da passagem da corrente de ar pela cavidade oral.

Lembre-se de que segmentos nasais são produzidos com o véu palatino abaixado e a corrente de ar tem acesso às cavidades oral e nasal. A obstrução a que nos referimos aqui é aquela que ocorre na **região palatal** da cavidade oral. A obstrução na cavidade oral é causada pela parte média da língua tocando o palato duro (que é uma articulação característica de consoantes palatais). A obstrução da passagem da corrente de ar se dá uma vez que as consoantes nasais são por definição oclusivas. Se você pronuncia uma consoante nasal palatal em uma palavra como "banha" a sua língua tocará a região palatal causando obstrução. Você deverá portanto sentir o contato da língua tocando o céu da boca. Neste caso a transcrição fonética correspondente à palavra "banha" será [ˈbãɲa].

Consideremos agora casos de falantes que articulam um segmento vocálico nasalizado – ou seja [ỹ] – em posição intervocálica na palavra "banha". Foneticamente o dígrafo "nh" corresponde a um segmento vocálico [ĩ] nasalizado (como a vogal de "sim"). Neste caso não há contato da língua com o céu da boca (o que ocorre na produção do segmento nasal palatal [ɲ] que acabamos de discutir acima). O que articulamos de fato então é uma **vogal nasalizada** com a **qualidade vocálica** de [i]. Contudo, em termos distribucionais tal vogal ocupa a posição de uma consoante na estrutura silábica (no caso, o segmento correspondente ao dígrafo "nh"). Representamos tal segmento por [ỹ]. Note que na articulação de [ỹ] a língua não toca a região palatal. Isto se dá uma vez que vogais são articuladas sem causar obstrução no trato vocal (trataremos das vogais em detalhes na próxima seção). Portanto, na articulação do segmento [ỹ] não haverá obstrução da passagem da corrente de ar na região palatal. Assim, a sua língua não deve tocar a região central do palato durante a articulação de [ỹ]. Neste caso a palavra "banha" será transcrita como [ˈbãỹa]. Como vimos acima, na articulação da consoante nasal palatal [ɲ] ocorre obstrução da passagem da corrente de ar pelo trato vocal e a língua toca a região média do céu da boca. Já na produção do segmento [ỹ] nenhuma obstrução da passagem da corrente de ar pelo trato vocal ocorre. Vale ressaltar que na maioria dos dialetos do português brasileiro o som correspondente ao dígrafo "nh" é um segmento vocálico nasalizado, ou seja [ỹ]. A seguir apresentamos uma maneira de verificar se você pronuncia [ɲ] ou [ỹ] para o dígrafo "nh".

Tarefa

Pronuncie a palavra "baia" observando cuidadosamente a articulação do segmento que ocorre entre as duas vogais. Na produção do segmento intervocálico na palavra "baia" você deve observar que a corrente de ar passa livremente pela cavidade oral. Em outras palavras não há obstrução da passagem da corrente de ar. Note que a língua não toca o céu da boca. Pronuncie agora alternadamente as palavras "baia" e "banha" observando a articulação dos segmentos intervocálicos correspondente

62 Fonética – O sistema consonantal do português brasileiro

ao **i** e **nh** ortográfico. Se você pronuncia o segmento [ỹ] na palavra "banha" você deverá observar que a diferença articulatória dos segmentos intervocálicos de "baia" e "banha" se dá apenas quanto a **nasalização**. Se você pronuncia o segmento [ɲ] na palavra "banha" você deverá observar que a diferença articulatória entre os segmentos intervocálicos de "baia" e "banha" se dá quanto a dois parâmetros: a nasalidade (em "banha")/a oralidade (em "baia") e quanto à obstrução (em "banha")/ não obstrução (em "baia").

Resumindo, a articulação do segmento intervocálico em "ba[ɪ]a" e "ba[ỹ]a" será idêntica em relação a todos os parâmetros articulatórios com exceção da posição do véu palatino: em "baia" o véu palatino encontra-se levantado (e temos um segmento oral) e em "ba[ỹ]a" o véu palatino está abaixado (e temos um segmento nasal). Em ambos os casos temos a articulação correspondente à vogal i̱ em posição intervocálica sendo que esta é oral em "baia" e nasal em "banha".

Se você pronuncia o segmento [ɲ] na palavra "banha", você observará que ocorre obstrução da passagem da corrente de ar (quando a língua toca o céu da boca na região do palato). Já na articulação do segmento intervocálico na palavra "baia" não ocorre obstrução na articulação do segmento intervocálico. Resumindo, a articulação do segmento intervocálico em "ba[ɪ]a" e "ba[ɲ]a" distingue-se quanto a dois parâmetros: a posição do véu palatino e a obstrução da passagem da corrente de ar no trato vocal. Em "baia" temos um segmento oral (quando o véu palatino está levantado) e não ocorre obstrução do trato vocal. Em "ba[ɲ]a" temos um segmento nasal (quando o véu palatino está abaixado) e ocorre obstrução do trato vocal (quando a língua toca o palato).

Finalmente, temos a pronúncia de certos falantes de **Belém** do Pará em que uma consoante nasal alveolar palatalizada – ou seja, [nʲ] – corresponde ao dígrafo "nh", como, por exemplo, em "banha" [ˈbanʲa]. Note que neste caso a ponta da língua levanta-se e toca os alvéolos. Para estes falantes o segmento intervocálico de "banha" deve ser transcrito como "ba[nʲ]a". Em algumas palavras do português brasileiro, o dígrafo "nh" pode ocorrer, opcionalmente, como uma nasal alveolar [n] quando seguido de [i]: "grunhido". Observe qual segmento corresponde ao dígrafo "nh" em seu idioleto. Acrescente o símbolo correspondente à tabela fonética destacável.

Tarefa

Considerando os parâmetros articulatórios descritos acima, determine o segmento correspondente ao dígrafo "nh" em seu idioleto. Selecione um dos símbolos [ɲ], [ỹ] ou [nʲ] e o acrescente à tabela fonética destacável na posição correspondente à consoante nasal palatal. [(Lembre-se que símbolo [ỹ] corresponde a uma articulação vocálica nasalizada. Contudo o incorporaremos à tabela fonética consonantal uma vez que tal segmento corresponde a uma posição consonantal na estrutura silábica (que corresponde ao dígrafo "nh")].

Fonética – O sistema consonantal do português brasileiro 63

Passemos agora a considerar os segmentos consonantais laterais que ocorrem no português brasileiro. Você deverá observar que o **"l" ortográfico** corresponde a um segmento lateral vozeado podendo ter articulação alveolar ou dental, dependendo do dialeto (ou mesmo idioleto). Estas são as duas alternativas possíveis para qualquer falante do português brasileiro nas palavras listadas no quadro que se segue.

Transcreva foneticamente os dados. Lembre-se de que as transcrições fonéticas devem estar entre colchetes e a sílaba tônica deve ser marcada.

Grupo 16

a. lata _____	lar _____	lava _____
b. placa _____	atlas _____	clava _____
c. ala _____	sala _____	calada _____

24

Os exemplos do **grupo 16** ilustram os contextos em que a lateral alveolar (ou dental) ocorre no português. Estes são: início de palavra (como em "lata"); seguindo consoante na mesma sílaba (como em "placa") e em posição intervocálica (como em "ala"). O mesmo segmento que você identificar para o grupo 16 em seu idioleto deverá também representar o "l" ortográfico que ocorre seguindo consoante em sílaba distinta como em "orla" ou "islã".

Tarefa

Acrescente o segmento lateral alveolar ou dental [l] à tabela fonética destacável.

Consideremos agora a distribuição do "l" ortográfico em final de sílaba. Temos duas alternativas possíveis para transcrever o "l" ortográfico no final de sílaba (como por exemplo nas palavras "sal" e "salta"). Na primeira delas uma consoante lateral alveolar (ou dental) é articulada juntamente com a propriedade articulatória secundária de velarização: [ɫ]. Neste caso formas como "sal, salta" são transcritas como [ˈsaɫ] e [ˈsaɫta], respectivamente. Esta alternativa aplica-se geralmente a certos dialetos do sul do Brasil e de Portugal. Na maioria dos dialetos do português brasileiro, o que ocorre é um processo de **vocalização do l**. De acordo com tal processo, articulamos um segmento com a qualidade vocálica de **u** na posição correspondente ao "l" ortográfico em posição final de sílaba: "sal, salta". Adotamos o símbolo [w] para transcrever tal segmento. Neste caso formas como "sal, salta" são transcritas foneticamente como [ˈsaw] e [ˈsawta], respectivamente. Considerando-se as possibilidades de transcrever o "l" ortográfico em posição final de sílaba como [ɫ] e [w], faça o exercício do **grupo 17**.

64 Fonética – O sistema consonantal do português brasileiro

> **25**
>
> Transcreva os dados observando a articulação do segmento correspondente ao "l"
> ortográfico em posição final de sílaba.
> ### Grupo 17
> a. sal_____ matagal_____ tal_____
> b. salta _____ malvada _____ calva _____

Preencha o quadro abaixo com os símbolos fonéticos adequados para representar o "l" ortográfico em seu idioleto.

Ambiente ou contexto	Símbolo	Exemplo
Início de sílaba e palavra		lata
Seguindo C na mesma sílaba		placa
Posição intervocálica		ala
Seguindo C em sílaba distinta		orla
Final de palavra		sal
Final de sílaba		salta

Quadro da distribuição da lateral [l]

Você deverá selecionar um subconjunto dos símbolos [l, ł, w] para o seu idioleto. A grande maioria dos falantes selecionará dois segmentos: [l, w] ou [l, ł]. Alguns falantes podem ter os símbolos [l, ł, w] sendo que [ł, w] ocorrem sempre em posição final de sílaba. Acrescente os símbolos que você selecionou à tabela fonética destacável. Coloque o segmento [w] na posição da tabela correspondente às laterais alveolares/dentais. [(O símbolo [w] corresponde a uma articulação com qualidade vocálica de **u**. Contudo, o incorporamos à tabela fonética consonantal uma vez que tal segmento corresponde a uma posição consonantal na estrutura silábica (que corresponde ao "l" em posição final de sílaba)].

> ## Tarefa
>
> Acrescente o segmento lateral velarizado [ł] ou o glide recuado [w] à tabela fonética destacável.

Consideramos a seguir a consoante lateral palatal que ocorre em português apenas em posição intervocálica e corresponde na ortografia ao dígrafo "lh" como na palavra "palha". Vejamos as alternativas articulatórias relacionadas ao "lh" ortográfico. Na primeira alternativa, o falante articula uma consoante lateral palatal que apresenta a

Fonética – O sistema consonantal do português brasileiro   65

obstrução da passagem da corrente de ar na região palatal (o ar escapa lateralmente). Neste caso o falante levanta a parte média da língua em direção ao palato duro. Ou seja, a região central da língua quase toca o céu da boca. Utilizamos o símbolo [ʎ] para representar este caso e uma palavra como "palha" será transcrita como [ˈpaʎa].

A segunda alternativa articulatória relacionada ao dígrafo "lh" representa os casos em que uma consoante lateral alveolar (ou dental) é articulada juntamente com a propriedade articulatória secundária de palatalização. Neste caso, o falante levanta a ponta da língua em direção aos alvéolos ou aos dentes incisivos superiores (como na articulação da lateral em "bala"). Concomitantemente, a região média da língua é levantada em direção ao palato duro. Temos então uma consoante lateral alveolar palatalizada que é transcrita como [lʲ]. Uma palavra como "palha" é então transcrita como [ˈpalʲa].

Finalmente, há falantes que pronunciam as palavras "teia" e "telha" de maneira idêntica. Nestes casos, temos que uma vogal com a qualidade vocálica de i ocupa a posição consonantal correspondente ao dígrafo "lh". Transcreveremos tal segmento como [y] uma vez que estamos nos referindo a uma posição consonantal. Uma palavra como "palha" é então transcrita como [ˈpaya].

Resumindo, na articulação da lateral palatalizada [lʲ] haverá o levantamento da ponta da língua em direção aos alvéolos (ou dentes incisivos superiores) e concomitantemente, a região média da língua levanta-se em direção ao palato duro. Já na articulação da lateral palatal [ʎ] a parte média da língua levanta-se em direção ao palato duro e a ponta da língua encontra-se abaixada próxima aos dentes frontais inferiores. Nos casos em que o segmento [y] ocorre, temos uma articulação de qualidade vocálica de i ocupando a posição consonantal correspondente ao dígrafo "lh".

Portanto, um dos símbolos [ʎ], [lʲ] ou [y] deve ser utilizado na transcrição fonética do segmento correspondente ao dígrafo "lh". Uma maneira de identificar se você produz o segmento lateral palatal [ʎ] ou o segmento lateral palatalizado [lʲ] consiste em verificar se há diferença de pronúncia entre as palavras "olhos/óleos"; "a malha/Amália" e "julho/Júlio". Caso você tenha distinção articulatória entre estas palavras é provável que a lateral palatal [ʎ] ocorra em seu idioleto correspondendo ao dígrafo "lh". Se você pronuncia "olhos/óleos"; "a malha/Amália" e "julho/Júlio" da mesma maneira é provável que você tenha o segmento lateral palatalizado [lʲ] em seu dialeto correspondente ao dígrafo "lh". Considere as palavras do **grupo 18**.

Transcreva foneticamente as palavras. Transcrição fonética entre colchetes e marca-se a sílaba acentuada.

Grupo 18

| palha _____ | palhaçada _____ | canalha _____ |
| malha _____ | malhada _____ | talhada _____ |

26

66 Fonética – A descrição dos segmentos vocálicos

Tarefa

Acrescente à tabela fonética destacável o segmento correspondente ao dígrafo "lh" em seu idioleto. Coloque o segmento escolhido na posição correspondente à lateral palatal (mesmo que você selecione a lateral palatalizada [lʲ] ou o segmento [y]).

Acabamos de investigar os segmentos consonantais que ocorrem em seu idioleto. Neste estágio você deverá ter a sua tabela pessoal dos segmentos fonéticos consonantais que foi preenchida na tabela destacável à medida que você fez os exercícios desta seção. Guarde esta tabela pois ela será utilizada na segunda parte deste livro quando analisamos o português do ponto de vista fonêmico. Na próxima seção descrevemos um método de registrar segmentos vocálicos e discutimos o **sistema vocálico** do português brasileiro.

8. A descrição dos segmentos vocálicos

Apresentamos a seguir os parâmetros articulatórios relevantes na descrição dos segmentos vocálicos. Na produção de um *segmento vocálico* a passagem da corrente de ar não é interrompida na linha central e portanto não há obstrução ou fricção no trato vocal. Segmentos vocálicos são descritos levando-se em consideração os seguintes aspectos: **posição da língua** em termos de **altura**; posição da língua em termos anterior/posterior; arredondamento ou não dos lábios. Vejamos cada um destes aspectos.

8.1. Altura da língua

Este parâmetro refere-se à altura ocupada pelo corpo da língua durante a articulação do segmento vocálico. A altura representa a dimensão vertical ocupada pela língua dentro da cavidade bucal. Há um ponto alto em oposição a um ponto baixo e pode haver alturas intermediárias. Ladefoged (1984) propõe que a altura das vogais pode variar em quatro valores (de 1 a 4). Na descrição do português devemos considerar quatro níveis de altura: alta, média-alta, média-baixa, baixa. Alguns autores referem-se à altura em termos de abertura/fechamento da boca. Neste caso os quatro níveis de altura são: fechada, meio-fechada, meio-aberta, aberta. Isto quer dizer que os seguintes termos são equivalentes: alta=fechada, baixa=aberta (e os termos intermediários também são correspondentes). Neste trabalho geralmente adotamos os termos: alta, média-alta, média-baixa, baixa. Faça os exercícios abaixo observando a posição da língua na dimensão vertical.

Fonética – A descrição dos segmentos vocálicos **67**

===== **Exercício 1** =====

1. Pronuncie em sequência as vogais **i** e **a**. A posição da língua encontra-se mais alta durante a posição de qual vogal? Classifique uma destas vogais como alta_____ e a outra como baixa _____.

2. Pronuncie em sequência as vogais **ê** (cf. "ipê") e **a**. A posição da língua encontra-se mais alta durante a posição de qual vogal? Classifique uma destas vogais como alta _____ e a outra como baixa _____.

3. Pronuncie em sequência as vogais **ê** (cf. "ipê") e **é** (cf. "pé"). A posição da língua encontra-se mais alta durante a posição de qual vogal? Classifique uma destas vogais como alta _____ e a outra como baixa _____.

4. Pronuncie em sequência as vogais **i** (cf. "vi"); **ê** (cf. "ipê"); **é** (cf. "pé") e **a**. Como temos quatro vogais classifique-as em quatro níveis de altura começando da mais alta e indo para a vogal mais baixa. (nível 1: alta) _____ (nível 2: média-alta)_____ (nível 3: média-baixa) _____ (nível 4: baixa) _____.

5. Pronuncie em sequência as vogais **ô** (cf. "avô") e **ó** (cf. "avó"). A posição da língua encontra-se mais alta durante a posição de qual vogal? Classifique uma destas vogais como alta _____ e a outra como baixa _____.

6. Pronuncie em sequência as vogais **u** (cf. "jacu"); **ô** (cf. "avô"); **ó** (cf. "avó") e **a**. Como temos quatro vogais classifique-as em quatro níveis de altura começando da mais alta e indo para a vogal mais baixa. (nível 1: alta) _____ (nível 2: média-alta)_____ (nível 3: média-baixa) _____ (nível 4: baixa) _____.

7. Assumimos que há quatro níveis de altura (1-4). As vogais **i** e **u** são altas e pertencem ao (nível 1). A vogal **a** é baixa e pertence ao (nível 4). Como você classifica as vogais **ê** (cf. "ipê") e **é** (cf. "pé") em termos do (nível 2) e (nível 3)? E como você classifica as vogais **ô** (cf. "avô") e **ó** (cf. "avó") em termos do (nível 2) e (nível 3)? (nível 2: média-alta) _____ (nível 3: média-baixa) _____.

8. Classifique as vogais **i**, **ê** (ipê), **é** (pé), **a**, **ó** (avó), **ô** (avô), **u** nas seguintes categorias:
Alta: _____ Média-alta: _____ Média-baixa: _____ Baixa: _____.

8.2. Anterioridade/Posterioridade da língua

Este parâmetro refere-se à posição do corpo da língua na dimensão horizontal durante a articulação do segmento vocálico. Divide-se a cavidade bucal em três partes simétricas. Uma parte localizada a frente da cavidade bucal (anterior) e uma parte

68 Fonética – A descrição dos segmentos vocálicos

localizada na parte final da cavidade bucal (posterior). Entre estas duas partes tem-se uma parte central.

As três posições que podem ser assumidas pela língua são: anterior, central e posterior. Faça o exercício abaixo observando a posição do corpo da língua.

―――――――――――――― **Exercício 2** ――――――――――――――

1. Pronuncie em sequência as vogais **i** e **u**. Observe a posição da língua durante a articulação destas vogais. Classifique uma vogal como anterior:_____ e a outra posterior:_____.

2. Pronuncie em sequência as vogais **ê** (cf. "ipê") e **ô** (cf. "avô"). Observe a posição da língua durante a articulação destas vogais. Classifique uma vogal como anterior:_____ e a outra como posterior:_____.

3. Pronuncie em sequência as vogais **é** (cf. "pé") e **ó** (cf. "avó"). Observe a posição da língua durante a articulação destas vogais. Classifique uma vogal como anterior:_____ e a outra como posterior:_____.

4. Classifique as vogais **i**, **e** (ipê), **é** (pé), **a**, **ó** (avó), **ô** (avô), **u** nas seguintes categorias (note que a vogal **a** já encontra-se classificada como uma vogal central): Anterior: _____ Central: __**a**__ Posterior:_____.

8.3. Arredondamento dos lábios

Durante a articulação de um segmento vocálico os lábios podem estar **estendidos** (distensos) ou podem estar **arredondados**. Estes dois parâmetros são suficientes para a descrição dos segmentos vocálicos.

―――――――――――――― **Exercício 3** ――――――――――――――

1. Pronuncie as vogais **i**, **ê** (ipê), **é** (pé), **a**, **ó** (avó), **ô** (avô), **u**. Observe a posição dos lábios durante a articulação destas vogais. Classifique estas vogais como arredondadas:_____ e como não arredondadas:_____.

A tabela abaixo ilustra a relação entre o arredondamento (ou não) dos lábios e a altura da língua na articulação de segmentos vocálicos. Mais especificamente, ilustra-se a posição a ser assumida pelos lábios em termos dos diferentes graus de altura que podem ser assumidos pela língua.

Fonética – A descrição dos segmentos vocálicos 69

	Lábios estendidos	Lábios arredondados
Alta ou fechada		
Média-alta ou média-fechada		
Média-baixa ou média-aberta		
Baixa ou aberta		

A seguir apresentamos um quadro fazendo uso dos símbolos adotados pela Associação Internacional de Fonética para a transcrição dos segmentos vocálicos. Note que há quatro graus de altura. Em sistemas vocálicos em que apenas três graus de altura são relevantes, temos as seguintes categorias para a altura da língua: alta, média e baixa. Você deverá utilizar os critérios articulatórios descritos acima para caracterizar os segmentos vocálicos do quadro. Por exemplo a vogal [ɯ] difere-se da vogal [u] somente quanto ao arredondamento dos lábios. Temos então que [ɯ] é um [u] produzido com os lábios estendidos. Da mesma maneira a vogal [y] difere-se da vogal [i] somente quanto ao arredondamento dos lábios (que são arredondados em [y]). Temos então que [y] é um [i] produzido com os lábios arredondados. Seguindo os critérios articulatórios tente pronunciar as vogais ilustradas abaixo.

	anterior		central		posterior	
	arred	não arred	arred	não arred	arred	não arred
alta	y	i	ʉ	ɨ	u	ɯ
média-alta	ø	e	ɵ	ɘ	o	ɤ
média-baixa	œ	ɛ	ɞ	ɜ	ɔ	ʌ
baixa	ɶ	æ	a		ɑ	ɒ

Figura 8: *Classificação das vogais quanto ao arredondamento dos lábios, anterioridade/ posterioridade e altura*

Das vogais listadas acima selecionamos sete que ocorrem em posição tônica no português:

70 Fonética – Articulações secundárias dos segmentos vocálicos

Posição da língua/Abertura da boca	Símbolo	Exemplo	
Alta ou fechada	[i]	vi	['vi]
Média-alta ou média-fechada	[e]	ipê	[i'pe]
Média-baixa ou média-aberta	[ɛ]	pé	['pɛ]
Baixa ou aberta	[a]	pá	['pa]
Média-baixa ou média-aberta	[ɔ]	avó	[a'vɔ]
Média-alta ou média-fechada	[o]	avô	[a'vo]
Alta ou fechada	[u]	jacu	[ʒa'ku]

Vogais médias-altas ou médias-fechadas, [e,o], têm seus símbolos com o desenho fechado. Por outro lado, as vogais médias-baixas ou médias-abertas, [ɛ,ɔ], têm seus símbolos com o desenho aberto. Dica: vogal fechada → símbolo fechado, como em [e,o], e vogal aberta → símbolo aberto, como em [ɛ,ɔ].

Para precisarmos exatamente a descrição de uma vogal podemos utilizar um dos diacríticos seguintes: 1) ⊥ mais alto (*qualidade mais alta*); 2) ⊤ mais baixo (*qualidade mais baixa*); 3) ⊣ retraído (*qualidade mais posterior*); 4) ⊢ avançado (*qualidade mais anterior*). A presença de um destes diacríticos indicará a alteração da qualidade da vogal que estamos descrevendo. Os diacríticos são colocados abaixo dos símbolos fonéticos utilizados para caracterizar um segmento vocálico. Por exemplo, um símbolo como [ị] indica que tomamos como referência [i], mas que há uma qualidade vocálica mais retraída ou posterior. Uma vogal mais retraída e também mais baixa tem os diacríticos ⊣ e ⊤ abaixo dos símbolo da vogal. Procedemos a seguir a descrição das propriedades articulatórias ou articulações secundárias das vogais que contribuem para uma descrição mais precisa dos segmentos vocálicos.

9. Articulações secundárias dos segmentos vocálicos

Discutiremos algumas das propriedades articulatórias secundárias observadas durante a produção de segmentos vocálicos. Tomamos como referência para a descrição apresentada a seguir os trabalhos de Abercrombie (1967) e Cagliari (1981).

9.1. Duração

A **duração** de um determinado segmento só pode ser medida comparativamente em relação a outros segmentos. Em outras palavras, a duração é uma medida relativa

Fonética – Articulações secundárias dos segmentos vocálicos 71

entre segmentos. Os diacríticos abaixo são utilizados para marcar a duração dos segmentos vocálicos. Todos os exemplos são ilustrados com a vogal **a**, mas os diacríticos podem acompanhar qualquer segmento vocálico. Por exemplo: [a:] *duração longa*; [a.] *duração média*; [a] *duração breve*.

Se em uma determinada língua a duração não se faz relevante, o símbolo utilizado sem nenhum diacrítico corresponderá às vogais daquela língua. Isto porque a duração é obrigatoriamente comparativa. Outros fatores, como o **acento** tônico, por exemplo, influenciam na duração de uma vogal. Assim, vogais acentuadas tendem a ser mais longas. Se este for o caso na língua a ser descrita, pode-se assumir que a duração é causada pelo acento e não em oposição a outras vogais do sistema daquela língua. Em algumas línguas a duração é extremamente importante na produção dos segmentos vocálicos, como o inglês por exemplo. Note que em inglês as palavras têm significados diferentes se a vogal for **longa** ou **breve**: "to leave" sair [li : v] e "to live" viver [liv]. Em português este não é o caso, embora as vogais acentuadas sejam percebidas como mais longas em relação as vogais não acentuadas [cf. Cagliari e Massini-Cagliari (1998)].

9.2. Desvozeamento

Normalmente, segmentos vocálicos são vozeados, isto é, durante a sua produção as cordas vocais estão vibrando. Contudo, segmentos vocálicos podem ser produzidos com a propriedade articulatória secundária de desvozeamento. Neste caso, as cordas vocais não vibram durante a produção da vogal (de maneira análoga a consoantes desvozeadas). Faremos uso de um pequeno círculo colocado abaixo do segmento vocálico para caracterizar a propriedade secundária de desvozeamento. Assim, [ḁ] caracteriza o segmento [a] com a propriedade de desvozeamento. Em português o desvozeamento de segmentos vocálicos geralmente ocorre em vogais não acentuadas em final de palavra, como por exemplo as vogais finais das palavras "pata", "sapo", "bote".

9.3. Nasalização

Se durante a articulação de uma vogal ocorrer o abaixamento do véu palatino, parte do fluxo de ar penetrará na cavidade nasal sendo expelido pelas narinas e produzindo assim uma qualidade vocálica nasalizada. Faremos uso de um til, isto é [˜], colocado acima do segmento vocálico para marcar a nasalidade. Assim, [ã] caracteriza o segmento [a] com a propriedade de nasalização.

Ressaltamos que a nasalidade (causada pelo abaixamento do véu palatino) e a altura da língua na articulação das vogais estão intimamente relacionadas. Para uma vogal que é articulada com a língua na posição elevada – como **i** ou **u** – ser nasalizada, é necessário apenas um pequeno abaixamento do véu palatino permitindo então o acesso do fluxo de ar à cavidade nasal. A configuração do trato vocal é portanto bastante semelhante durante produção das vogais **i** e **u** orais e das vogais **i** e **u** nasais. As vogais articuladas com o gradativo abaixamento da língua necessitam de um abaixamento também gradativo do véu palatino, de modo que haja a integração da **cavidade faríngea** com a cavidade nasofaríngea. Portanto, uma vogal que seja articulada com a língua na posição mais

72 Fonética – Articulações secundárias dos segmentos vocálicos

abaixada possível – como **a** – necessita de um abaixamento relativamente grande do véu palatino para que seja percebida como nasalizada. A configuração do trato vocal é bastante diferente durante a produção da vogal **a** oral e da vogal **a** nasal.

9.4. Tensão

Segmentos tensos estão em oposição a segmentos frouxos (ou lax). Um **segmento tenso** é produzido com maior esforço muscular do que um **segmento frouxo**. Segmentos frouxos ocorrem no português brasileiro em vogais átonas finais: "pat**u**, safar**i**". As vogais altas frouxas (e átonas **postônicas**) em "pat**u**, safar**i**" podem ser contrastadas com as vogais altas tensas (e tônicas) em "jac**u**, sac**i**".

O recurso descritivo apresentado acima é amplamente utilizado na caracterização dos sistemas vocálicos. Este sistema agrupa as vogais em relação às seguintes características: a) arredondamento ou não dos lábios; b) anterioridade ou posterioridade da posição da língua (que também pode ser central); e c) quanto à altura da língua, que pode ser dividida entre três ou quatro grupos dependendo do sistema vocálico em questão. Há, contudo, um outro método de descrição dos segmentos vocálicos que se denomina Método das Vogais Cardeais. Aspectos teóricos e metodológicos de tal método são apresentados em Abercrombie (1967) e Cristófaro Silva (1999b). O Método das Vogais Cardeais utiliza critérios auditivos e articulatórios na descrição dos segmentos vocálicos. A notação dos segmentos vocálicos segue a seguinte ordem:

Notação dos segmentos vocálicos

(Altura + anterioridade/posterioridade + arredondamento)
Exemplos:
[u] vogal alta posterior arredondada
[a] vogal baixa central não arredondada

Propriedades articulatórias secundárias – duração, vozeamento, nasalização e tensão – são indicadas como último item na classificação. Assim, um segmento como [ĩ] é classificado como "vogal alta anterior não arredondada nasal". As **vogais nasais** [ẽ, õ] são classificadas como "vogal *média* anterior (ou posterior) nasal". A omissão da categoria "média-alta" (em favor de *média* apenas) será justificada posteriormente.

――――――――――――――― **Exercício 4** ―――――――――――――――

Classifique as vogais abaixo seguindo os dois primeiros exemplos.
1. [i] *vogal alta anterior não arredondada*
2. [ĩ] *vogal alta anterior não arredondada nasal*
3. [e] _____
4. [ẽ] _____
5. [ɛ] _____

Fonética – Ditongos   73

6. [a] _____
7. [ã] _____
8. [ɔ] _____
9. [o] _____
10. [õ] _____
11. [u] _____
12. [ũ] _____

────────────── **Exercício 5** ──────────────

Dê o símbolo da vogal correspondente às classificações abaixo. Siga o exemplo dado.

1. [ĩ] vogal alta anterior não arredondada nasal
2. [   ] vogal alta posterior arredondada nasal
3. [   ] vogal baixa central não arredondada
4. [   ] vogal média-baixa anterior não arredondada
5. [   ] vogal média-alta anterior não arredondada
6. [   ] vogal média-baixa posterior arredondada
7. [   ] vogal média-alta posterior arredondada
8. [   ] vogal alta anterior não arredondada
9. [   ] vogal baixa central não arredondada nasal
10. [   ] vogal alta posterior arredondada

10. Ditongos

Ditongos são geralmente tratados como uma sequência de segmentos. Um dos segmentos da sequência é interpretado como uma **vogal** e o outro é interpretado como "semivocoide, semicontoide, semivogal, vogal assilábica" ou de "**glide**". Faremos uso do termo **glide** em detrimento destes outros termos (pronuncia-se "gl[ai]de"). Apresentamos a seguir um recurso descritivo da fonética para a caracterização de ditongos.

Do ponto de vista fonético o que caracteriza um segmento como *vocálico* ou *consonantal* é o fato de haver ou não obstrução da passagem da corrente de ar pelo trato vocal. Segmentos vocálicos apresentam a passagem livre da corrente de ar. Segmentos consonantais apresentam obstrução ou fricção. Glides podem apresentar características fonéticas de segmentos vocálicos ou consonantais. É a função dos segmentos na estrutura sonora que justifica a análise mais adequada para os glides em cada língua em particular. Em português, classificamos os glides como segmentos vocálicos. A análise que justifica tal proposta é discutida na parte de Fonêmica.

Um **ditongo** é uma vogal que apresenta mudanças de qualidade continuamente dentro de um percurso na **área vocálica**. As vogais que não apresentam mudança de

74 Fonética – Ditongos

qualidade são chamadas **monotongos** e foram descritas anteriormente. Um ditongo pode ser descrito e identificado com referência ao segmento inicial e final do contínuo. Ao representarmos o ditongo [aɪ] da palavra "pais" estamos expressando que ocorre um movimento contínuo e gradual da língua entre duas posições articulatórias vocálicas: de [a] até [ɪ]. Em tal articulação, os dois segmentos [a] e [ɪ] ocupam uma única sílaba. Um destes segmentos é o **núcleo** da sílaba (no caso de "pais" o núcleo da sílaba é [a]). O outro segmento é assilábico não podendo ser núcleo da sílaba e corresponde ao glide. Colocamos o símbolo [˚] abaixo do glide para marcar a assilabicidade (no caso de "pais" o glide é [ɪ̯]): [ˈpaɪ̯s].

O movimento articulatório de um ditongo difere do movimento articulatório de duas vogais em sequência, sobretudo quanto ao tempo ocupado na estrutura silábica e quanto à mudança de qualidade vocálica. O par de palavras "pais" e "país" ilustra um ditongo – na primeira palavra – em oposição a uma sequência de vogais – na segunda palavra. Durante a articulação de duas vogais em sequência – como na palavra "país" [paˈis] – cada vogal ocorre em uma sílaba distinta e cada vogal apresenta qualidade vocálica específica. Neste caso dizemos que há um **hiato**. Já em ditongos – como na palavra "pais" – os segmentos vocálicos [a] e [ɪ] ocorrem na mesma sílaba e há uma mudança contínua e gradual entre as vogais em questão.

Portanto, um ditongo distingue-se de uma sequência de vogais pelo fato do ditongo ocorrer em uma única sílaba enquanto que na sequência de vogais cada vogal ocorre em sílaba diferente. Observe ainda que em sequências de vogais – como na palavra "país" – cada uma das vogais tem proeminência acentual constituindo o **pico** de sílaba. Já nos ditongos, apenas uma das vogais tem proeminência acentual e constituirá o pico da sílaba. A outra vogal do ditongo não pode ocupar um pico silábico – caso contrário esta vogal ocuparia uma sílaba distinta e teríamos uma sequência de vogais. As vogais que não ocupam o pico silábico nos ditongos – por exemplo o **i** de "pais" – são aquelas comumente referidas como "semivocoide, semicontoide, semivogal, vogal assilábica" que denominamos neste trabalho de "glide". O termo **glide** refere-se portanto às vogais sem proeminência acentual nos ditongos.

Transcrevemos foneticamente as vogais com proeminência acentual dos ditongos com os símbolos – identificados anteriormente – adotados para as vogais. Como generalização para o português fazemos uso dos símbolos [ɪ̯] e [ʊ̯] para caracterizar o glide nos ditongos. Em outras línguas pode-se ter outras vogais além de [ɪ] e [ʊ] correspondendo ao glide. No inglês britânico temos por exemplo o segmento [ə] representando a parte sem proeminência acentual em ditongos, ou seja, [ə] representa o glide: [ˈdɔə̯] *door* – "porta".

As vogais [ɪ] e [ʊ] diferem das vogais [i] e [u] pelo fato de as primeiras serem levemente mais centralizadas e articuladas com menor esforço muscular. As vogais [i,u] são denominadas **vogais tensas** e as vogais [ɪ, ʊ] são denominadas **vogais frouxas** (ou lax). As vogais [ɪ, ʊ] ocorrem em português não apenas como glides em ditongos, mas ocorrem também como monotongos em posição átona final em palavras como "safari" [saˈfaɾɪ] e "pato" [ˈpatʊ].

Fonética – Ditongos 75

Segundo a nossa proposta, palavras como "fui" e "viu" são transcritas respectivamente como ['fuɪ̯] e ['viʊ̯]. Note que nestas transcrições o símbolo [̯] marca o glide de um ditongo. Em sequências de vogais que ocorrem em sílabas distintas não há diacríticos: [ʒu'izʊ] "juizo". Concluindo, podemos dizer que em sequências de vogais em sílabas distintas – como em "juizo" [ʒu'izʊ] – nenhuma marca especial é presente entre as vogais. Em ditongos – como em "fui" ['fuɪ̯] e "viu" ['viʊ̯] – temos o símbolo [̯] marcando o glide e a consequente falta de proeminência acentual.

Consideremos agora as transcrições possíveis para uma palavra como "juizado" em português. Podemos ter uma pronúncia que apresenta uma sequência de vogais: [ʒui'zadʊ]. Neste caso a palavra será pronunciada com quatro sílabas: [ʒu.i.'za.dʊ] (utilizamos um ponto para marcar o limite das sílabas). Outras pronúncias possíveis apresentam três sílabas: [ʒuɪ̯.'za.dʊ] e [ʒʊ̯i.'za.dʊ]. Observe que em [ʒuɪ̯.'za.dʊ] a primeira sílaba apresenta um ditongo que inicia com proeminência acentual na área vocálica de [u] e termina sem proeminência acentual na área vocálica de [ɪ]: temos então uma sequência de *vogal-glide*. Por outro lado, em [ʒʊ̯i.'za.dʊ] a primeira sílaba apresenta um ditongo que inicia sem proeminência acentual na área vocálica de [ʊ] e termina com proeminência acentual na área vocálica de [i]: temos então uma sequência de **glide-vogal**. Note que a diferença básica entre as formas [ʒuɪ̯.'za.dʊ] e [ʒʊ̯i.'za.dʊ] é a proeminência acentual do ditongo. Em [ʒuɪ̯.'za.dʊ], a primeira vogal da sequência tem proeminência acentual enquanto que em [ʒʊ̯i.'za.dʊ] a segunda vogal da sequência tem proeminência acentual. Em uma sequência de vogais que corresponde a um ditongo, chamamos de **ditongo decrescente** aqueles em que a proeminência acentual ocorre na primeira vogal como em [ʒuɪ̯.'za.dʊ] – em que temos uma sequência de vogal-glide. Em um ditongo decrescente, a vogal *descresce* para ser um glide. Em oposição, chamamos de **ditongo crescente** aqueles em que a proeminência acentual ocorre na segunda vogal como em [ʒʊ̯i.'za.dʊ] – em que temos uma sequência de glide-vogal. Em um ditongo crescente, o glide *cresce* para ser uma vogal.

Vimos acima que um ditongo está em oposição a uma sequência de vogais pelo fato de ambas as vogais no ditongo ocorrerem em uma única sílaba enquanto que na sequência de vogais os dois segmentos vocálicos ocorrem em sílabas distintas. Na sequência de vogais de um ditongo a vogal sem proeminência acentual corresponde ao glide. A seguir vamos explorar a noção fonética de sílaba.

Exercício 6

Cada uma das palavras abaixo apresenta um ditongo. Classifique como **D** os *ditongos decrescentes* (vogal+glide) e classifique como **C** os *ditongos crescentes* (glide+vogal). Siga os exemplos.

1.**D** ['leɪ̯]   5.___ ['ɔdʒɪu̯]   9.___ [pa'pɛɪ̯s]   13.___ [kɾɐ'tʃivʊ]

2.**C** ['vaɾɪ̯as]   6.___ [mos'koʊ̯]   10.___ [ʒu'deʊ̯]   14.___ [a'sõɪ̯s]

3.__ ['afidʊ̯a]   7.___ [nasɪ̯ona'lista] 11.___ [saʊ̯'dadʒɪ] 15.___ ['mɔɪ̯]

4.__ ['tenʊ̯e]   8.___ [a'meɪ̯]   12.___ ['kɪ̯etʊ]   16.___ ['oɪ̯tʊ]

11. A sílaba

Adotamos a noção de sílaba descrita em Abercrombie (1967). Tal teoria – proposta por Stetson (1951) – explica a sílaba em termos do mecanismo de corrente de ar pulmonar. Na produção do mecanismo de corrente de ar pulmonar o ar não é expelido dos pulmões com uma pressão regular e constante. De fato, os movimentos de contração e relaxamento dos músculos respiratórios expelem sucessivamente pequenos jatos de ar. Cada contração e cada jato de ar expelido dos pulmões constitui a base de uma **sílaba**. A sílaba é então interpretada como um movimento de força muscular que intensifica-se atingindo um limite máximo, após o qual ocorrerá a redução progressiva desta força, conforme o esquema abaixo [tal esquema é apresentado em Cagliari (1981: 101)].

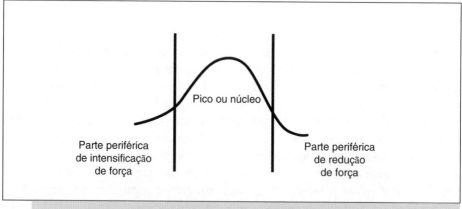

Figura 1: *Esquema do esforço muscular e da curva da força silábica*

Temos portanto três partes na estrutura de uma sílaba. Uma parte nuclear ou **pico** que é obrigatória e geralmente é preenchida por um segmento vocálico (pode ser que um segmento consonantal nasal, líquida (l ou ɾ) ou [s] ocorra nesta posição em determinadas línguas). As outras duas partes na estrutura silábica são periféricas, opcionais e são preenchidas por segmentos consonantais. Quando estes segmentos consonantais ocorrem eles podem apresentar uma ou mais consoantes. Se a sílaba apresentar apenas o segmento vocálico, este preencherá todas as partes da estrutura da sílaba. A sílaba inicial da palavra "atrás" por exemplo apresenta apenas o segmento vocálico. A sílaba final da palavra "atrás" apresenta a parte periférica à esquerda preenchida por duas consoantes: **tr**. A parte periférica à direita é preenchida pela consoante **s**. O pico silábico da sílaba final da palavra "atrás" é a vogal **a** que se encontra entre as consoantes **tr** e **s**.

Segmentos consonantais e vocálicos são distribuídos na estrutura silábica das línguas determinando as palavras bem-formadas naquela língua e excluindo palavras mal formadas. Na segunda parte deste livro, ao tratarmos da fonêmica, faremos um

Fonética – A tonicidade 77

estudo detalhado da distribuição dos segmentos consonantais e vocálicos na estrutura silábica do português.

Vimos então que toda sílaba apresenta obrigatoriamente um pico ou núcleo. O núcleo de uma sílaba pode ser acentuado ou não. O acento é uma propriedade caracterizada pela **tonicidade** que será tratada na seção seguinte.

12. A tonicidade

Uma sílaba tônica ou acentuada é produzida com um pulso torácico reforçado. Portanto, na produção de uma sílaba acentuada temos um jato de ar mais forte (em relação às sílabas não acentuadas ou átonas). A vogal acentuada é auditivamente percebida como tendo duração mais longa e também como sendo pronunciada de maneira mais alta (no sentido de falar alto). Este aumento de volume permite-nos identificar as vogais acentuadas das vogais não acentuadas – que são pronunciadas com o volume mais baixo e portanto percebidas auditivamente de maneira distinta.

Vogais acentuadas ou tônicas carregam o acento mais forte ou **acento primário** e as vogais não acentuadas – átonas pretônicas ou postônicas – carregam **acento secundário** ou são completamente isentas de acento. Adotamos o termo **vogal tônica** para denominar uma vogal que tenha proeminência acentual em relação às outras vogais. Marcamos uma vogal tônica colocando um apóstrofo precedendo a vogal (ou sílaba) acentuada – [ˈla] "lá". Alternativamente, certos autores optam por marcar a vogal tônica com um acento agudo: [lá]. As vogais tônicas estão em oposição às vogais átonas. **Vogais átonas** podem ser pretônicas ou postônicas. **Vogais pretônicas** antecedem o acento tônico e **vogais postônicas** sucedem o acento tônico. Vogais átonas podem ter acento secundário ou serem isentas de acento. Marcamos o acento secundário com um apóstrofo colocado na parte inferior: [ˌpaˈɾa] "Pará". Alternativamente pode-se utilizar o símbolo de acento grave para marcar a vogal acentuada secundariamente: [pàɾá] "Pará". Vogais isentas de acento não apresentam nenhuma marca distintiva. Na palavra "Sabará" a primeira vogal tem acento secundário, a segunda vogal é isenta de acento e a terceira vogal tem acento primário: [ˌsabaˈɾa] ou [sàbaɾá].

A relação entre o acento primário, o acento secundário e a ausência de acento leva à construção do **ritmo da fala**. O ritmo da fala organiza a cadeia sonora de acordo com a distribuição do acento nas sílabas. O ritmo tem a função linguística de organizar a cadeia segmental a uma estrutura acentual. Nem todas as línguas fazem uso do acento como o português. Há **línguas tonais** cujos núcleos ou picos silábicos carregam tons. Um **tom** é definido por parâmetros melódicos (*pitch*). Temos tons alto, médio, baixo ou tons de contorno como "médio-alto" por exemplo. Várias línguas indígenas brasileiras apresentam um sistema tonal. Entre estas temos por exemplo a língua **tikuna** (falada pela nação Tikuna, AM). O mandarim chinês é um outro exemplo de língua tonal, que

78 Fonética – O sistema vocálico do português brasileiro

apresenta quatro tons. Algumas línguas combinam aspectos acentuais e tonais. Entre estas temos o sueco e o japonês.

Complementando o ritmo temos os **padrões entoacionais** da fala. Os padrões entoacionais definem os parâmetros melódicos nas línguas acentuais. Aspectos do ritmo, dos tons e da entoação relacionam-se à análise **suprassegmental** da fala. Suprassegmentos e segmentos (vogais e consoantes) interagem na concepção da fala. Qualquer falante do português é capaz de diferenciar uma sentença como "Ela já chegou?" de uma sentença como "Ela já chegou!". Note que os segmentos utilizados para formar as palavras nestas duas sentenças são os mesmos. Estas duas sentenças diferenciam-se quanto aos aspectos suprassegmentais. Os aspectos suprassegmentais de uma língua definem os **traços prosódicos** que são relevantes para a análise linguística da fala.

Além dos traços prosódicos as línguas fazem uso de certos traços articulatórios para expressar significados específicos. Estes são determinados **traços paralinguísticos** e geralmente são interpretados por falantes como "tom de voz". Temos por exemplo tom de voz arrogante, tom de voz charmoso, tom de voz chatinho, etc. As línguas podem utilizar um mesmo traço paralinguístico com significados bastantes distintos. Em português o uso de voz sussurrada geralmente expressa sensualidade. Em japonês, por exemplo, a voz sussurrada expressa respeito e submissão.

Uma discussão dos aspectos suprassegmentais da fala nos levaria além dos propósitos deste livro. Como referência sugerimos ao leitor consultar Cagliari (1981), Reis (1995) e Scarpa (1999). Na análise do sistema vocálico que é apresentada a seguir discutimos a relação entre o **padrão acentual** e a distribuição dos segmentos vocálicos no português brasileiro.

13. O sistema vocálico do português brasileiro

Nas páginas seguintes descrevemos o sistema vocálico do português brasileiro. Consideramos a seguir as vogais que ocorrem no português brasileiro apresentando a distribuição vocálica em relação ao acento tônico. Tal classificação tem por objetivo auxiliar o estudante em suas transcrições fonéticas do português e na caracterização das vogais de seu idioleto. Em primeiro lugar, discutimos a distribuição das **vogais orais**, e em seguida consideramos a distribuição das vogais nasais. A distribuição dos ditongos é apresentada na parte final.

As vogais orais em português podem ser tônicas, pretônicas ou postônicas. Vogais tônicas carregam o acento primário. Como vimos anteriormente, o diacrítico [ˈ] deve preceder a sílaba acentuada para marcar a tonicidade: [ˈla] "lá". Vogais pretônicas precedem a vogal tônica e vogais postônicas seguem a vogal tônica. Na palavra [abakaˈʃi] "abacaxi" as vogais pretônicas são todas [a]. Vogais postônicas podem ser classificadas como postônica final ou postônica medial. Vogais postônicas finais nas palavras [ˈmatʊ] "mato" e [ˈnumerʊ] "número" têm o símbolo [ʊ]. Vogais postônicas

Fonética – Vogais tônicas orais **79**

mediais – também chamadas de vogais postônicas não finais – ocorrem em palavras **proparoxítonas** do português ocupando a posição vocálica que segue o acento tônico. As vogais postônicas mediais nas palavras [ˈarɪdʊ] "árido" e [ˈpalɪdʊ] "pálido" têm o símbolo [ɪ]. Uma vez que não abordamos aspectos do ritmo e entoação, optamos por marcar somente o acento primário ou tônico. A distribuição das vogais apresentada abaixo agrupa cada conjunto vocálico de acordo com a tonicidade: vogais tônicas, pretônicas e postônicas (mediais e finais). Faz-se relevante tratar cada um destes grupos separadamente uma vez que a distribuição das vogais pretônicas e postônicas caracteriza a variação dialetal no português brasileiro. As vogais tônicas consistem de um conjunto homogêneo em todas as variedades do português.

Tarefa

A tabela fonética destacável de segmentos vocálicos é fornecida na página seguinte. Destaque-a e proceda à caracterização das vogais em seu idioleto. Bom Trabalho! (Esta tabela tem frente e verso)

---

14. Vogais tônicas orais

A distribuição das vogais tônicas orais é homogênea em todas as variedades do português brasileiro. O quadro abaixo lista as vogais tônicas orais do português brasileiro. Exemplos das vogais listadas abaixo são: vida, modelo, (eu) modelo, amar, sogra, sogro, tudo.

	anterior		central		posterior	
	arred	não arred	arred	não arred	arred	não arred
alta		i			u	
média-alta		e			o	
média-baixa		ɛ			ɔ	
baixa				a		

Quadro das vogais tônicas orais do português

80 Fonética – Vogais tônicas orais

Transcreva foneticamente os dados abaixo. Marque a vogal tônica com o símbolo ['] precedendo a sílaba acentuada. Lembre-se que transcrições fonéticas devem estar entre colchetes!

Grupo 1

[i]	vi___	saci___	aqui___
[e]	lê___	cadê___	ipê___
[ɛ]	fé___	chalé___	acarajé___
[a]	pá___	mamá___	cajá___
[ɔ]	avó___	xodó___	pó___
[o]	avô___	alô___	agogô___
[u]	anu___	caju___	urubu___

As vogais tônicas orais indicadas no **grupo 1** são basicamente idênticas para todos os dialetos do português. Variação de vogais tônicas ocorre em um grupo restrito de palavras. As palavras '(ele) freia'; '(você, ele) fecha'; '(ele foi) pego'; 'extra' e 'poça' são as formas em que identifiquei a variação de pronúncia de vogais tônicas orais. Pronúncias ilustrativas destas palavras são: [ˈfreɪ̯ə] ~ [ˈfrɛɪ̯ə] '(ele) freia'; [ˈfeʃə] ~ [ˈfɛʃə] '(você,ele) fecha'; [ˈpegʊ] ~ [ˈpɛgʊ] '(ele foi) pego'; [ˈestrə] ~ [ˈɛstrə] 'extra' e [ˈposə] ~ [ˈpɔsə] 'poça' [cf. Alves (1999)]. Em certas variantes paulistas algumas formas como "homem" e "fome" são pronunciadas com vogais orais: "[ɔ]mem" e "f[ɔ]me". Formas como "homem, fome" apresentam tipicamente uma vogal nasal na maioria dos dialetos do português: "[õ]mem" e "f[õ]me". Portanto, o grupo das sete vogais listadas acima – ou seja, [i, e ,ɛ, a, ɔ, o, u] – correspondem as vogais tônicas orais que ocorrem em seu idioleto.

> **Tarefa**
> Os sete símbolos vocálicos identificados acima para as vogais tônicas devem ser colocados no quadro de vogais orais da tabela destacável.

Tabela destacável B

Tabela fonética vocálica destacável

Vogais orais

	anterior arred não arred	central arred não arred	posterior arred não arred
alta			
média-alta			
média-baixa			
baixa			

Distribuição de vogais orais em relação à tonacidade

	Pretônica	**Tônica**	**Postônica medial**	**Postônica final**
Vogais orais		i e ɛ a ɔ o u		

Observações sobre vogais pretônicas

Tabela destacável B

Observações sobre vogais postônicas

Vogais nasais

	anterior arred não arred	central arred não arred	posterior arred não arred
alta			
média-alta			
média-baixa			
baixa			

Observações sobre vogais nasais e nasalizadas

15. Vogais pretônicas orais

O quadro abaixo lista as vogais pretônicas orais do português brasileiro.

	anterior		central		posterior	
	arred	não arred	arred	não arred	arred	não arred
alta		i			u	
média-alta		e			o	
média-baixa		(ε)		(ə)	(ɔ)	
baixa				a		

Quadro das vogais pretônicas orais do português

As vogais [i,e,o,u] quando pretônicas são geralmente pronunciadas de maneira idêntica em qualquer variedade do português brasileiro. Exemplos são ilustrados nas palavras: vital, dedal, modelo, cueca. Note, contudo, que em alguns dialetos do português ocorre [e,o] **pretônicos** em palavras como "d[e]dal, m[o]delo" enquanto que em outros dialetos ocorre [i,u] pretônicos nas mesmas palavras: "d[i]dal, m[u]delo". Há ainda a possibilidade de ocorrer [ε,ɔ] nestas mesmas palavras: "d[ε]dal, m[ɔ]delo". Esta variação ocorre entre as vogais [ε,ɔ], [e,o] e [i,u] em posição pretônica [cf. Viegas (1987); Castro (1990); Oliveira (1991); Yacovenco (1993); Callou, Moraes e Leite (1996)]. A variação entre os segmentos vocálicos [ε,ɔ]-[e,o]-[i,u] marca sobretudo variação dialetal e é comumente referida como **alçamento vocálico.**

A pronúncia típica do **a** ortográfico pretônico é [a]: **aba**caxi. Em alguns dialetos – como por exemplo o carioca – ocorre uma vogal central média-baixa que transcrevemos por [ə]: [əbəkəˈʃĩ] "abacaxi". A vogal [ə] ocorre por exemplo em alguns dialetos paulistas quando o **a** ortográfico é seguido de consoante nasal: c**a**ma, c**a**na. A vogal [ə] pode ainda marcar variação de idioleto em fala informal.

Tratemos agora das vogais [ε] e [ɔ] que encontram-se entre parênteses no quadro acima. Os parênteses aqui indicam que a ocorrência destas vogais em posição pretônica é sujeita a certas condições específicas. Geralmente a ocorrência das vogais [ε] e [ɔ] em posição pretônica acarreta marca de variação dialetal geográfica ou mesmo de idioleto. Veja por exemplo pronúncias como "d[ε]dal, m[ɔ]delo". As especificidades das vogais [ε, ɔ] em posição pretônica são apresentadas nas próximas páginas para que você possa avaliar a distribuição destas vogais em seu idioleto.

82 Fonética – Vogais pretônicas orais

> **34**
>
> Transcreva foneticamente os dados observando a distribuição das vogais pretônicas. Marque sempre a vogal tônica para determinar que as vogais pretônicas são aquelas que precedem a vogal acentuada e apresente as transcrições fonéticas entre colchetes.
>
> **Grupo 2**
>
> | | |
> |---|---|
> | final _____ | pirar _____ |
> | legal _____ | serrar _____ |
> | parar _____ | sabiá _____ |
> | remoçar _____ | povoar _____ |
> | Aracaju _____ | tutor _____ |

Para uma grande maioria dos falantes do português brasileiro as vogais pretônicas das palavras do **grupo 2** são: [i, e, a, o, u]. As vogais [ɛ] e [ɔ] podem ocorrer para alguns falantes em formas como "legal, serrar, remoçar, povoar". Tais falantes terão as vogais [ɛ] e [ɔ] em posição pretônica nos contextos especificados abaixo. As observações que se seguem listam as especificidades dialetais – ou de idioleto – referentes à ocorrência das vogais [ɛ, ɔ] em posição pretônica no português brasileiro.

Observação 1

As vogais [ɛ, ɔ] ocorrem em posição pretônica em formas derivadas com os sufixos: -mente, -inh, -zinh ou -íssim quando o radical do substantivo/adjetivo apresenta [ɛ, ɔ] em posição tônica. O radical agrega as palavras da mesma família, dando uma base comum de significado. Consideremos formas como "séria" e "mole" cujos radicais apresentam uma vogal média-baixa em posição tônica: s[ɛ]ria e m[ɔ]le. Dos radicais que estão entre parênteses em (s[ɛ]ri)a e (m[ɔ]l)e podemos derivar palavras como "seríssima, seriedade, moleza, molinho". As palavras derivadas "s[ɛ]ríssima, m[ɔ]linho" apresentam uma vogal média-baixa [ɛ, ɔ] em posição pretônica. As palavras derivadas "s[e]riedade, m[o]leza" apresentam uma vogal média-alta [e,o] em posição pretônica. A ocorrência de uma vogal pretônica média-alta [e, o] – em "seriedade, moleza" – ou de uma vogal pretônica média-baixa [ɛ, ɔ] – em "seríssima, molinho" – pode ser explicada pela presença de determinados sufixos. Palavras derivadas com os sufixos "-mente, -inh, -zinh" ou "-íssim" apresentam uma vogal média-baixa [ɛ, ɔ] em posição pretônica se o radical apresenta uma vogal média-baixa [ɛ, ɔ]. Esta generalização aplica-se para a vasta maioria dos dialetos do português brasileiro. Observe as palavras derivadas de "séria" e "mole" que apresentam um dos sufixos "-mente, -inh, -zinh" ou "-íssim": "s[ɛ]riamente, s[ɛ]rinha, s[ɛ]riazinha, s[ɛ]ríssima" e "m[ɔ]lemente, m[ɔ]linho, m[ɔ]lezinho, m[ɔ]líssimo". Em todos estes exemplos uma vogal média-baixa [ɛ, ɔ] ocorre. Há pronúncias como "s[ɛ]ri[ɛ]dade" e "m[ɔ]leza" em que [ɛ, ɔ] ocorrem em posição pretônica. Marcando variação dialetal estas pronúncias ocorrem em formas que apresentam sufixos diferentes de: "-mente, -inh, -zinh, -íssim"; cf. grupo 3, a seguir. O comportamento discutido acima para formas derivadas com os sufixos "-mente, -inh, -zinh" e "-íssim" parece ser uniforme para o português de um modo geral.

Transcreva foneticamente os exemplos e observe a ocorrência das vogais [ɛ, ɔ] e [e, o] em posição pretônica no seu idioleto. Trancreva o sufixo "-mente" como [mẽtɪ], [mẽɪte] ou [mẽɪtʃɪ] marcando a vogal nasal com um til colocado acima do símbolo correspondente à vogal [e].

Grupo 3

terreno _____ terrinha _____
beleza _____ belíssimo _____
seriedade _____ seriamente _____
pedal _____ pezinho _____
moleza _____ molíssimo _____
sobriedade _____ sobriamente _____
bolada _____ bolinha _____
poeira _____ pozinho _____

Considere as palavras do **grupo 3**. Na coluna da esquerda as palavras podem apresentar [e, o] ou [ɛ, ɔ] em posição pretônica dependendo de variação dialetal ou mesmo idioletal. As palavras derivadas da coluna da direita apresentam uma vogal média-baixa [ɛ, ɔ] em posição pretônica. Note que as palavras derivadas da coluna da direita apresentam um dos sufixos "-mente, -inh, -zinh, -íssim".

Observação 2
Uma vogal média-baixa [ɛ, ɔ] ocorre em posição pretônica quando a vogal tônica da palavra é uma vogal média-baixa: 'perereca' [pɛrɛˈrɛkə], 'pororoca' [pɔrɔˈrɔkə], 'precoce' [prɛˈkɔsɪ] e 'colega' [kɔˈlɛgə]. Para os falantes que apresentam as pronúncias acima, a vogal pretônica será média-baixa quando a vogal tônica for também uma vogal média-baixa (mesmo que uma seja não arredondada [ɛ] e outra arredondada [ɔ]: cf. "precoce", "colega"). Para outros falantes, a vogal média-baixa pretônica deve ser idêntica em termos de arredondamento à vogal tônica. Estes falantes apresentam uma vogal média-baixa [ɛ, ɔ] em formas como 'perereca' [pɛrɛˈrɛkə] ou 'pororoca' [pɔrɔˈrɔkə], mas não "pr[ɛ]coce, c[ɔ]lega". Um outro determinado grupo de falantes sempre apresenta uma vogal média-alta [e, o] em posição pretônica, mesmo que em posição tônica ocorra uma vogal média-baixa [ɛ, ɔ]. Estes falantes terão as formas: "perereca" [pereˈrɛkə], "pororoca" [poroˈrɔkə], "precoce" [preˈkɔsɪ] e "colega" [koˈlɛgə].

Verifique o comportamento de [ɛ, ɔ] pretônicos em seu idioleto transcrevendo as palavras:
Grupo 4

severa _____ bolota _____ devota _____
peteca _____ porosa _____ soletra _____

84 Fonética – Vogais pretônicas orais

Observação 3
Uma vogal média-baixa [ɛ, ɔ] ocorre em posição pretônica sem que qualquer outra vogal média-baixa ocorra na palavra. Exemplos são formas como "beleza" [bɛ'lezə], "gostoso" [gɔs'tozʊ], "separa" [sɛ'parə].

O estudo da variação dialetal das vogais pretônicas no português brasileiro ainda merece uma investigação detalhada [(cf. Viegas (1987); Castro (1990); Oliveira (1991); Yacovenco (1993); Callou, Moraes e Leite (1996)]. O que podemos concluir enquanto generalização é que todos os dialetos do português brasileiro apresentam [i, e, a, o, u] em posição pretônica. Todos os falantes também apresentam as vogais [ɛ, ɔ] em posição pretônica em formas derivadas com os sufixos "-mente, -inh, -zinh, -íssim" cujos radicais apresentam as vogais tônicas [ɛ, ɔ] (ver observação 1 mencionada anteriormente). O que é específico de cada dialeto (ou mesmo idioleto) é a distribuição de [ɛ, ɔ] em posição pretônica em contextos que não apresentam estes sufixos.

Observação 4
Uma vogal média-baixa [ɛ, ɔ] ocorre em posição pretônica quando em posição tônica ocorre uma vogal nasal que na ortografia é marcada por "em/en" ou "om/on": setembro, noventa, colombo, redondo.

Observação 5
Uma vogal média-baixa [ɛ, ɔ] ocorre em posição pretônica quando seguida por consoante que ocorre na mesma sílaba. Sendo que a consoante é s: "destino, costume". Sendo que a consoante é r: "vertical, cordeiro". Sendo que a consoante é l: "selvagem, soldado".

Tarefa
Observando o comportamento da sua fala em relação às especificidades nas Observações você deverá ser capaz de identificar a ocorrência de [ɛ, ɔ] em posição pretônica em seu idioleto. Marque com um "x" as opções que sejam pertinentes ao seu idioleto e acrescente-as às observações quanto às vogais pretônicas na tabela fonética destacável.

☐ As vogais [ɛ, ɔ] ocorrem em posição pretônica em formas derivadas com os sufixos "-mente, -inh, -zinh, -íssim" (cf. observação 1).

☐ As vogais [ɛ, ɔ] ocorrem em posição pretônica quando em posição tônica ocorre uma das vogais [ɛ, ɔ]. Neste caso as vogais tônicas/pretônicas podem ser idênticas ou podem ser diferentes entre si (cf. observação 2).

☐ As vogais [ɛ, ɔ] ocorrem em posição pretônica sem que qualquer outra vogal média-baixa ocorra na palavra (cf. observação 3).

☐ As vogais [ɛ, ɔ] ocorrem em posição pretônica quando em posição tônica ocorre uma vogal nasal que na ortografia é marcada por "em/en" ou "om/on" (cf. observação 4).

☐ As vogais [ɛ, ɔ] ocorrem em posição pretônica quando seguida por consoante que ocorre na mesma sílaba: s, r e l (cf. observação 5).

Fonética – Vogais postônicas orais   85

Uma ampla descrição das vogais pretônicas no português brasileiro ainda se faz necessária. Entre pesquisas já concluídas, destacamos Callou, Moraes e Leite (1996); Silva (1994); Yacovenco (1993); Callou et alii (1991); Nina (1991); Silva (1989); Castro (1990); Viegas (1987); Bisol (1981).

Tarefa

Nas páginas precedentes você identificou as vogais pretônicas que ocorrem em seu idioleto. Preencha a coluna de *vogais pretônicas* no quadro de *distribuição das vogais orais em relação à tonicidade* na tabela fonética destacável. Compare este conjunto de vogais àquele do quadro de *vogais orais* (ou seja, o primeiro quadro da tabela fonética destacável). Caso seja necessário, complemente tal quadro.

---

16. Vogais postônicas orais

As vogais postônicas orais são agrupadas em "vogais postônicas finais" e "vogais postônicas mediais". Tratamos cada um destes grupos separadamente. Faz-se relevante tratar de cada grupo separadamente, uma vez que a distribuição das vogais em cada grupo é distinta. A distribuição das "vogais postônicas finais" e das "vogais postônicas mediais" caracteriza variação dialetal (ou mesmo idioletal) no português brasileiro.

16.1. Vogais postônicas finais

Em posição postônica final o segmento vocálico oral corresponde morfologicamente ao sufixo de gênero em substantivos e adjetivos e à vogal temática em verbos. O sufixo de gênero e a vogal temática são ortograficamente representados por **i, e, a, o**. As palavras "júri", "jure", "gota", "mato" e as formas verbais "(ele) come", "(ela) fala", "(eu) como" ilustram substantivos e verbos cuja vogal postônica final é uma das vogais **i, e, a, o**. A pronúncia de **i, e, a, o** postônico final depende de variação dialetal (ou idioletal). A seguir discutimos as distribuições possíveis para as vogais postônicas finais. Você deverá definir o conjunto de vogais postônicas finais em seu idioleto e incorporar os respectivos símbolos fonéticos à tabela fonética destacável.

Em alguns poucos dialetos do português, temos que em posição postônica final ocorrem as vogais [i, e, a, o] em palavras como: "júri, jure, gota, mato". Falantes destes dialetos pronunciam em posição postônica final nestas palavras as vogais [i, e, a, o] da mesma maneira como pronunciam as vogais [i, e, a, o] nas palavras "vi, vê, vá, avô" com exceção de que no último grupo de palavras a vogal é tônica. Contudo, para a maioria dos falantes do português brasileiro as vogais postônicas finais são distintas das vogais

86   Fonética – Vogais postônicas orais

tônicas e pretônicas e são pronunciadas como [ɪ, ə, ʊ] nas palavras "júri, jure, gota, mato" e nas formas verbais "(ele) come, (ela) fala, (eu) como". Defina a distribuição das vogais postônicas finais em seu dialeto. Considere os exemplos como referência.

37

[ɪ] ~ [i]	júri	['ʒuɾɪ]	~	['ʒuɾi]
[ɪ] ~ [e]	jure	['ʒuɾɪ]	~	['ʒuɾe]
[ə] ~ [a]	gota	['gotə]	~	['gota]
[ʊ] ~ [o]	mato	['matʊ]	~	['mato]

38

Transcreva as palavras observando as vogais postônicas finais em seu idioleto.
Grupo 5

safari _____ doce _____ bola _____ pulo _____
álibi _____ mole _____ vela _____ foto _____

Relembramos aqui que na grande maioria dos dialetos do português brasileiro a vogal postônica final das palavras "júri" e "jure" será idêntica. Em casos de diferentes pronúncias, temos a vogal final nas palavras "júri" e "jure": a vogal [e] em posição postônica final em "jure" e a vogal [i] em posição postônica final em "júri". Contudo, apenas em alguns poucos dialetos (ou mesmo idioletos) as vogais [e] e [o] ocorrem em posição postônica final em palavras como "jure" e "mato". Por esta razão colocamos as vogais [i,e,o,a] entre parênteses no quadro apresentado a seguir.

	anterior		central		posterior	
	arred	não arred	arred	não arred	arred	não arred
alta	(i)	ɪ			ʊ	
média-alta	(e)				(o)	
média-baixa				ə		
baixa			(a)			

Quadro das vogais postônicas finais do português

Tarefa

Nas páginas precedentes você identificou as vogais postônicas finais que ocorrem em seu idioleto. Preencha a coluna de *vogais postônicas finais* no quadro de *distribuição das vogais orais em relação à tonicidade* na tabela fonética destacável. Compare este conjunto de vogais àquele do quadro de *vogais orais* (ou seja, o primeiro quadro da tabela fonética destacável). Caso seja necessário, complemente tal quadro com as vogais postônicas orais aqui identificadas.

Fonética – Vogais postônicas orais **87**

16.2. Vogais postônicas mediais

Vogais postônicas mediais ocorrem entre a vogal tônica e a vogal átona final em palavras proparoxítonas. Na palavra "ótimo" a vogal **i** ocupa a posição de vogal postônica medial. Há grande variação de pronúncia de vogais postônicas mediais no português brasileiro. Apresentamos duas distribuições, as quais relacionamos a diferentes estilos de fala: formal e informal. Em estilo formal temos para a grande maioria dos dialetos do português brasileiro as vogais [i, e, a, o, u] ocorrendo em posição postônica medial. Em alguns dialetos, como por exemplo da região Nordeste, as vogais [ɛ, ɔ] ocorrem em posição postônica medial em estilo formal. Os exemplos ilustram estas duas possibilidades:

Estilo formal	Dialeto 1: [i, e, a, o, u]	Dialeto 2: [i, e, ɛ, a, ɔ, o, u]
tráfico	tráf[i]co	tráf[i]co
sôfrego	sôfr[e]go	sôfr[e]go
número	núm[e]ro	núm[ɛ]ro
sílaba	síl[a]ba	síl[a]ba
êxodo	êx[o]do	êx[o]do
pérola	pér[o]la	pér[ɔ]la
cédula	céd[u]la	céd[u]la

39

Note que nestes exemplos, todos os dialetos apresentam as cinco vogais [i, e, a, o, u]. A especificidade de alguns dialetos dá-se quanto à ocorrência das vogais média-baixas [ɛ, ɔ]. Uma ampla descrição das diferentes variedades do português brasileiro determinará as características da distribuição das vogais postônicas mediais. Este trabalho ainda deve ser feito. Um estudo piloto [Cristófaro Silva (1994)] demonstrou que a ocorrência das vogais [e, o] e [ɛ, ɔ] em posição postônica medial depende sobretudo da vogal tônica que a precede. Agrupamos abaixo palavras que apresentam uma vogal média em posição postônica medial e em posição tônica ocorre uma vogal oral (grupo 6), ou uma vogal nasal (grupo 7) ou uma vogal nasalizada (grupo 8). Nas tabelas a seguir colocamos entre parênteses uma palavra hipotética para os casos em que não foram encontradas palavras do português.

Tarefa

Transcreva foneticamente as palavras do próximo quadro em estilo formal em seu idioleto observando a ocorrência da vogal postônica medial. Lembre-se de que as transcrições fonéticas devem vir entre colchetes.

88 Fonética – Vogais postônicas orais

Grupo 6: Vogal tônica oral

Vogal post. medial Vogal tônica	e	o
i	mísera	ícone
e	pêssego	êxodo
ɛ	célebre	época
a	tráfego	átomo
ɔ	ópera	cócoras
o	sôfrego	(sôfrogo)???
u	útero	bússola

Grupo 7: Vogal tônica nasal

Vogal post. medial Vogal tônica	e	o
i nasal	síntese	síncope
e nasal	parênteses	têmporas
a nasal	crisântemo	cânfora
o nasal	almôndegas	gôndolas
u nasal	(cúmpero)???	(cúmporo)???

Grupo 8: Vogal tônica nasalizada

Vogal post. medial Vogal tônica	e	o
i nasalizado	Inega	sínodo
e nasalizado	efêmero	anêmona
a nasalizado	câmera	cânone
o nasalizado	ômega	cômodo
u nasalizado	(número)	(númoro)???

Os grupos 6-8 apresentam uma vogal média – ou seja, [e, o, ɛ, ɔ] – em posição postônica medial. No grupo 9 apresentamos palavras que ilustram uma vogal postônica medial que seja diferente de uma das vogais médias discutidas nos grupos 6-8.

Fonética – Vogais postônicas orais **89**

Grupo 9: Vogais postônicas mediais altas e baixa			
Vogal post. medial / **Vogal tônica**	**i**	**a**	**u**
i	sífilis	sílaba	centrífuga
e	êxito	pêsames	sêxtuplo
ɛ	cético	década	cédula
a	tráfico	lábaro	drácula
ɔ	cólica	alcólatra	rótula
o	(pôlica) ???	esôfago	(pôluca) ???
u	súdito	búlgara	úvula

Observação

Vale ressaltar que na grande maioria dos dialetos do português brasileiro as vogais médias nasais ou nasalizadas são auditivamente perceptíveis como vogais média-alta [e, o]: "pêndulo, têmporas, côncavo, gôndola, cênico, tônico, trêmula, Rômulo". Em dialetos que não apresentam a nasalidade de vogais – como algumas variantes paulistas – temos uma vogal média-baixa em posição tônica seguida de consoante nasal: "c[ɛ]nico, t[ɔ]nico, tr[ɛ]mula, R[ɔ]mulo". Considerando-se tal alternância – entre vogais nasais média-alta e média-baixa – assumimos que em exemplos como "cênica, tônica, trêmula, Rômulo" a vogal tônica relaciona-se a uma vogal média-baixa:[ɛ,ɔ]. Consequentemente excluímos exemplos como "trêmula, cônica, Rômulo" para preencher as lacunas com interrogações no quadro acima (em que propomos as palavras hipotéticas "pôlica, pôluca"). Excluímos as palavras "cônica, Rômulo" porque nestes exemplos temos uma vogal média ô seguida de consoante nasal. Para preencher as lacunas correspondentes às palavras hipotéticas "pôlica, pôluca", devemos ter uma vogal média [o] seguida de consoante oral (nas palavras hipotéticas sugeridas esta consoante é "l").

Você deve ter selecionado um grupo de cinco vogais – [i, e, a, o, u] – ou um grupo de sete vogais – [i, e, ɛ, a, ɔ, o, u] – para a posição postônica medial em seu idioleto.

Tarefa

Nas páginas precedentes você identificou as vogais postônicas mediais que ocorrem em seu idioleto. Preencha a coluna de *vogais postônicas mediais* no quadro de *distribuição das vogais orais em relação à tonicidade* na tabela fonética destacável. Compare este conjunto de vogais àquele do quadro de *vogais orais* (ou seja, o primeiro quadro da tabela fonética destacável). Caso seja necessário, complemente tal quadro.

90 Fonética – Vogais postônicas orais

Tratemos agora da distribuição das vogais postônicas mediais em estilo informal. Na grande maioria dos dialetos do português brasileiro as vogais postônicas mediais que ocorrem em estilo formal como [i, a, u] são reduzidas respectivamente a [ɪ, ə, ʊ] em estilo informal. Os exemplos apresentados a seguir ilustram esta distribuição.

44

	estilo formal	estilo informal
tráfico	tráf[i]co	tráf[ɪ]co
sílaba	síl[a]ba	síl[ə]ba
cédula	céd[u]la	céd[ʊ]la

Consideremos agora a redução das vogais médias [e, ɛ, o, ɔ] em posição postônica medial. As vogais postônicas mediais [o, ɔ] são reduzidas a [ʊ] na maioria dos dialetos do português brasileiro. Os exemplos abaixo ilustram esta distribuição.

45

	Dialetos com [i, e, a, o, u]		Dialetos com [i, e, ɛ, a, ɔ, o, u]	
	estilo formal	estilo informal	estilo formal	estilo informal
pérola	pér[o]la	pér[ʊ]la	pér[ɔ]la	pér[ʊ]la
êxodo	êx[o]do	êx[ʊ]do	êx[o]do	êx[ʊ]do

Os exemplos da coluna da esquerda referem-se aos dialetos que apresentam cinco vogais postônicas mediais – [i, e, a, o, u] – e os exemplos da coluna da direita referem-se aos dialetos que apresentam sete vogais postônicas mediais – [i, e, ɛ, a, ɔ, o, u]. Quanto às vogais postônicas mediais [e, ɛ], podemos dizer que este grupo apresenta a maior variação fonética dentre as vogais postônicas mediais. Faremos referência a este grupo como "**e** ortográfico postônico medial". Em alguns casos, o "**e** ortográfico postônico medial" pode reduzir-se a [ɪ]. Nestes casos temos pronúncias como "hipó[tʃɪ]se; almôn[dʒɪ] ga" em que a palatalização do **t/d** demonstra a ocorrência da vogal alta anterior **i**. O "**e** ortográfico postônico medial" pode também se reduzir a zero (ou seja, ser omitido). Neste caso temos grupos consonantais anômalos ocorrendo em posição postônica: núm**r**o/número; hipó**tz**e/hipótese. Em algumas palavras, a omissão da vogal postônica medial causa a omissão concomitante da consoante que a segue: númo/número; câma/ câmera. Um estudo detalhado do cancelamento de vogais postônicas mediais e do cancelamento da consoante que a segue merece investigação nos vários dialetos do português para que possamos compreender este fenômeno. Temos também os casos em que o "**e** ortográfico postônico medial" pode se manifestar como uma "vogal central alta não arredondada" que transcreveremos por [ɨ]. Tal vogal ocorre em posição postônica medial no português brasileiro, em fala informal, em palavras como "núm**e**ro, cér**e**bro, tráf**e**go". No português europeu esta vogal corresponde ao **e** ortográfico que pode ser opcionalmente omitido: [ˈnumrʊ] ~ [ˈnumɨrʊ] "número" ; [ˈpzaɾ] ~ [pɨˈzaɾ] "pesar". Certamente um estudo acurado das propriedades articulatórias e acústicas da vogal [ɨ] no português brasileiro e europeu merece ser desenvolvido. Encerramos aqui a discussão das possibilidades de se reduzir as vogais postônicas mediais. Espera-se que o leitor seja capaz de avaliar o processo de redução de vogais postônicas em seu idioleto.

Fonética – Vogais nasais **91**

17. Vogais nasais

Vogais nasais são produzidas com o abaixamento do véu palatino permitindo que o ar penetre na cavidade nasal. O abaixamento do véu palatino altera a configuração da cavidade bucal e portanto a qualidade vocálica das vogais é diferente da qualidade vocálica das vogais orais correspondentes. Contudo, a diferença de qualidade vocálica das vogais orais e das vogais nasais correspondentes é pequena e adotamos os mesmos símbolos utilizados para representar as vogais orais para também representar as vogais nasais. Um til colocado acima da vogal marca a nasalidade. A vogal [a] nasal por exemplo deve ser transcrita como [ã]. A maioria dos autores que trabalham com o português adota os símbolos das vogais [i, e, o, u] com til para representar estas vogais nasalizadas. A vogal nasalizada correspondente a [a] tem sido transcrita por diferentes autores como [ɜ̃, ə̃, ʌ̃, ɑ̃, ɐ̃, ã]. Adotamos o símbolo [ã]. O quadro abaixo lista as vogais nasais do português brasileiro.

	anterior		central		posterior	
	arred	não arred	arred	não arred	arred	não arred
alta		ĩ			ũ	
média		ẽ			õ	
baixa				ã		

Observe na tabela acima que [ẽ, õ] são classificadas como vogais médias nasais (sem distinção entre o grupo de vogais médias-alta [e, o] e o grupo de vogais médiasbaixas [ɛ, ɔ]). Isto deve-se ao fato de que as línguas naturais não fazem diferenciação entre vogais nasais médias-altas e médias-baixas. Isto significa que [ẽ] e [ɛ̃] são equivalentes. O mesmo é válido para [õ] e [ɔ̃]. Por razões tipográficas adotamos aqui os símbolos [ẽ, õ] para representar as vogais médias nasais. Nos exemplos a seguir transcrevemos palavras com vogais nasais que ocorrem em final de palavra (coluna da esquerda) e palavras com vogais nasais que ocorrem em meio de palavra (coluna da direita).

Vogais Tônicas Nasais

Final de palavra			**Meio de palavra**	
[ĩ]	vim	[ˈvĩ]	cinto	[ˈsĩtʊ]
[ẽ]	(não há)		cento	[ˈsẽtʊ]
[ã]	lã	[ˈlã]	santo	[ˈsãtʊ]
[õ]	tom	[ˈtõ]	conto	[ˈkõtʊ]
[ũ]	jejum	[ʒeˈʒũ]	assunto	[aˈsũtʊ]

45

92 Fonética – Vogais nasais

Observação 1
Devemos marcar a tonicidade de sílabas com vogais nasais de maneira análoga à adotada para as sílabas com vogais orais. Portanto, colocamos o símbolo [ˈ] precedendo a sílaba com vogal nasal: [ˈlã] "lã" e [aˈsũtʊ] "assunto". Vogais nasais tônicas [ˈlã] "lã" e átonas são marcadas pelo til colocado acima da vogal: [kãˈtoɾə] "cantora" e [ˈimã] "ímã".

Observação 2
Note que as vogais nasais nos exemplos acima ocorrem sem a manifestação adjacente de uma consoante nasal na pronúncia (embora a consoante nasal esteja presente na ortografia). Alguns autores demonstram que em certos dialetos do português ocorre um elemento nasal imediatamente após a vogal nasal [cf. por exemplo Cagliari (1977)]. O elemento nasal é geralmente homorgânico à consoante seguinte, ou seja, deve ter o mesmo lugar de articulação. Na representação fonética, o elemento nasal homorgânico é representado pelo símbolo nasal colocado acima à direita da vogal nasal. Assim, nos dialetos que apresentam tal elemento nasal homorgânico à consoante seguinte, as palavras "bomba, tonta, conga" devem ser transcritas como [ˈbõᵐbə], [ˈtõⁿtə] e [ˈkõᵑgə]. Em dialetos que não apresentam o elemento nasal, estas palavras são transcritas como [ˈbõbə], [ˈtõtə] e [ˈkõgə]. Listemos o elemento nasal e as consoantes homorgânicas correspondentes:[ᵐ] precede [p,b]; [ⁿ] precede [t,d]; [ɲ] precede [ʃ, ʒ, tʃ, dʒ] e [ᵑ] precede [k, g]. Exemplos são: "campo, bomba, tanto, anda, gancho, anjo, antes, conde, manco, manga". A diferença entre um segmento nasal – digamos [m] – e o elemento nasal a ele correspondente – [ᵐ] – deve-se sobretudo ao tempo gasto na articulação. Certamente o segmento nasal requer mais tempo de articulação do que o elemento nasal homorgânico. Isto implica que [ˈbõᵐbə] apresenta uma breve articulação nasal entre a vogal nasal e a consoante seguinte. Caso ocorresse um segmento nasal – [ˈbõmbə] – tal segmento teria uma duração maior do que a do elemento nasal. Note que seguindo vogais nasais em final de palavra, o elemento nasal geralmente não ocorre seguindo as vogais nasais [ã, õ, ũ]: [ˈlã] "lã"; [ˈtõ] "tom"; [aˈtũ] "atum". Em alguns dialetos entretanto ocorre o elemento [ᵑ] seguindo as vogais nasais posteriores [õ, ũ]:[tõᵑ] "tom" e [atuᵑ] "atum". Se em final de palavra a vogal nasal é [ĩ] ou o ditongo [ẽɪ̯] pode-se alternativamente ocorrer um elemento nasal palatal em fim de palavra: [ˈsĩɲ] ou [ˈsĩ] "sim" ou [ˈbẽɪ̯ɲ] ou [ˈbẽɪ̯] "bem". O elemento nasal palatal segue a vogal [ĩ] em "sim" e o glide [ɪ̯] em "bem" devido ao fato desta vogal e deste glide serem produzidos com uma articulação anterior que relaciona-se à propriedade de palatalização.

46

Transcreva os dados considerando as observações 1 e 2. Verifique o que ocorre em seu idioleto observando se o elemento nasal homorgânico é presente durante a transição entre a vogal nasal e a consoante que a segue. Preencha o quadro de vogais nasais na tabela fonética destacável.

Grupo 10

sim _____	janta _____	rã _____
tonta _____	som _____	mundo _____
atum _____	ginga _____	vento _____

Fonética – Vogais nasais   93

Nos casos discutidos as vogais nasais ocorrem em final de palavra em posição tônica – como em "l[ã]" ou em posição postônica – como em "ím[ã]". Podem também ocorrer em meio de palavra em posição tônica – como em "s[ã]nto" – ou em posição pretônica – como em "c[ã]ntora". Nestes casos uma vogal nasal ocorre obrigatoriamente em qualquer dialeto do português. Denominamos tais casos de **nasalização**. Note que a não articulação da vogal nasal causa diferença de significado: "lá/lã; mito/minto; cadeia/candeia".

Há um outro grupo de palavras em que a não articulação da vogal nasal marca a variação dialetal e não causa diferença de significado: j[a]nela ou j[ã]nela "janela" ilustra este caso que denominamos de **nasalidade**. A nasalidade de uma vogal ocorre quando uma vogal tipicamente oral é seguida por uma das consoantes nasais: [m, n, ɲ]. Veja por exemplo as vogais seguidas de consoantes nasais nas palavras "cama, cana, manha". Como afirmamos anteriormente, a nasalidade marca a variação dialetal. Variantes nordestinas parecem preferir a nasalidade. Variantes paulistas, por outro lado, expressam uma falta de preferência no uso da nasalidade.

A nasalidade é mais perceptível auditivamente com a vogal central baixa **a**. Com as vogais médias **e**, **o** e as vogais altas **i**, **u** às vezes é difícil identificar se a nasalidade ocorre ou não. Relembramos que com a vogal **a** ocorre uma alteração significativa do trato vocal quando o véu palatino abaixa-se para produzir uma vogal nasal. Com as vogais **e, o, i, u** a alteração do trato vocal não é significativa. Esta distinção articulatória faz com que a vogal **a** nasalizada seja mais perceptível auditivamente. Além do mais, o fato da nasalidade não causar diferença de significado entre palavras (cf. j[a]nela ou j[ã]nela "janela") interfere na percepção destes segmentos pelos falantes. Casos de nasalização que causam diferença de significado são percebidos claramente pelos falantes independente da vogal ser baixa, média ou alta (cf. "lá/lã", "boba/bomba" ou em "mito/minto").

Transcreva as palavras abaixo observando a nasalidade em seu idioleto.
Grupo 11

cama ____	fino ____	camada ____	senha ____
cana ____	pano ____	tônico ____	vinho ____
banha ____	banheira ____	tâmara ____	sonho ____
Bruno ____	manhã ____	cênico ____	punho ____
fome ____	manha ____	cúmulo ____	cânhamo ____
Senna ____	canavial ____	cínica ____	canhoto ____

47

Concluindo, denominamos **nasalização** de vogais os casos em que uma vogal é obrigatoriamente nasal em qualquer dialeto do português: "lã" e "santa" (cf. grupo 10). Denominamos **nasalidade** os casos em que a ocorrência das vogais nasais é opcional e marca variação dialetal: "fome" e "camareira" (cf. grupo 11).

Tipo	Propriedade	Contexto
Nasalização	nasal obrigatória	a vogal nasal ocorre ou em final de palavra ou seguida de consoante **oral**
Nasalidade	nasal opcional	a vogal nasal ocorre sempre seguida de consoante **nasal**

94 Fonética – Ditongos

Tarefa

Observe o comportamento da sua fala em relação as especificidades das vogais nasalizadas discutidas. Marque com um "x" as opções que sejam pertinentes ao seu idioleto e acrescente-as às observações na tabela fonética destacável.

❏ Uma vogal tônica é nasalizada quando seguida das consoantes [m, n]. Este parece ser o caso na grande maioria dos dialetos do português brasileiro: "cama, Senna, fino, fome, Bruno".

❏ Em alguns dialetos, a nasalidade não se aplica às vogais tônicas seguidas das consoantes [m, n] (descritas no item acima). Neste caso, as vogais médias [ɛ, ɔ] ocorrem em posição tônica seguidas de consoantes nasais: "c[a]ma, S[ɛ]nna, f[i]no, f[ɔ]me, Br[u]no".

❏ Quando a vogal seguida das consoantes nasais [m, n] ocorre em posição pretônica, a nasalidade é geralmente opcional: c[a]mareira ~ c[ã]mareira "camareira" (cf. c[ã]ma). Note que em "camareira" a primeira vogal – que é seguida da consoante [m] – pode ser oral ou nasal sem causar diferença de significado. A nasalidade marca a variação dialetal. Outros exemplos são "bananeira, senador, fineza, sonoplastia, brunela". Note que a opcionalidade entre vogal oral e nasal ocorre geralmente em posição pretônica.

❏ Quando a consoante nasal palatal ocorre (ou o segmento correspondente que é um glide palatal anterior nasalizado [ỹ]), a vogal precedente é nasalizada na maioria das variantes do português brasileiro: "banho, senha, vinho, sonho, punho". Temos então b[ã]nha e não b[a]nha para "banha".

Terminamos aqui de descrever as vogais orais e nasais do português brasileiro. Neste estágio você deve ter os segmentos vocálicos orais e nasais que ocorrem em seu idioleto listados na tabela fonética destacável.

18. Ditongos

Um **ditongo** consiste de uma sequência de segmentos vocálicos sendo que um dos segmentos é interpretado como vogal e o outro é interpretado como um glide (cf. seção 10, para uma discussão dos aspectos fonéticos envolvidos na descrição de ditongos). O segmento interpretado como **vogal** no ditongo é aquele que tem proeminência acentual (ou seja, conta como uma unidade em termos acentuais). O segmento interpretado como **glide** no ditongo não tem proeminência acentual. Em um ditongo, a vogal e o glide são pronunciados na mesma sílaba – como em [ˈpaʊ̯] "pau" – sendo que o segmento interpretado como vogal representa o núcleo ou pico da sílaba.

No ditongo [aʊ̯] da palavra "pau" temos os segmentos [a] e [ʊ]. Note que o segmento [a] é interpretado como vogal e representa uma unidade no padrão acentual por constituir o pico da sílaba. O segmento [ʊ] é interpretado como glide e não recebe acento (ou seja, não pode constituir uma sílaba independente). Podemos dizer que o glide é um segmento com características fonéticas de uma vogal distinguindo-se pelo fato de não poder constituir uma sílaba independente. Assim, o glide é sempre ligado a uma vogal que constitui o pico da sílaba no ditongo.

Em oposição aos ditongos temos os **hiatos** que consistem de uma sequência de vogais sendo que as vogais são pronunciadas em sílabas distintas: [baˈu] "baú". Transcrevemos os ditongos por uma sequência de símbolos correspondentes às vogais, sendo que o símbolo [̯] deve ser colocado abaixo da vogal assilábica ou glide: [ʊ̯, ɪ̯]. Os símbolos dos glides [ʊ̯, ɪ̯] marcam o começo ou o fim do ditongo, em português.

Há casos que ditongos apresentam uma sequência de **glide-vogal** como por exemplo nas palavras "acionista" [asɪ̯oˈnistə] e "mágoa" [ˈmagʊ̯ə]. Este tipo é denominado **ditongo crescente**. Há outros casos em que ditongos apresentam uma sequência de **vogal-glide** como por exemplo as palavras "pai"[ˈpaɪ̯] e "pau"[ˈpaʊ̯]. Este tipo é denominado **ditongo decrescente**. Finalmente, gostaríamos de salientar que as sequências tradicionalmente denominadas **tritongos** – como por exemplo em "q**uai**s" – são analisadas como uma sequência de oclusiva velar-glide seguida de um ditongo decrescente: [ˈkʷaɪ̯s] "quais". Denominamos a sequência de oclusiva velar-glide de **consoante complexa**: [kʷ, gʷ]. Evidência para esta proposta será fornecida oportunamente. A seguir, listamos os **ditongos orais** e nasais do português agrupados em crescentes e decrescentes e concluimos esta seção discutindo as consoantes complexas.

Tarefa

A tabela fonética destacável de ditongos é fornecida a seguir. Destaque-a e proceda à caracterização dos ditongos em seu idioleto. Bom Trabalho!

19. Ditongos crescentes

Ditongos crescentes consistem de uma sequência de glide-vogal. O glide que ocorre na parte inicial de um ditongo crescente pode começar em [ɪ] ou [ʊ]. Ditongos crescentes em português são sempre orais. Listamos os ditongos crescentes que ocorrem em português:

96   Fonética – Ditongos crescentes

19.1. Ditongos crescentes com início em [ɪ]

48

a. [ɪə] ~ [ɪa]   séria, área   c. [ɪʊ] ~ [ɪo]   sério, aéreo
b. [ɪi] ~ [ɪe] ~ [ɪ]   série, cárie   d. [ɪo]   estacionamento

Os dados (a-c) ilustram ditongos crescentes postônicos e em (d) temos um ditongo crescente pretônico. Variação de pronúncia pode ocorrer com os ditongos crescentes postônicos (cf. a-c). Isto se deve ao fato de haver variação das vogais postônicas finais (que seguem o glide). Os falantes que possuem o conjunto de vogais orais postônicas finais [i,e,a,o] apresentam o seguinte conjunto de ditongos crescentes que se iniciam em [ɪ]: [ɪi, ɪe, ɪa, ɪo]. (Note que os falantes que apresentam uma vogal média-alta em posição postônica medial terão a pronúncia ['aɾea] "área" em que uma sequência de vogais ocorre em posição postônica). Os falantes que possuem o conjunto de vogais orais postônicas finais [ɪ, ə, ʊ] apresentam o seguinte conjunto de ditongos crescentes que se iniciam em [ɪ]: [ɪɪ, ɪə, ɪʊ]. As sequências segmentais [ɪɪ] são geralmente reduzidas a [ɪ]: ['kaɾɪ] "cárie" ou ['sɛɾɪ] "série".

O ditongo crescente pretônico [ɪo] sempre ocorre em formas com o infixo "-ion" (cf. (d) acima: "estacionamento"). Falantes do português apresentam obrigatoriamente um ditongo crescente pretônico nestes casos (cf. "nacionalista, opcional, sensacional", etc.). Note contudo que variação de pronúncia pode ocorrer em ditongos crescentes pretônicos em formas que não apresentam o infixo -ion-. Temos por exemplo a alternância entre uma sequência de glide-vogal – [ɪo] – e uma sequência de vogais – [io] – em uma palavra como "gracioso" [gɾa'sɪozʊ] ~ [gɾasi'ozʊ]. A preferência por uma sequência de glide-vogal (cf. [gɾa'sɪozʊ]) ou uma sequência de vogais (cf. [gɾasi'ozʊ]) parece se dar por questões dialetais (ou idioletais) e aspectos relacionados a estilos de fala. Alguns dialetos parecem privilegiar uma sequência de glide-vogal – como no português europeu por exemplo – enquanto outros dialetos privilegiam uma sequência de vogais – vários dialetos do português brasileiro. Em estilo de fala informal a sequência de glide-vogal ocorre mais frequentemente. Note que nos casos em que há alternância entre glide e vogal – como em "gracioso" [gɾa'sɪozʊ] ~ [gɾasi'ozʊ] – qualquer vogal pode preceder o glide (cf. "tietê, gabriela, pianista, graciosa, gracioso, biunívoca"). Em casos em que a ocorrência do ditongo crescente pretônico é obrigatória (cf. "estacionamento") a vogal que segue o glide é sempre [o].

Tarefa

Transcreva foneticamente as palavras que apresentam ditongos crescentes com início em [ɪ] que são listadas no quadro de ditongos crescentes da tabela destacável de ditongos (coluna de transcrições). Ao fazer tais transcrições, você identificará os ditongos crescentes com início em [ɪ] que ocorrem em seu idioleto. Indique os ditongos pertinentes ao seu idioleto ao listá-los na coluna de "ditongos".

Tabela destacável C

Tabela de ditongos destacável

Ditongos crescentes

Ditongo	Exemplo	Transcrição	Ditongo	Exemplo	Transcrição
[ɪo]	acionista	[asɪo'nistə]	[ ]	tênue	
[ ]	série		[ ]	árdua	
[ ]	séria		[ ]	vácuo	
[ ]	sério		[ ]		

Ditongos decrescentes orais

Ditongo	Exemplo	Transcrição	Ditongo	Exemplo	Transcrição
[ ]	pai		[ ]	pau	
[ ]	lei		[ ]	meu	
[ ]	réis		[ ]	céu	
[ ]	boi		[ ]	sou	
[ ]	mói		[ ]	viu	
[ ]	fui				

Ditongos decrescentes nasais

Ditongo	Exemplo	Transcrição	Ditongo	Exemplo	Transcrição
[ ]	mãe		[ ]	pão	
[ ]	põe		[ ]	bem	
[ ]	muito				

Consoantes complexas

C. compl.	Exemplo	Transcrição	C. compl	Exemplo	Transcrição
[ ]	aquarela		[ ]	linguagem	

Fonética – Ditongos crescentes 97

19.2. Ditongos crescentes com início em [ʊ]

a. [u̯ə] ~ [u̯a]   árdua, mágoa

b. [u̯ɪ] ~ [u̯e]   tênue, côngrue

c. [u̯o] ~ [u̯u] ~ [ʊ]   "árduo, vácuo"

49

Os exemplos (a-c) ilustram ditongos crescentes postônicos que iniciam em [ʊ]. Os falantes que possuem o conjunto de vogais orais postônicas finais [i,e,a,o] apresentam os seguintes ditongos crescentes que iniciam em [ʊ]: [u̯e, u̯a, u̯o]

Os falantes que possuem o conjunto de vogais orais postônicas finais [ɪ,ə,ʊ] apresentam os seguintes ditongos crescentes que iniciam em [ʊ]: [u̯ɪ, u̯ə, u̯ʊ]. A sequência segmental [u̯ʊ] é geralmente reduzida a [ʊ]: ['afidʊ] "árduo" e ['vakʊ] "vácuo". Note que outra possibilidade de pronúncia é atestada entre falantes que apresentam uma vogal média-alta. Estes falantes têm em posição postônica medial a pronúncia "mag[o]a" e uma sequência de vogais ocorre em posição postônica.

Tarefa

Transcreva foneticamente as palavras que apresentam ditongos crescentes com início em [ʊ] que são listadas no quadro de ditongos crescentes da tabela destacável de ditongos (coluna de transcrições). Ao fazer tais transcrições você identificará os ditongos crescentes com início em [ʊ] que ocorrem em seu idioleto. Indique os ditongos pertinentes ao seu idioleto ao listá-los na coluna de "ditongos".

Resumindo a discussão sobre os ditongos crescentes, podemos afirmar que:

1. O ditongo crescente [i̯o] oriundo do infixo -ion- ocorre em posição pretônica (cf. "estacionamento"), ocupando uma única sílaba: "es.ta.cio.na.men.to" (Note que uma sequência de vogais não pode ocorrer: "*es.ta.ci.o.na.men.to". Casos em que um ditongo crescente alterna com uma sequência de vogais (cf. "gracioso" [ɡrasi'ozʊ] ~ [ɡra'si̯ozʊ]) caracterizam potencialmente variação dialetal ou variação de estilos de fala específicos. Neste caso, o ditongo ocupa uma única sílaba na pronúncia [ɡra'si̯ozʊ] "gra.cio.so" e temos uma sequência de vogais na pronúncia [ɡrasi'ozʊ] "gra.ci.o.so".

2. A manifestação fonética de ditongos crescentes postônicos depende da pronúncia da vogal final em palavras proparoxítonas (cf. "séria, série, sério, árdua, tênue, árduo"). Geralmente sequências de glide-vogal de ditongos crescentes que apresentam a mesma qualidade vocálica – [i̯ɪ] e [u̯ʊ] – são reduzidas e apenas uma vogal se manifesta (cf. "série, árduo").

98   Fonética – Ditongos decrescentes

20. Ditongos decrescentes

Ditongos decrescentes consistem de uma sequência de vogal-glide. O glide que ocorre na parte final do ditongo pode se iniciar em [ɪ] ou [ʊ]. Ditongos decrescentes em português podem ser orais ou nasais: "sei" [ˈseɪ̯] e "cem" [ˈsẽɪ̯]. Listamos inicialmente o grupo de ditongos decrescentes orais e em seguida o grupo de ditongos decrescentes nasais que ocorrem em português.

20.1. Ditongos decrescentes orais com término em [ɪ]

50

[aɪ̯]	pai, gaita	[oɪ̯]	boi, afoito
[eɪ̯]	seita, lei	[ɔɪ̯]	mói, corrói
[ɛɪ̯]	réis, papéis	[uɪ̯]	fui, cuida

Todos os ditongos decrescentes orais ilustrados acima ocorrem em sílaba tônica. Ditongos decrescentes orais podem ocorrer também em sílaba pretônica. Contudo, em posição pretônica a sequência de vogal-glide pode alternar com uma sequência de vogais em um determinado grupo de palavras, como por exemplo "vai.da.de" – com três sílabas – e "va.i.da.de" – com quatro sílabas (cf. "maizena, caipira, moicano, juizado", etc.). Há um outro grupo de palavras em que uma sequência de vogal-glide deve ocorrer obrigatoriamente, como por exemplo "g[aɪ̯]tista" (cf. "deitado, coitado, cuidado", etc.).

Tarefa

Transcreva foneticamente as palavras que apresentam ditongos decrescentes orais com término em [ɪ] que são listadas no quadro de ditongos decrescentes da tabela destacável de ditongos (coluna de transcrições). Ao fazer tais transcrições você identificará os ditongos decrescentes orais com término em [ɪ] que ocorrem em seu idioleto. Indique os ditongos pertinentes ao seu idioleto ao listá-los na coluna de "ditongos".

Alguns ditongos decrescentes podem ser reduzidos. Dos ditongos acima ressaltamos [aɪ̯] e [eɪ̯]. Nestes casos de redução o glide não se manifesta foneticamente. Exemplos são: "caixa" [ˈkaʃə] e "feira" [ˈferə]. A redução de ditongos se dá em substantivos, adjetivos e formas verbais (cf. "caixa, baixa, abaixar" e "feira, faceira, cheirar"). O ditongo que potencialmente pode ser reduzido não pode estar em final de palavra: "sai" *[ˈsa] e "sei" *[ˈse]. Há contudo casos em que a redução não se aplica: "gaita" *[ˈgatə] e "seita" *[ˈsetə]. A redução de ditongos decrescentes já mereceu atenção na literatura, mas merece ainda um amplo estudo nos diferentes dialetos do português [cf. Alvarenga et al (1989), Bisol (1989), Paiva (1996)].

Fonética – Ditongos decrescentes **99**

20.2. Ditongos decrescentes orais com término em [ʊ]

[aʊ̯] mau, saudade   [oʊ̯] Moscou, Couto   51

[eʊ̯] judeu, eu   [iʊ̯] riu, fugiu

[ɛʊ̯] réu, bedéu

Lembramos ao leitor que, conforme assumido na descrição dos segmentos consonantais, os casos de sequências segmentais de vogal-glide em que o glide é proveniente da vocalização do "l" são transcritos como [vogal-w]: "mal" [ˈmaw]. Note que nos casos acima a transcrição se dá como [vogal-glide]: "mau" [ˈmaʊ̯]. Apontamos ainda que a sequência [ɔw] somente ocorre em casos de vocalização do "l" (cf. "sol, anzol, volta, Olga", etc.).

Tarefa

Transcreva foneticamente as palavras que apresentam ditongos decrescentes orais com término em [ʊ] que são listadas no quadro de ditongos decrescentes da tabela destacável de ditongos (coluna de transcrições). Ao fazer tais transcrições você identificará os ditongos decrescentes orais com término em [ʊ] que ocorrem em seu idioleto. Indique os ditongos pertinentes ao seu idioleto ao listá-los na coluna de "ditongos".

O ditongo decrescente [oʊ̯] pode ser reduzido a [o]: "couro" [ˈkoɾʊ]. Esta redução se dá na maioria dos substantivos e adjetivos, exceto quando o ditongo [oʊ̯] ocorre em final de palavra (cf. "Moscou, grou", etc.). Em formas verbais, a redução se dá em meio de palavra e em final de palavra: "dourar" [doˈɾah] e "sou" [ˈso].

20.3. Ditongos decrescentes nasais com término em [ɪ] e [ʊ]

Os **ditongos nasais** em português são sempre decrescentes e constituem portanto uma sequência de [vogal nasal-glide]. Listamos os ditongos nasais decrescentes que terminam em [ɪ] ou [ʊ]:

[ã̯ɪ̯] mãe, câimbra

[õ̯ɪ̯] põe, lições   52

[ũ̯ɪ̯] muito, ruim

[ẽ̯ɪ̯] bem, item

[ã̯ʊ̯] pão, órfão

100 Fonética – Consoantes complexas

Os ditongos [ɐ̃ɪ, õɪ, ũɪ] sempre ocorrem em sílabas tônicas (cf. "mãe, põe, muito"). Os ditongos [ẽɪ] e [ãʊ] ocorrem em sílabas tônicas (cf. "bem" e "pão") ou em **sílabas átonas** (cf. "item" e "órfão").

Em todos os exemplos dados temos ditongos decrescentes nasais para qualquer variedade do português (a palavra "ruim" pode ocorrer opcionalmente como "r[uím" – com uma sequência de vogais – para muitos falantes).

Tarefa

Transcreva foneticamente as palavras que apresentam ditongos decrescentes nasais com término em [ɪ, ʊ] que são listadas no quadro de ditongos decrescentes da tabela destacável de ditongos (coluna de transcrições). Ao fazer tais transcrições você identificará os ditongos decrescentes nasais que ocorrem em seu idioleto. Indique os ditongos pertinentes ao seu idioleto ao listá-los na coluna de "ditongos".

Há, contudo, casos de ditongos decrescentes nasalizados no português. Estes casos marcam variação dialetal. De maneira similar à nasalidade de vogais, os ditongos decrescentes podem ser nasalizados quando ocorrem seguidos de consoante nasal: "Ror[ɐ̃ɪ]ma, p[ɐ̃ɪ]neira" (a consoante nasal palatal [ɲ] ou o glide palatal nasal correspondente [ỹ] não ocorrem em português após um ditongo decrescente: *[aɪɲ] (cf. "rainha, bainha"). A pronúncia nasalizada dos ditongos decrescentes seguidos de consoantes nasais em palavras como "Ror[ɐ̃ɪ]ma, p[ɐ̃ɪ]neira" é típica da região de Belo Horizonte (MG), por exemplo. Já em **Boa Vista** (RR), os ditongos decrescentes seguidos de consoantes nasais manifestam-se foneticamente como uma sequência de vogal-glide orais: "Ror[aɪ]ma, p[aɪ]neira". Quando o ditongo decrescente seguido de consoante nasal termina em [ʊ] a nasalização não ocorre em nenhum dialeto: *tr[ãʊ]ma e *s[ãʊ]na.

21. Consoantes complexas

Em nossa análise, as sequências tradicionalmente denominadas "tritongos" (cf. "**quai**s") são analisadas como uma sequência de oclusiva velar labializada que pode ser seguida por uma vogal ou por um ditongo: "quase" [ˈkʷazɪ] e "quais" [ˈkʷaɪs]. Os segmentos [kʷ,gʷ] são denominados **consoantes complexas** e correspondem a uma oclusiva velar labializada. Nestas consoantes articulamos a oclusiva velar – [k] ou [g] – concomitantemente com o arredondamento dos lábios. Os argumentos que corroboram tal proposta são de natureza fonológica e são sumarizados na parte de fonêmica. Vale ressaltar aqui que algumas palavras que geralmente apresentam consoantes complexas [kʷ,gʷ] na pronúncia de certos falantes, podem apresentar apenas uma oclusiva velar [k,g] na pronúncia de outros: "li[kʷi]dificador ~ li[ki]dificador" (ver também "quota, quatorze", etc.). Contudo, em várias palavras a consoante complexa ocorre obrigatoriamente para todos os falantes – como por exemplo "tranquilo, aquoso, sequela, linguiça, linguagem", etc. Note que uma palavra como "[kʷa]dro" jamais será pronunciada como "[ka]dro". Já uma palavra como "[kʷa]torze" pode apresentar uma pronúncia alternativa como "[ka]torze". As consoantes complexas representam um resquício histórico do latim no português.

> **Tarefa**
> Transcreva foneticamente as palavras que apresentam consoantes complexas que são listadas na tabela destacável de ditongos (coluna de transcrições). Ao fazer tais transcrições você identificará as consoantes complexas que ocorrem em seu idioleto. Indique estas consoantes ao listá-las na coluna de "cons. complexa".

22. Exercícios complementares 2

1. Indique nos exemplos se a vogal tônica é uma vogal média-alta (fechada) – [e, o] – ou uma vogal média-baixa (aberta) – [ɛ, ɔ]. Siga os exemplos. Todas as palavras abaixo são substantivos ou adjetivos.

1. [ɛ] festa	11. ___ teto	21. ___ troco	31. ___ ele
2. [o] corvo	12. ___ janela	22. ___ certo	32. ___ chefe
3. [e] peso	13. ___ pelo	23. ___ planeta	33. ___ célebre
4. [ɔ] sola	14. ___ severa	24. ___ mesa	34. ___ frevo
5. ___ seta	15. ___ cela	25. ___ cofre	35. ___ soco
6. ___ bolo	16. ___ copo	26. ___ vela	36. ___ cera
7. ___ ovo	17. ___ sólida	27. ___ povo	37. ___ arroto
8. ___ cola	18. ___ mole	28. ___ medo	38. ___ broto
9. ___ trevo	19. ___ avô	29. ___ telha	39. ___ pêssego
10. ___ berço	20. ___ avó	30. ___ vespa	40. ___ grota

2. Nos exemplos que se seguem, a palavra da coluna da esquerda é um substantivo ou adjetivo e a palavra da coluna da direita é uma forma verbal. Transcreva foneticamente estes exemplos observando a vogal média que ocorre em posição tônica para os substantivos/adjetivos e para as formas verbais. Pode ocorrer uma vogal média-alta (fechada) – [e, o] – ou uma vogal média-baixa (aberta) – [ɛ, ɔ]. Apresente as transcrições fonéticas entre colchetes e marque a sílaba tônica com o símbolo ['].

1. o troco _____ eu troco _____
2. o jogo _____ eu jogo _____
3. o bolo _____ eu bolo _____
4. o soco _____ eu soco _____
5. o choco _____ eu choco _____

102 Fonética – Exercícios complementares 2

6. o dedo _____ eu dedo _____
7. o gelo _____ eu gelo _____
8. o apelo _____ eu apelo _____
9. o azedo _____ eu azedo _____
10. o começo _____ eu começo _____

3. Transcreva foneticamente as palavras observando para cada par de palavras qual é a vogal média que ocorre em posição tônica nas formas da esquerda e quais as vogais médias que ocorrem em posição pretônica nas formas da direita. Pode ocorrer uma vogal média-alta (fechada) – [e, o] – ou uma vogal média-baixa (aberta) – [ɛ, ɔ]. Apresente as transcrições fonéticas entre colchetes.

1. metrópole _____ metropolitano _____
2. herói _____ heroína _____
3. cola _____ colagem _____
4. copo _____ copeiro _____
5. capota _____ capotagem _____
6. pagode _____ pagodeiro _____
7. poeta _____ poetiza _____
8. café _____ cafezal _____
9. capela _____ capelão _____
10. pivete _____ pivetada _____
11. janela _____ janeleiro _____
12. panela _____ panelada _____

4. Transcreva foneticamente as palavras observando a ocorrência de vogais médias [e, o, ɛ, ɔ].

1. a vela _____ velar _____ eu velo _____
2. a inveja _____ invejar _____ eu invejo _____
3. a pele _____ pelar _____ eu pelo _____
4. a terra _____ aterrar _____ eu aterro _____
5. a prova _____ aprovar _____ eu aprovo _____
6. a cola _____ colar _____ eu colo _____
7. a sola _____ solar _____ eu solo _____
8. a toca _____ entocar _____ eu entoco _____
9. o zelo _____ zelar _____ eu zelo _____
10. o aterro _____ aterrar _____ eu aterro _____
11. o apelo _____ apelar _____ eu apelo _____
12. o cabelo _____ descabelar _____ eu descabelo _____
13. o soco _____ socar _____ eu soco _____
14. o jogo _____ jogar _____ eu jogo _____
15. o mofo _____ mofar _____ eu mofo _____
16. o nojo _____ enojar _____ eu enojo _____

Fonética – Exercícios complementares 2 103

5. Transcreva as palavras observando as vogais átonas finais. Siga o exemplo dado.

1. [ˈmɔlɪ] mole	15. _____ lua	29. _____ telha
2. _____ sala	16. _____ vidro	30. _____ banho
3. _____ todo	17. _____ sólida	31. _____ elefante
4. _____ pulo	18. _____ pudica	32. _____ chefe
5. _____ cálido	19. _____ foto	33. _____ célebre
6. _____ tônica	20. _____ crua	34. _____ freira
7. _____ cênico	21. _____ tribo	35. _____ fedorento
8. _____ árvore	22. _____ safari	36. _____ júri
9. _____ mesa	23. _____ carteiro	37. _____ padre
10. _____ berço	24. _____ livraria	38. _____ beijo
11. _____ porta	25. _____ cofre	39. _____ pêssego
12. _____ janela	26. _____ vela	40. _____ urso
13. _____ quarto	27. _____ típico	
14. _____ severa	28. _____ meio	

58

6. Transcreva as vogais postônicas mediais. Siga o exemplo dado.

1. [ɪ] cálido	15. _____ êxodo	29. _____ etíope
2. _____ cânfora	16. _____ vítima	30. _____ antídoto
3. _____ tétrico	17. _____ sólida	31. _____ hipódromo
4. _____ número	18. _____ lúdica	32. _____ bávaro
5. _____ álibi	19. _____ cédula	33. _____ dúvida
6. _____ tônica	20. _____ cômica	34. _____ mamífero
7. _____ célebre	21. _____ câmera	35. _____ autóctone
8. _____ árvore	22. _____ fenômeno	36. _____ drácula
9. _____ ópera	23. _____ protótipo	37. _____ glóbulo
10. _____ átomo	24. _____ âmago	38. _____ polígamo
11. _____ sílaba	25. _____ anêmoma	39. _____ pêssego
12. _____ crápula	26. _____ cânhamo	40. _____ monótono
13. _____ túmulo	27. _____ típico	
14. _____ pérola	28. _____ vértebra	

59

7. Transcreva as palavras dedicando atenção especial às vogais tônicas nasais. Siga o exemplo dado.

1. [baˈtõ] batom	5. _____ rum	9. _____ som
2. [ˈkãfʊɾə] cânfora	6. _____ junto	10. _____ atum
3. _____ cento	7. _____ lã	11. _____ tímpano
4. _____ cinto	8. _____ sim	12. _____ têmporas

60

104 Fonética – Exercícios complementares 2

13. _____	lânguido	23. _____	canja	33. _____	encobre
14. _____	santa	24. _____	acento	34. _____	conde
15. _____	lenta	25. _____	simples	35. _____	frequencia
16. _____	assunto	26. _____	ínterim	36. _____	comum
17. _____	acampa	27. _____	ombro	37. _____	jasmim
18. _____	assenta	28. _____	compras	38. _____	ambas
19. _____	Corinto	29. _____	antes	39. _____	tanto
20. _____	presente	30. _____	assim	40. _____	príncipe
21. _____	Cândida	31. _____	irmã		
22. _____	trânsito	32. _____	discordância		

60

8. Transcreva foneticamente as palavras observando se as vogais e ditongos decrescentes são nasalizados quando seguidos de consoantes nasais. Apresente as transcrições fonéticas entre colchetes. Vogais nasais são transcritas com um til colocado acima da vogal correspondente. Se a vogal nasal é tônica esta recebe o til – que marca a nasalidade – e a sílaba deve ser precedida de ['] – que marca a tonicidade.

1. cama _____
2. bacana _____
3. façanha _____
4. camada _____
5. anáfora _____
6. cânhamo _____
7. amada _____
8. tâmara _____
9. banhada _____
10. manhosa _____
11. senha _____
12. senhor _____
13. senado _____
14. Iracema _____
15. vinho _____
16. conhaque _____
17. tônico _____
18. atômico _____
19. punho _____
20. sumiço _____
21. rainha _____
22. Jaime _____
23. reino _____
24. boina _____
25. arruinar _____
26. medonha _____
27. Aimorés _____
28. cênica _____
29. Janaína _____
30. queima _____

61

9. Transcreva foneticamente as palavras observando a ocorrência de vogais orais e nasais. Apresente as transcrições fonéticas entre colchetes. Marque a vogal tônica com o símbolo ['] precedendo a vogal acentuada. Vogais nasais são transcritas com um til colocado acima da vogal correspondente.

1. Pelé _____
2. bocó _____
3. jacu _____
4. ali _____
5. abará _____
6. agogô _____
7. pererê _____
8. Iansã _____
9. manta _____
10. maçã _____
11. janta _____
12. vento _____
13. tonta _____
14. tom _____
15. jejum _____
16. juntar _____
17. ginga _____
18. enfim _____
19. terrestre _____
20. terráqueo _____
21. terreno _____
22. colegial _____
23. colégio _____
24. coleguinha _____
25. pedrinha _____
26. pedregulho _____
27. corajosa _____

62

10. Transcreva foneticamente as palavras dedicando atenção especial ao registro dos ditongos.

1. etérea _____
2. nódoa _____
3. ódio _____
4. cárie _____
5. tênue _____
6. sábia _____
7. Mário _____
8. amém _____
9. anão _____
10. câimbra _____
11. ruim _____
12. repõe _____
13. capitães _____
14. nacional _____
15. gaitista _____
16. ajeitado _____
17. cuidado _____
18. Moscou _____
19. judeu _____
20. aurora _____
21. coitada _____

11.
Dê um exemplo de palavra do português para cada vogal ou ditongo listado abaixo. A vogal ou ditongo em questão deverá ocorrer em sílaba tônica. O símbolo [ˈ] colocado antes da sílaba acentuada marca a tonicidade. Um til colocado acima da vogal marca a nasalidade. Apresente os dados em transcrição fonética (entre colchetes). Siga o exemplo dado.

1. [i] _____[saˈsi]_____ "Saci"_____
2. [e] _____
3. [ɛ] _____
4. [a] _____
5. [ɔ] _____
6. [o] _____
7. [u] _____
8. [ĩ] _____
9. [ẽ] _____
10. [ã] _____
11. [õ] _____
12. [ũ] _____
13. [a̯I] _____
14. [e̯I] _____
15. [ɛ̯I] _____
16. [o̯I] _____
17. [ɔ̯I] _____
18. [u̯I] _____
19. [aʊ̯] _____
20. [eʊ̯] _____
21. [ɛʊ̯] _____
22. [oʊ̯] _____
23. [iʊ̯] _____
24. [ã̯I] _____
25. [õ̯I] _____
26. [ũ̯I] _____
27. [ẽ̯I] _____
28. [ãʊ̯] _____

12. Transcreva foneticamente o seguinte texto:

"Concluímos aqui os exercícios referentes aos segmentos vocálicos do português brasileiro. A próxima seção é dedicada à discussão da natureza das transcrições fonéticas."

106 Fonética – Transcrições fonéticas

23. Transcrições fonéticas

Esta seção tem por objetivo discutir o uso de símbolos fonéticos para o registro de dados em transcrições da fala, considerando-se especialmente a transcrição de dados do português. Para a discussão do desenvolvimento histórico da noção de transcrição fonética, bem como de aspectos teóricos e de categorização de diferentes tipos de transcrições, veja Abercrombie (1967), Pike (1943, 1947), Callou e Leite (1990).

As línguas naturais apresentam palavras que têm sequências sonoras idênticas com significados diferentes. Duas palavras pronunciadas da mesma maneira que apresentam significados diferentes são chamadas **palavras homófonas**. Um par de palavras homófonas em português é "cela" e "sela": [ˈsɛlə]. O par de palavras homófonas "cela" e "sela" tem o registro ortográfico diferente para as duas palavras. Contudo, este não é necessariamente sempre o caso envolvendo palavras homófonas. Elas podem ter registro ortográfico idêntico. Veja por exemplo "manga (fruta)", "manga (de camisa)" e "manga (do pasto da fazenda)".

Para falantes do português brasileiro a transcrição das palavras "cela" e "sela" é praticamente invariável (pode haver variação apenas quanto ao registro da vogal átona final). A escolha dos símbolos fonéticos utilizados na transcrição fonética da palavra [ˈsɛlə] é deduzível a partir de parâmetros articulatórios. O símbolo [s], por exemplo, corresponde a uma fricativa alveolar desvozeada que é o segmento consonantal articulado no início da palavra [ˈsɛlə]. A vogal tônica [ɛ] é uma vogal média-baixa anterior não arredondada que é seguida por um segmento alveolar/dental lateral [l]. O último segmento é a vogal média-baixa central não arredondada: [ə] (ou [a]).

Consideremos outras duas palavras que geralmente são homófonas no português brasileiro: "óleos" e "olhos" (veremos em breve que estas palavras podem apresentar pronúncias distintas para alguns falantes). Quando homófonas, as palavras "óleos" e "olhos" têm na última sílaba uma consoante lateral alveolar ou dental seguida de uma sequência de *glide anterior+vogal* – que abreviamos por GV – e tendo como último segmento uma fricativa sibilante desvozeada ([s] ou [ʃ] dependendo do dialeto). Temos então: [lGVs] (*lateral+glide+vogal+ s*), sendo que o **s** final pode ocorrer como [s] ou [ʃ] dependendo do dialeto. A questão que se coloca ao fazermos a transcrição fonética das palavras homófonas "óleos" e "olhos" é quanto à escolha dos símbolos fonéticos a serem utilizados para transcrevê-las. Mais especificamente, a questão de como transcrever o glide na sequência [lGVs] que ocorre na sílaba final das palavras homófonas "óleos" e "olhos". Temos pelo menos as seguintes alternativas para representar a sequência de *lateral+glide+vogal+ s* nas palavras "óleos" e "olhos": [ˈɔljʊs] e [ˈɔlʲʊs]. Em [ˈɔljʊs], assumimos que o glide é parte de um ditongo. Em [ˈɔlʲʊs], assumimos que o glide é parte da lateral palatalizada [lʲ].

No caso de adotarmos a transcrição [ˈɔljʊs], estamos assumindo que a estrutura silábica correspondente é (VCVVC) em que o glide é parte das vogais em ditongo. No caso de adotarmos a transcrição [ˈɔlʲʊs], estamos assumindo que a estrutura silábica correspondente é (VCVC) em que o glide é parte da consoante palatalizada que se en-

Fonética – Transcrições fonéticas 107

contra entre as vogais. Note que a escolha entre a transcrição [ˈɔl̥ɾʊs] e [ˈɔlʲʊs] implica em uma interpretação diferente da estrutura silábica: com cinco elementos (VCVVC) ou com quatro elementos (VCVC). Associando cada segmento fonético a uma vogal ou consoante temos os esquemas abaixo:

$$
\begin{array}{ccccc}
\text{V} & \text{C} & \text{V} & \text{V} & \text{C} \\
| & | & | & | & | \\
[\,ɔ & l & ɾ̥ & ʊ & s\,]
\end{array}
\qquad
\begin{array}{cccc}
\text{V} & \text{C} & \text{V} & \text{C} \\
| & | & | & | \\
[\,ɔ & lʲ & ʊ & s\,]
\end{array}
$$

Devemos então buscar argumentos que justifiquem a escolha entre uma das transcrições [ˈɔl̥ɾʊs] e [ˈɔlʲʊs] como sendo a mais adequada para representar a relação entre segmentos e a estrutura silábica nas palavras homófonas "óleos" e "olhos". Uma solução possível é dada a partir da consideração de palavras derivadas a partir da raiz de "óleos" e "olhos". Consideremos inicialmente a palavra "oleoso" (derivada de "óleo"). A palavra "oleoso" pode ser pronunciada com uma sequência de vogais – [oliˈozʊ] – ou com um ditongo crescente ocorrendo em posição tônica – [oˈl̥ɾozʊ]. No último caso – [oˈl̥ɾozʊ] – temos uma sequência de glide-vogal (GV). Podemos argumentar que a alternância entre uma sequência de vogais [io] e uma sequência de glide-vogal [ɾo] em posição pretônica na palavra derivada "oleoso" fornece evidência para assumirmos a transcrição fonética [ˈɔl̥ɾʊs] para "óleos", já que palavras derivadas são formadas por *raiz+sufixo derivacional+sufixo de gênero*. A partir da forma "gosto" derivamos "gostoso" em que a raiz "gost-" é seguida do sufixo derivacional "-os" e do sufixo de gênero "-o". Derivando de maneira análoga a palavra "oleoso" dizemos que a raiz "ole-" seguida dos sufixos "-os" e "-o" forma a palavra "oleoso". Note que a raiz de "óleos" e "oleoso" é "ole-". Esta raiz termina em vogal. Assumiremos que em "óleos" a raiz "ole" é seguida do sufixo de gênero "-o" e do sufixo de plural "-s". Temos então (ole + o + s) com a estrutura silábica VCVVC que tem cinco elementos. A transcrição fonética de "óleos" como [ˈɔl̥ɾʊs] – em que o glide postônico é transcrito como um segmento vocálico – é justificada a partir de formas derivadas (como "oleoso").

O elemento final da raiz que se manifesta como um glide em posição postônica – [ˈɔl̥ɾʊs] – pode ocorrer como glide ou vogal em posição pretônica – [oˈl̥ɾozʊ] ou [oliˈozʊ]. Consideramos aqui apenas a pronúncia [ˈɔl̥ɾʊs] que é relevante para o assunto em questão. A vogal final da raiz de "ole-" pode ocorrer também como [e]: [ˈɔleɰ̥s] (quando temos um ditongo decrescente postônico) ou [ˈɔleos] (quando temos uma sequência de vogais postônicas). A pronúncia que apresenta uma sequência de vogais [ˈɔleos] – seria uma evidência adicional para a proposta de assumirmos um segmento vocálico para transcrever o glide em "óleos". De acordo com esta proposta a palavra "oleos" [ˈɔl̥ɾʊs] tem uma estrutura silábica do tipo VCVVC com cinco elementos (cf. diagrama acima).

Consideremos agora uma forma como "olhada". Similarmente a pronúncia [oˈl̥ɾozʊ] para "oleoso", a palavra "olhada" também apresenta uma sequência de glide-vogal seguindo a lateral [l]. Contudo, "oleoso" apresenta duas pronúncias possíveis: [oˈl̥ɾozʊ] (com glide-vogal) e [oliˈozʊ] (com duas vogais). Ao contrário de "oleoso",

108 Fonética – Exercícios complementares 3

a palavra "olhada" deve obrigatoriamente apresentar uma pronúncia de glide-vogal seguindo a consoante lateral [l]. Ou seja, uma pronúncia como *[oliˈada] "olhada" é excluída. Note que a palavra "olhada" deve sempre apresentar uma sequência de glide-vogal em posição pretônica porque o glide faz parte da consoante lateral – que é palatalizada: [lʲ]. Transcrevemos foneticamente a palavra "olhada" como [oˈlʲadə] em que o glide corresponde à palatalização da consoante lateral. Na forma "olhada" temos a raiz "olh" seguida dos sufixos "-ad" e "-a" – (olha + ad + a) —> [oˈlʲadə] – e temos a estrutura silábica VCVCV (com cinco elementos). Deduzimos que a forma "olhos" apresenta quatro elementos em sua estrutura silábica: VCVC como em [ˈɔlʲʊs] (cf. diagrama acima).

Gostaríamos de salientar aqui a natureza distinta entre pronúncia e representação fonética. A pronúncia reflete a maneira como algo foi pronunciado e a transcrição fonética reflete a maneira mais adequada de se registrar aquela pronúncia. Consideremos novamente as palavras "cela-sela" e "óleos-olhos". Podemos dizer que as palavras "cela-sela" são homófonas e apresentam transcrições fonéticas idênticas: [ˈsɛlə]. Note que em [ˈsɛlə] os segmentos consonantais e vocálicos podem ser inferidos a partir dos parâmetros articulatórios envolvidos em sua produção. As palavras "óleos-olhos" são homófonas e apresentam transcrições fonéticas distintas: [ˈɔlɪʊs] e [ˈɔlʲʊs]. Note que em [ˈɔlɪʊs] e [ˈɔlʲʊs] os segmentos consonantais e vocálicos podem ser inferidos considerando-se os parâmetros articulatórios exceto pela sequência postônica de glide-vogal (GV) que deve ser analisada em termos da estrutura silábica da língua.

Concluímos então que uma transcrição fonética reflete não apenas os aspectos fonético-articulatórios de uma sequência sonora, mas também a interpretação ou análise do componente sonoro da língua. Os exercícios complementares apresentados a seguir têm por objetivo discutir e avaliar aspectos controvertidos de transcrições fonéticas do português. A parte da ciência que busca recursos metodológicos e formais para o estudo da cadeia sonora da fala é a fonêmica ou fonologia. Na próxima parte deste livro apresentamos os princípios básicos da fonêmica – o **modelo fonológico** estruturalista – com ênfase na análise do português brasileiro.

24. Exercícios complementares 3

Estes exercícios têm por objetivo discutir aspectos controvertidos que se relacionam à transcrição fonética do português brasileiro. As conclusões dos exercícios – quanto aos símbolos adotados nas transcrições fonéticas – deverão determinar os símbolos fonéticos que ocorrem em seu idioleto para as consoantes em questão.

Fonética – Exercícios complementares 3 109

3.1. Problema: como transcrever sequências de consoante lateral-glide em posição intervocálica?

Exemplo: "óleos" e "olhos"
Proposta: ver proposta nas páginas precedentes.

Transcreva foneticamente as palavras:

(Grupo 1)	(Grupo 2)	(Grupo 3)
cartilha_____	família _____	palhaçada _____
velha_____	camélia_____	telhado_____
julho_____	Júlio _____	bagulhada _____

Verifique se a parte final das palavras dos grupos 1 e 2 são homófonas para você. Ou seja, *ilha* em "cartilha" e *ília* em "família" soam de maneira idêntica? Se sua resposta for afirmativa, é bastante provável que você tenha uma lateral palatalizada [lʲ] nas palavras do grupo 1 (por exemplo "ve[lʲ]a") e que você tenha uma sequência de lateral-vogal assilábica de um ditongo para as palavras do grupo 2 (por exemplo "Camé[l̯ɪ]a"). Se sua resposta for negativa, é bastante provável que você tenha uma lateral palatal para as palavras do grupo 1 (por exemplo "ve[ʎ]a") e que você tenha uma sequência de lateral-vogal assilábica de um ditongo para as palavras do grupo 2 (por exemplo "Camé[l̯ɪ]a"). As consoantes laterais das palavras do grupo 3 apresentam símbolos idênticos àqueles assumidos para o grupo 1.

3.2. Problema: como transcrever as sequências de vogal-glide em posição final de sílaba em português?

Exemplos: "cauda-calda" e "jirau-mural"
Proposta: Temos por objetivo diferenciar a transcrição fonética das sequências de vogal-glide em posição final de sílaba pelos seguintes motivos:

1. *Em todos os dialetos do português, um grupo de palavras apresenta a sequência vogal-glide em final de sílaba pronunciada de maneira idêntica (cf. "jirau" e "cauda"). Por outro lado, há um grupo de palavras em que as sequências que se manifestam como vogal-glide em alguns dialetos ocorrem como vogal-consoante lateral em outros dialetos (cf. "mural" e "calda").*
2. *Há diferença nas formas plurais de palavras que terminam com uma sequência de vogal-glide: "jirau-jiraus" (e não *"jirais") e por outro lado "mural-murais" (e não *"muraus").*

Com o objetivo de expressar esta diferença de comportamento no sistema sonoro do português assumimos que símbolos diferentes devem ser utilizados para

110 Fonética – Exercícios complementares 3

representar as sequências de vogal-glide em final de sílaba. Utilize o símbolo [u̯] para representar o glide nas sequências de vogal-glide que são consistentes em qualquer dialeto do português (cf. "jirau, cauda").

De acordo com esta proposta, formas como "cauda, jirau" serão transcritas respectivamente como [ˈkau̯də] e [ʒiˈrau̯]. Em posição final de sílaba e palavra – como em "jirau" – as formas plurais deste grupo são formadas a partir do acréscimo de um "s": "jiraus". O símbolo [u̯] identifica que o glide corresponde a um *segmento vocálico* na estrutura silábica.

Afirmamos que há sequências de vogal-glide que são consistentes em qualquer dialeto do português em exemplos como "jirau, cauda". Isto quer dizer que todos os falantes do português terão invariavelmente uma sequência de vogal-glide nas formas "jirau, cauda" (e demais palavras do mesmo grupo). Há, contudo, um grupo de palavras em que o glide na sequência de vogal-glide pode ser manifestado como uma consoante lateral velarizada dependendo do dialeto: "mura[ɫ], ca[ɫ]da". A lateral pode ser vocalizada em posição final de sílaba – "mural, calda". Sugerimos transcrever o glide nestes casos com o símbolo [w]. De acordo com esta proposta, formas como "mural, calda" são transcritas respectivamente como [muˈraw] e [ˈkawdə] quando o l em posição final de sílaba é vocalizado. Nos dialetos em que a consoante lateral velarizada ocorre temos [muˈraɫ] e [ˈkaɫdə]. O símbolo [w] identifica que o glide corresponde a um *segmento consonantal* na estrutura silábica.

Note que falantes do português identificam tais formas (cf. "mural, calda") e as diferenciam de outros casos em que o glide não é proveniente da vocalização do l (cf. ("jirau, cauda"). Isto se dá a partir da alternância dialetal entre [w]~[ɫ] (em formas como "mural, calda"), o que não ocorre em formas do grupo "jirau, cauda". Falantes contam também com a formação de plural em cada grupo de palavras. As formas plurais de palavras que alternam [w] ~ [ɫ] em posição de final de sílaba e palavra – como em "mural" – são formadas com o cancelamento do glide (ou da lateral velarizada) e do acréscimo de "is": "murais". Formas plurais do grupo de palavras "jirau" são formadas apenas pelo acréscimo do [s]: "jiraus".

De acordo com a proposta apresentada acima em sequências de vogal-glide em português, há casos em que o glide corresponde a uma vogal (cf. "jirau") e há casos em que o glide corresponde a uma consoante (cf. "mural"). Para fundamentar tal proposta apresentamos um argumento que demonstra o comportamento dos glides em sequências de vogal-glide como segmentos vocálicos ou consonantais em português. Tal argumento baseia-se na distribuição do "r" em português. Temos o r-fraco que se manifesta como tepe ou vibrante simples – em "careta" por exemplo – e o R-forte que apresenta inúmeras variantes dialetais e transcreveremos aqui como [R̄] – e ocorre em "carreta" por exemplo. Estes dois tipos de "r" ocorrem em posição intervocálica – "careta-carreta". Contudo somente o R-forte ("carreta") ocorre seguindo consoantes heterossilábicas. Ou seja, o tipo de "r" que segue uma consoante em sílaba distinta é sempre o R-forte: "Israel" e "desrespeito". Em formas em que o glide na sequência de vogal-glide é interpretado como um segmento vocálico – como em "Laura" – o tipo de "r" que segue o glide é o

Fonética – Exercícios complementares 3 111

r-fraco (ou seja o tepe ou vibrante simples) e temos "Lau[ɾ]a" e não "*Lau[R]a". Note que em formas em que o glide na sequência de vogal-glide é geralmente interpretado como um segmento consonantal – como em "bilro" (tipo de renda) – o tipo de "r" que segue o glide é o R-forte e temos bil[R̄]o.

Apresentamos a seguir alguns dados que devem ser transcritos foneticamente de acordo com a proposta dada (utilizamos o símbolo [R̄] para transcrever o R-forte. Você poderá utilizá-lo ou pode fazer uso do símbolo correspondente ao R-forte em seu idioleto). Alguns dos exemplos antes discutidos são ilustrados no quadro que se segue como referência. Agrupamos os dialetos como aqueles em que ocorre ou não a vocalização do [l].

Palavra	Dialetos sem vocalização do l	Dialetos com vocalização do l
jirau	[ʒiˈɾaʊ̯]	[ʒiˈɾaʊ̯]
cauda	[ˈkaʊ̯də]	[ˈkaʊ̯də]
mural	[muˈɾał]	[muˈɾaw]
calda	[ˈkałdə]	[ˈkawdə]
museu		
Europa		
Brasil		
Silva		

3.3. Problema: como transcrever as sequências de *(oclusiva velar-glide)* em português?

Exemplos: "mágoa" e "míngua"

Proposta: A transcrição de *(oclusiva velar-glide)* em posição postônica (em formas como "mágoa, míngua") deverá ser deduzida a partir de formas derivadas em que o comportamento do glide (ou vogal) que segue a oclusiva velar deve ser observado em posição pretônica. Consideremos as formas "magoado" e "minguado". Em "magoado", a oclusiva velar pode ser seguida de glide ou de vogal quando o "o" ortográfico se manifesta como u. Temos então pronúncias da palavra "magoado" com três ou quatro sílabas: (ma.gua.do) ou (ma.gu.a.do). Na palavra "minguado" apenas o glide pode seguir a oclusiva velar e temos sempre três sílabas: (min.gua.do) – mas nunca *(min.gu.a.do). Propomos que as sequências de *oclusiva velar-glide* que não permitem a alternância do glide com a vogal – como em "minguado" – sejam transcritas como consoantes complexas [kʷ, gʷ] que representam uma "oclusiva velar labializada" (note que a labialização da oclusiva não depende da vogal seguinte

112 Fonética – Exercícios complementares 3

ser uma vogal labializada: "quadro, sequela, linguiça", etc.). A forma "minguado" será transcrita então como [mĩˈgʷadʊ]. Casos em que a sequência de *oclusiva velar-glide* permite a alternância do glide com uma vogal (como em "magoado") temos um segmento oclusivo seguido do segmento vocálico [ʊ̯] (ou da vogal [u] quando o glide não ocorre). A pronúncia da forma "magoado" com três ou quatro sílabas é explicada: [maˈgʊ̯adʊ] ~ [maguˈadʊ]. Note que nossa proposta explica também que a pronúncia de "minguado" com quatro sílabas – *(min.gu.a.do) – não ocorre porque neste caso o glide corresponde a parte de um segmento consonantal, ou seja, a consoante complexa [gʷ] (e portanto não pode alternar com um segmento vocálico pois isto implicaria em mudança de categoria do segmento).

De acordo com esta proposta, uma forma como "cueca" será transcrita foneticamente como "[kʊ̯ɛ]ca" quando a oclusiva velar é seguida de glide, e será transcrita como "[ku.ɛ]ca" quando a oclusiva velar é seguida de uma sequência de vogais. Por outro lado, uma forma como "sequela" será transcrita como "se[kʷɛ]la" (note que a ocorrência de uma vogal substituindo o glide pretônico é impossível: "*se[ku.ɛ]la"). Podemos então deduzir a interpretação do glide quando uma sequência de *oclusiva velar-glide* ocorre em posição pretônica. Ou o glide é parte de uma consoante complexa – como em "sequela" – ou o glide corresponde à um segmento vocálico – como em "cueca". Quando o glide é parte da consoante complexa, não há alternância entre glide e vogal em posição pretônica: "se[kʷɛ]la" – mas nunca "*se[ku.ɛ]la". Já nos casos em que o glide é interpretado como um segmento vocálico, o glide pode opcionalmente alternar com uma vogal em posição pretônica: "[ku.ɛ]ca ~ [kʊ̯ɛ]ca".

Acabamos de observar que nos casos em que o glide é interpretado como uma vogal há alternância entre glide-vogal em posição pretônica: "[ku.ɛ]ca ~ [kʊ̯ɛ]ca". Contudo, em posição postônica a dedução quanto à interpretação do glide às vezes não é possível. Isto é porque podemos não encontrar formas derivadas que demonstrem o comportamento do glide em posição pretônica. Queremos dizer com isto que ao considerarmos formas como "magoado" e "minguado" inferimos a representação fonética de "mágoa" [ˈmagʊ̯ə] e "míngua" [ˈmĩgʷə] quando o glide ocorre em posição postônica. Em "mágoa" [ˈmagʊ̯ə], o glide é interpretado como um segmento vocálico (de maneira análoga a "magoado"). Em "míngua" [ˈmĩgʷə], o glide é interpretado como parte da consoante complexa (de maneira análoga a "minguado").

Note contudo que ao transcrevermos uma forma como "anágua" – que não apresenta formas derivadas – podemos teoricamente propor as transcrições "aná[gʷ]a" ou "aná[gʊ̯]a". Não temos como definir qual seria a transcrição fonética mais adequada. Finalmente, vale ressaltar que certas formas podem ser pronunciadas com uma sequência de *oclusiva velar-glide* ou apenas com uma oclusiva velar: "quatorze, quota, liquidificador". Isto significa que pronúncias como "[kʷ]atorze" ou "[k]atorze", "[kʷ]ota" ou "[k]ota" e "li[kʷ]idificador" ou "li[k]idificador" são possíveis. Nestes casos transcrevemos as formas com ou sem o glide de acordo com a pronúncia que desejamos

Fonética – Exercícios complementares 3 113

registrar. Tais formas refletem o registro lexical que o falante tem da palavra em questão (cf. a discussão referente aos registros léxicos apresentada na introdução). Transcreva os dados que se seguem de acordo com a proposta apresentada.

Transcreva foneticamente as palavras:

mágoa_____ cueca _____ quase _____

magoado_____ sequela_____ aquarela _____

míngua_____ quadrado _____ linguiça_____

minguado_____ tranquilo_____ Guarapari _____

3.4. Problema: como transcrever glides palatais intervocálicos? (Note que geralmente o glide intervocálico é palatal. O glide posterior ocorre em posição intervocálica em algumas poucas formas de origem nas línguas africanas ou indígenas como por exemplo: "Cauê, Ananindeua, Piauí").

Exemplos: "saia, goiaba, apoio"
Proposta: Assumimos que glides intervocálicos correspondem a segmentos vocálicos e serão transcritos por [ɪ]. O glide intervocálico pode ser ligado à vogal precedente ou à vogal seguinte. Podemos ter uma sequência de *vogal-glide* expressa nas seguintes divisões de sílabas: (sai.a), (goi.a.ba), (a.poi.o). Ou podemos ter uma sequência de *glide-vogal* expressa nas seguintes divisões de sílabas: (sa.ia), (go.ia.ba), (a.po.io).

Evidência para assumirmos que glides intervocálicos correspondem a segmentos vocálicos é proveniente da distribuição do acento primário em português que pode ser final, penúltimo ou antepenúltimo (cf. "sabiá, sabia, sábia"). Em outras palavras, o acento primário pode cair na primeira, segunda ou terceira vogal a partir do final da palavra (o acento na quarta vogal -*família – não reflete o padrão acentual recorrente do português). Quando consideramos formas com glides intervocálicos observamos que o acento primário não pode ser antepenúltimo: *"góiaba" e *"ápoio" não são formas possíveis em português. Esta **restrição** deve-se ao fato do glide intervocálico ser interpretado como um segmento vocálico que, como tal, é levado em consideração em termos acentuais. Formas como *"góiaba" e *"ápoio" são excluídas porque o acento primário cairia na quarta vogal a partir do final da palavra o que não corresponde ao padrão acentual recorrente do português. Transcrevemos os glides intervocálicos com o símbolo [ɪ].
Para finalizar a discussão sobre os glides intervocálicos, gostaríamos de lembrar ao leitor que algumas palavras que apresentam consoantes laterais palatais ou palatalizadas em posição intervocálica – como em "te[ʎ]a" ou "te[lʲ]a" – podem

114 Fonética – Exercício final

alternativamente apresentar um glide palatal em posição intervocálica dependendo de variação dialetal (ou mesmo idioletal). Nestes casos adotamos o símbolo [y] – como em ['teyə] "telha" – para representar o glide intervocálico que corresponde à consoante lateral. Esta proposta considera que o glide intervocálico em "te[y]a" comporta-se como um segmento consonantal. Note que em "teia" ['teɪ̯ə], o glide intervocálico comporta-se como um segmento vocálico. Nossa proposta é que em "teia" – e formas semelhantes – o glide palatal intervocálico seja transcrito com o símbolo [ɪ̯] associado à vogal precedente ou seguinte.

Transcreva foneticamente os dados de acordo com a proposta apresentada		
teia _____	cuia _____	Cauê _____
maia _____	boiada _____	Piauí _____
apoio _____	areial _____	Ananindeua _____
saiote _____	feioso _____	Cuiabá _____

A forma "Cuiabá" pode ser pronunciada como [kʊ̯ia'ba] ou [kuɪ̯a'ba]. Justifique estas pronúncias quanto ao comportamento da primeira sílaba que pode ocorrer como uma sequência de *vogal-glide* – como em [kʊɪ̯a'ba] – ou pode ocorrer como uma sequência de *glide-vogal* – como em [kʊ̯ia'ba]. Dica: note que os dois segmentos vocálicos da primeira sílaba são aqueles que podem potencialmente ser manifestados como glides em português.

Apresentamos a seguir um exercício que deve ser feito com um colega. Tal exercício tem por objetivo avaliar o seu desempenho em termos prático e teórico dos tópicos discutidos nas páginas precedentes.

25. Exercício final

1. Transcreva foneticamente o texto abaixo. A transcrição fonética deve estar entre colchetes (um colchete inicial e um colchete final para o texto todo). As palavras devem ser transcritas individualmente com um espaço entre cada uma delas. A realização de alguns segmentos em final de palavra pode ser afetada por segmentos da palavra seguinte: "fazemo[s]" mas "fazemo[zu]so". Mesmo nestes casos as palavras devem ser transcritas individualmente como em: [...fa'zẽmʊz 'uzʊ...]. Marque as vírgulas com uma barra transversal (/) e os pontos finais com duas barras transversais (//). Note que este recurso tem como objetivo apenas marcar as referências de um texto escrito. Para caracterizarmos o ritmo e entoação da fala devemos utilizar outros recursos descritivos [cf. por exemplo Cagliari (1981); Massini-Cagliari (1992); Reis (1995)].

Fonética – Exercício final 115

"Os órgãos que utilizamos na produção da fala não têm como função primária a articulação de sons. Na verdade, não existe nenhuma parte do corpo humano cuja única função esteja apenas relacionada com a fala. As partes do corpo humano que utilizamos na produção da fala têm como função primária outras atividades diferentes da fala como, por exemplo, mastigar, engolir, respirar ou cheirar. Entretanto, para produzirmos qualquer som de qualquer língua fazemos uso de uma parte específica do corpo humano que denominaremos de aparelho fonador." (Texto extraído da parte de fonética)

....

....

....

....

....

....

....

....

....

....

....

....

....

....

....

....

....

....

2. Compare a sua transcrição à de um colega e liste pelo menos três aspectos em que vocês apresentam registros diferentes. Dê exemplos e tente justificar a natureza dos diferentes registros. Tome o exemplo dado como referência. Entre os aspectos que mais recorrentemente marcam a variação dialetal (ou idioletal) temos a distribuição das vogais quanto ao acento primário (pretônicas e postônicas); manifestação de vogais altas e glides em posição pretônica e postônica; manifestação do R-forte; manifestação do **s** em final de sílaba; nasalidade; vocalização do **l**; manifestação da lateral palatal **lh**; manifestação da nasal palatal **nh**.

116 Fonética – Exercício final

Diferença de registro	Exemplos do texto acima	Justificativa
Palatalização ou não das oclusivas t/d	u[ti]lizamos ou u[tʃi]lizamos ar[ti]culação ou ar[tʃi]culação verda[dɪ] ou verda[dʒɪ] a[ti]vida[dɪ] ou a[tʃi]vida[dʒɪ] [di]feren[tɪ] ou [dʒi]feren[tʃɪ] mas[sti]gar ou mas[ʃtʃi]gar	A palatalização ocorre quando t/d são seguidos das vogais orais [i] e [ɪ] (cf. "atividade"). Pode também ocorrer quando a vogal [ĩ] segue t/d ("tinta, dinda").

Na parte que se segue tratamos dos princípios básicos da análise fonêmica – o modelo estruturalista da fonologia. Pretendemos que o instrumental da fonêmica forneça ao leitor uma compreensão ampla da organização da cadeia sonora do português brasileiro.

Fonêmica

1. Introdução

A organização da cadeia sonora da fala é orientada por certos princípios. Tais princípios agrupam segmentos consonantais e vocálicos em cadeia e determinam a organização das sequências sonoras possíveis de uma determinada língua. Falantes possuem intuição quanto às sequências sonoras permitidas e excluídas em sua língua. Consideremos um exemplo concreto do português. Mesmo sem sabermos o significado de uma palavra como *"sali"* sabemos que a cadeia de segmentos é possível de ocorrer em uma palavra do português. Portanto, falantes do português interpretam *"sali"* como sendo uma palavra possível do português. Por convenções ortográficas inferimos que tal palavra é **oxítona** e a pronunciamos [sa'li]. Entretanto, uma palavra como *"spali"* não tem a mesma interpretação – uma vez que falantes sabem que a sequência *"sp"* não ocorre em início de palavra em português. Certamente a palavra *"spali"* é interpretada como uma palavra estrangeira para falantes do português. Claro que se lançarmos um sabonete no mercado com o nome de *"spali"* os falantes do português serão capazes de pronunciar este nome: *"spali"*. Contudo, os falantes farão as devidas alterações na sequência sonora para que esta palavra adeque-se aos princípios de organização da cadeia sonora do português. Assim, um "i" será inserido antes do "s" inicial porque a língua portuguesa não permite "s" seguido de outra consoante em início de palavra. As pronúncias possíveis para *"spali"* são [ispa'li] ou [is'pali] dependendo da interpretação que o falante dê ao acento tônico.

Portanto, os segmentos consonantais e vocálicos organizam-se em estruturas silábicas formando palavras possíveis em uma determinada língua. Línguas variam quanto aos seus inventários fonéticos (ou seja, quanto aos sons que ocorrem naquela língua) e quanto à organização da estrutura silábica (ou seja, sequências sonoras possíveis em uma língua podem ser excluídas em outra).

Outro aspecto importante na organização da cadeia sonora da fala é a maneira como segmentos consonantais e vocálicos afetam segmentos adjacentes (que os precedem ou que os seguem). Sendo a fala um contínuo, observamos que um segmento pode ser alterado por um segmento que o precede ou que o segue. A alteração de um segmento a partir de segmentos adjacentes se dá pelo fato de os segmentos em questão compartilharem de certas propriedades fonéticas. Um exemplo do português é a palatalização de consoantes velares – [k, g] – quando estas são seguidas da vogal **i**: "quilo" e "guia". A propriedade de ser anterior da vogal **i** é compartilhada pela consoante precedente [k, g].

118 Fonêmica – A fonêmica

A análise fonêmica a ser apresentada nas próximas páginas tem por objetivo analisar a organização da cadeia sonora da fala do português a partir de pressupostos teóricos de tendência estruturalista. O termo fonologia passa a ser utilizado por modelos pós-estruturalistas que analisam a organização da cadeia sonora da fala – ou **componente fonológico**. Portanto, ambos os termos fonêmica e fonologia referem-se a modelos que tratam do estudo da cadeia sonora da fala. Na parte final deste livro discutimos modelos pós-estruturalistas. O mérito de apresentarmos e discutirmos aqui as bases metodológicas e teóricas da análise fonêmica deve-se ao fato de tal modelo constituir a tentativa inicial de formalização da cadeia sonora da fala cuja terminologia e premissas são presentes (mesmo que de modo subjacente!) em modelos fonológicos subsequentes.

2. A fonêmica

Um dos objetivos centrais da **fonêmica** é fornecer aos seus usuários o instrumental para a conversão da linguagem oral em código escrito. Observe o título do livro *Fonêmica: uma técnica para se reduzir línguas à escrita* (*Phonemics: a Technique to Reduce Languages to Writing*) de Pike (1947). Kenneth Pike é membro do Summer Institute of Linguistics (SIL) cuja base financeira é proveniente da Wycliffe Bible Translators. O SIL é uma organização que treina missionários para atuarem principalmente na África e nas Américas com o objetivo de aprender línguas nativas e convertê-las a um código escrito. O objetivo final de converter a linguagem oral ao código escrito é a tradução da bíblia com propósitos religiosos.

Missionários desta organização atuam no Brasil desde 1959 e hoje possuem uma ampla sede em Brasília (DF). A atuação linguística, educacional, religiosa e política do SIL no Brasil é discutida criticamente em Leite (1981).

Apresentamos a seguir uma explanação teórica do modelo de análise fonêmica. Adotamos os pressupostos metodológicos e teóricos propostos por Pike (1947). Aspectos da análise do português seguem a proposta de Mattoso Câmara (1972). O texto é organizado em seções teóricas seguidas de exercícios. Espera-se que o leitor faça os exercícios antes de dar continuidade à leitura do texto. Ênfase é dada à análise fonêmica do português brasileiro.

Neste modelo assume-se que as estruturas das línguas são uniformes e portanto os procedimentos metodológicos adotados serão adequados à análise de qualquer língua. Aceitam-se portanto algumas premissas que se relacionam às características **universais** das línguas. O material linguístico a ser trabalhado em uma análise fonêmica será aquele corpus transcrito foneticamente entre colchetes: [baˈba] "babá". Após adotarmos os procedimentos de análise a serem apresentados nas próximas páginas, teremos uma representação fonêmica que será transcrita entre barras transversais: /baˈba/ "babá".

Fonêmica – As premissas da fonêmica 119

A relação entre uma representação fonética – entre colchetes – e uma representação fonêmica – entre barras transversais – não será necessariamente idêntica como o exemplo da palavra "babá": [baˈba] e /baˈba/. Podemos ter, por exemplo, a representação fonética [pĩˈtoh] "pintor" que relaciona-se com a representação fonêmica /piNˈtoR/. Observe que no exemplo da palavra "pintor" a representação fonética – [pĩˈtoh] – é diferente da representação fonêmica – /piNˈtoR/. Para que possamos compreender melhor os **níveis de representação** fonética e fonêmica passemos então à apresentação das quatro premissas básicas postuladas pelo modelo.

3. As premissas da fonêmica

Apresentamos nesta seção as quatro premissas básicas da fonêmica. Premissas secundárias – denominadas subpremissas – são discutidas em detalhes em Pike (1947). Fica aqui um convite para a leitura do livro *Phonemics: a Technique to Reduce Languages to Writing* para que o leitor obtenha uma visão detalhada do modelo fonêmico e das consequências desta proposta de análise quando aplicada às línguas naturais.

3.1. Premissa 1

Os sons tendem a ser modificados pelo ambiente em que se encontram.

Interpretando-se a fala como um contínuo, observamos que os sons sofrem alterações dependendo do ambiente em que se encontram. **Ambiente** ou **contexto** é o que precede ou segue um determinado segmento consonantal ou vocálico. Os ambientes ou contextos que mais frequentemente causam alteração na cadeia sonora são:

(1) **Ambientes ou contextos propícios à modificação de segmentos**
   a. *sons vizinhos (precedentes ou seguintes)*
   b. *fronteiras de sílabas, morfemas, palavras e sentenças*
   c. *a posição do som em relação ao acento*

Alguns símbolos são formalmente utilizados para caracterizar os contextos mais frequentes, conforme ilustrado no quadro a seguir. Observe que na caracterização dos contextos listados no quadro o espaço sublinhado (por exemplo entre as vogais em V__V) indica o local em que se encontra o segmento cujo contexto desejamos descrever. Portanto, se desejamos fazer referência ao [r] intervocálico podemos escrever: [r] ocorre V__V (ou seja, [r] ocorre entre vogais).

120 Fonêmica – As premissas da fonêmica

V_____V	representa o contexto intervocálico (entre vogais)
#_____	representa o início de palavra
_____#	representa o final de palavra
_____+ ___	representa um limite de morfema
_____$ ___	representa um limite de sílaba

Consideremos a seguir as modificações que ocorrem com as sibilantes [s, z, ʃ, ʒ] em português quando em posição final de sílaba. Pretendemos investigar de que maneira uma consoante vozeada ou desvozeada interfere na realização fonética da sibilante em posição final de sílaba. Faça o exercício seguinte:

——————————————— **Exercício 1** ———————————————

Transcreva foneticamente os dados abaixo observando o vozeamento das consoantes adjacentes em limite de sílaba.

a. cuspe _____ b. esbarro_____

c. festa _____ d. desdém _____

e. casca_____ f. vesga _____

g. esforço _____ h. desvio _____

Você deve ter observado que os segmentos desvozeados [p, t, k, f] são precedidos de segmentos desvozeados na sílaba precedente (que pode ser uma das sibilantes [s, ʃ]). Por outro lado, os segmentos vozeados [b, d, g, v] são precedidos de segmentos vozeados (que pode ser uma das sibilantes [z, ʒ]).

Os exemplos do exercício 1 ilustram que a propriedade de vozeamento de uma sibiliante fricativa em posição final de sílaba é decorrente da propriedade de vozeamento da consoante que a segue na sílaba seguinte. Em outras palavras, em posição final de sílaba as sibilantes são desvozeadas – [s] ou [ʃ] – quando seguidas de consoantes desvozeadas e as sibilantes são vozeadas – [z] ou [ʒ] – quando seguidas de consoantes vozeadas.

O processo discutido acima ilustra um caso de **assimilação**. Em casos de assimilação, uma propriedade articulatória própria de um segmento é compartilhada por outro segmento adjacente. No caso das sibilantes, o segmento consonantal que ocorre no início da sílaba e a sibilante que o precede compartilham da mesma propriedade de vozeamento. Dizemos que a sibilante assimila o vozeamento da consoante que a segue.

Fonêmica – As premissas da fonêmica 121

O mesmo processo de assimilação de vozeamento discutido para as sibilantes ocorre também com o som de "r" em posição final de sílaba em alguns dialetos. Verifique o que ocorre em seu idioleto considerando as palavras: "arpa, urbano, porta, gorda, circo, argola, garfo, árvore". Você deve observar que o som de "r" será vozeado quando seguido de consoante vozeada e será desvozeado quando seguido de consoante desvozeada, caracterizando a **assimilação de vozeamento**.

Finalizando a discussão da primeira premissa – que estabelece que os sons tendem a ser modificados pelo ambiente em que se encontram – discutiremos alguns aspectos relacionados à nasalidade no português brasileiro. A **nasalidade** no português brasileiro relaciona-se ao fato de uma vogal ser nasalizada quando seguida de consoante nasal. Há contudo, grande variação quanto à nasalidade no português brasileiro dependendo do dialeto em questão [cf. Vandresen (1975), Shaw (1986), Bisol (1998)]. Em vários dialetos da região Sudeste, uma vogal tônica é obrigatoriamente nasalizada quando seguida de consoante nasal – "c[ã]ma". Contudo, se a vogal seguida de consoante nasal ocorre em posição pretônica a nasalidade é opcional: "c[a]mareira" ou "c[ã]mareira". Já em certos dialetos do estado de São Paulo, nenhuma vogal seguida de consoante nasal é nasalizada: "c[a]ma" e "c[a]mareira". Em vários dialetos do Nordeste do Brasil toda vogal (tônica ou pretônica) seguida de consoante nasal é obrigatoriamente nasalizada: "c[ã]ma" e "c[ã]mareira". Quando a consoante nasal é palatal (ou o glide nasal correspondente) as vogais tônicas e pretônicas são geralmente nasalizadas na grande maioria dos dialetos do português brasileiro: "b[ã]nho" e "b[ã]nheiro". Os dados a serem discutidos a seguir são do português de Belo Horizonte [Cristófaro Silva (1994)].

(2) **Nasalidade**

a. cama	[ˈkãmə]	*[ˈkamə]	d. camareira	[kãmãˈre̞ɪɾə]	~ [kamaˈre̞ɪɾə]
b. sono	[ˈsõnʊ]	*[ˈsɔnʊ]	e. soneira	[sõˈne̞ɪɾə]	~ [soˈne̞ɪɾə]
c. cana	[ˈkãnə]	*[ˈkanə]	f. canavial	[kãnaviˈaw]	~ [kanaviˈaw]

Os dados em (2) mostram que uma vogal tônica deve ser obrigatoriamente nasalizada quando seguida de consoante nasal (cf. 2a-c). Quando a vogal seguida de consoante nasal ocorre em posição pretônica (cf. 2d-f) a nasalidade é opcional. Portanto, os exemplos em (2) mostram que a nasalidade de uma vogal seguida por consoante nasal ocorre obrigatoriamente em posição tônica e, opcionalmente em posição pretônica. Note que não apenas a presença da consoante nasal, mas também a posição da vogal em relação ao acento tônico influencia a modificação da vogal – que passa a ser nasalizada. A nasalidade de vogais seguidas de consoantes nasais ilustrada nos exemplos em (2) reflete um a **assimilação de nasalidade**, em que uma vogal assimila a nasalidade da consoante seguinte dependendo da posição do acento tônico da palavra.

Os processos de alteração segmental discutidos – vozeamento e nasalidade – ocorrem por assimilação ou ajuste fonético. Estes processos refletem a *premissa 1*, a qual estabelece que "os sons tendem a ser modificados pelo ambiente em que se encontram". Passemos então à segunda premissa do modelo fonêmico.

3.2. Premissa 2

Os sistemas sonoros tendem a ser foneticamente simétricos.

Assume-se que os sistemas sonoros *tendem* a ser simétricos. Por **simetria** espera-se que para cada som de uma língua seja encontrado um outro som correspondente. Assim, se encontramos um segmento "oclusivo bilabial desvozeado" [p] esperamos encontrar o seu correspondente vozeado [b]. No caso de vogais devemos, portanto, buscar sons correspondentes que sejam *anterior/posterior* e *arredondado/não arredondado*. Contudo, a simetria não é obrigatória, mas reflete apenas uma tendência das línguas naturais. A fonêmica prevê que uma solução final em relação à simetria de um sistema deve ser obtida a partir de uma análise global da língua, sendo que todos os sons da língua e seus respectivos contextos de ocorrência sejam levados em consideração. Ilustramos a questão da simetria com a discussão dos sistemas vocálicos do português, japonês e **bardi** que são apresentados abaixo.

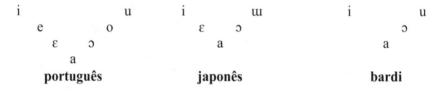

O sistema vocálico do português é bastante simétrico, apresentando sete vogais. Observe que para cada vogal anterior – [i, e, ɛ] – há uma **vogal posterior** correspondente – [u, o, ɔ]. As vogais anteriores são não arredondadas e as vogais posteriores são arredondadas, refletindo a tendência dos sistemas vocálicos das línguas naturais. O sistema vocálico do japonês possui cinco vogais. Para cada vogal anterior – [i, ɛ] – há uma vogal posterior correspondente – [ɯ, ɔ]. Contudo, ambas as vogais altas [i, ɯ] são não arredondadas. Seguindo a tendência das línguas naturais, se esperaria que a vogal alta posterior fosse arredondada: [u] e não [ɯ]. Tal sistema é portanto semissimétrico. Isto porque há uma vogal correspondente para cada vogal em termos de grau de altura: [i, ɯ] e [ɛ, ɔ]. A **assimetria** se dá quanto ao grau de arredondamento dos lábios: espera-se que vogais anteriores sejam não arredondadas e vogais posteriores sejam arredondadas, o que não é o caso em japonês. Finalmente, temos o sistema vocálico do bardi [língua da família Nyulnyulan/ Austrália (fonte de Maddieson (1984)] que é assimétrico apresentando quatro vogais. A assimetria do sistema vocálico do bardi é decorrente da falta de uma vogal média anterior [ɛ] que viesse a ser correspondente à vogal média posterior [ɔ].

A discussão dos três sistemas vocálicos acima tem por objetivo ilustrar a tendência à simetria observada em sistemas fonéticos. Contudo, sistemas assimétricos ocorrem nas línguas naturais – como em bardi por exemplo. Os sistemas vocálicos e consonantais do português são ambos bastante simétricos. Passemos então à terceira premissa do modelo fonêmico.

3.3. Premissa 3

Os sons tendem a flutuar.

Para ilustrar a premissa número três discutimos aspectos relacionados à articulação das consoantes oclusivas vozeadas e desvozeadas na língua **krenak** (falada em MG: nação Krenak) e os comparamos ao português. Salientamos que as categorias vozeado/desvozeado são rótulos que abrigam inúmeros graus em termos fonéticos. A discussão que se segue considera o parâmetro de vozeamento/desvozeamento em termos fonêmicos. Esta observação deve ficar mais clara a seguir. Pretendemos demonstrar que em krenak o vozeamento de oclusivas é previsível por contexto. Assim, segmentos oclusivos em krenak podem variar a pronúncia entre vozeados/desvozeados sem causar prejuízo para a compreensão da língua [dados de Cristófaro Silva (1986)]. Já em português, o vozeamento deve ser marcado em categorias distintas: vozeado e desvozeado. Vejamos alguns exemplos para clarear esta discussão.

Em krenak temos os segmentos oclusivos desvozeados [p, t, k] e os segmentos oclusivos vozeados [b, d, g]. Os segmentos oclusivos desvozeados [p, t, k] ocorrem em início de palavra (como em [pɔk] "fechar", [tɔn] "feio" e [krɔt] "mamão"); ocorrem em final de palavra (como em [wəp] "chorar", [kurit] "folha" e [krak] "faca", e ocorrem entre vogais (como em [kuparak] "onça", [Xataran] "arara" e [Xakukan] "coruja"). Os segmentos oclusivos vozeados [b, d, g] ocorrem sempre precedidos de consoante nasal homorgânica (como em [mbɔk] "peixe", [ndəŋ] "torto" e [ŋgrɔt] "grosso"). Observe que o vozeamento de oclusivas em krenak é previsível pelo contexto: os segmentos oclusivos vozeados [b, d, g] ocorrem precedidos de consoante nasal homorgânica e os segmentos oclusivos desvozeados [p, t, k] ocorrem nos demais contextos.

O que é interessante é que falantes de krenak podem variar o grau de vozeamento das oclusivas sem prejuízo para o sistema sonoro da língua. Queremos dizer com isto que independente do grau de vozeamento utilizado na pronúncia de uma oclusiva – se vozeado ou desvozeado – o falante de krenak identifica o segmento como vozeado ou desvozeado em termos fonêmicos, ou seja, em termos do comportamento destes segmentos na estrutura da língua. Para ilustrarmos este fato tomemos como exemplo a pronúncia de uma palavra como [ndəŋ] "torto" que pode variar de uma forma em que a oclusiva seja completamente vozeada – [ndəŋ] – ou o vozeamento da oclusiva pode ser parcial – [nd̥əŋ] – ou o vozeamento pode não ocorrer durante a produção da oclusiva – [ntəŋ]. O mesmo pode ocorrer com uma forma como "feio" [tɔn] em que uma oclusiva desvozeada ocorre no início da palavra. Nesta forma a oclusiva pode alternativamente ocorrer com vozeamento parcial – [d̥ɔn] – ou pode ocorrer completamente vozeada – [dɔn].

Note que flutuação de vozeamento não é fonemicamente relevante em krenak (embora foneticamente os diferentes graus de vozeamento sejam relevantes). Na verdade, o vozeamento de oclusivas em krenak é previsível – vozeadas quando precedidas por consoantes nasais e desvozeadas nos demais contextos. Portanto, independente da

124 Fonêmica – As premissas da fonêmica

produção fonética das oclusivas permitir a flutuação do vozeamento, a interpretação fonêmica é inferível por falantes de krenak.

Veja que em português o vozeamento é fonemicamente relevante. Temos [t] em "tato" e [d] em "dado", que não podem ser confundidos em termos de vozeamento. O segmento [t] é desvozeado e o segmento [d] é vozeado. Isto implica que o vozeamento é distintivo em português (cf. "tato" e "dado"). Já na língua krenak, o vozeamento é previsível por contexto, portanto não tem caráter distintivo. Uma vez que a distinção de vozeamento é fonemicamente relevante em português, os falantes têm facilidade em agrupar segmentos vozeados e desvozeados em línguas em que o vozeamento não é distintivo, como em krenak. Em outras palavras, falantes do português são capazes de identificar os segmentos oclusivos vozeados e desvozeados em uma palavra do krenak como "feio" [tɔn] ~ [dɔn] (pode haver dificuldade na interpretação de segmentos parcialmente vozeados em krenak como na pronúncia – [d̥ɔn]).

Enquanto na articulação de consoantes oclusivas, falantes de krenak variam o grau de vozeamento de um modo mais vozeado até a ausência de vozeamento, os falantes do português separam as oclusivas vozeadas e desvozeadas em grupos distintos em palavras do krenak. Por outro lado, falantes de krenak interpretam palavras do português como "tato" e "dado" como sendo homófonas.

Uma consequência da terceira premissa é que, em português, devemos empregar símbolos distintos no sistema escrito para caracterizarmos [t, d] que ocorrem foneticamente. Isto porque o vozeamento é fonemicamente relevante em português (cf. "tato" e "dado"). Por outro lado, em krenak será adequado apenas o emprego de um símbolo no sistema escrito para caracterizarmos os segmentos que foneticamente ocorrem como [t, d] (e suas variantes semivozeadas), uma vez que o vozeamento não é fonemicamente relevante em krenak ([tɔn] ~ [d̥ɔn] ~ [dɔn] "feio"). Passemos então à discussão da última premissa do modelo fonêmico a ser considerada aqui.

3.4. Premissa 4

Sequências características de sons exercem pressão estrutural na interpretação fonêmica de segmentos suspeitos ou sequências de segmentos suspeitos.

A noção de segmentos suspeitos ou sequências de segmentos suspeitos decorre das possíveis interpretações silábicas que podem ser dadas a um segmento ou a uma sequência de segmentos. Entende-se por interpretação silábica a análise de um segmento como consonantal ou vocálico em relação à estrutura silábica ou **estrutura fonotática da língua**. Pike (1947) ilustra o aspecto prático desta premissa com o exemplo abaixo (língua hipotética):

(3) a. [ma] "gato"   d. [sa] "folha"
     b. [bo] "correr"   e. [ia] "lua"
     c. [su] "céu"   f. [tsa] "dez"

Fonêmica – As premissas da fonêmica 125

A primeira questão que se coloca aos dados apresentados é quanto à interpretação fonêmica da forma (4e): [ia] "lua". O segmento inicial [i] deve ser interpretado como vogal ou consoante? Foneticamente não há dúvidas de que o segmento [i] é uma vogal, uma vez que este é um segmento produzido sem obstrução na parte central do trato vocal (cf. "Fonética"). A questão que se coloca aqui é quanto ao comportamento fonêmico deste segmento em relação ao sistema sonoro da língua. O segmento [i] pode ser fonemicamente interpretado como vogal ou consoante. Tendo mais de uma interpretação possível, o segmento [i] passa então a ser um **segmento suspeito**. Vogal ou consoante? Sua interpretação na língua é dada pelo comportamento do sistema sonoro como um todo. Mais especificamente a interpretação fonêmica do segmento [i] faz-se a partir da análise da estrutura silábica da língua hipotética cujos dados são apresentados na premissa 4. Em tal língua não se observa a ocorrência de segmentos vocálicos em início de sílaba. Todas as sílabas são constituídas de sequências de consoante-vogal (chamadas línguas CV). Portanto, para a língua hipotética ilustrada nesta última premissa a interpretação fonêmica do segmento [i] deve ser assumida como uma consoante (e não como vogal pois esta língua não permite vogal sem uma consoante que a preceda). Temos então que a forma fonética [ia] "lua" é transcrita fonemicamente como /ya/. O símbolo /y/ indica que o segmento [i] é fonemicamente interpretado como uma consoante. Note que a interpretação de [i] como consoante (e não como vogal) segue o padrão silábico recorrente na língua (que é a sílaba CV).

Uma outra questão abordada em relação aos dados ilustrados nesta premissa refere-se à interpretação de sequências suspeitas de segmentos: como interpretar a sequência consonantal [ts] no exemplo [tsa] "dez" ilustrado em (4f)? Na verdade, temos uma sequência de dois segmentos (t e s) ou os dois segmentos devem ser analisados como uma unidade (tˢ)? Novamente aqui, após uma análise detalhada da língua como um todo, temos indícios de que a sequência de segmentos t e s deve ser interpretada como uma unidade que será transcrita fonemicamente como um segmento africado alveolar /tˢ/ o qual conta como uma unidade consonantal. Esta proposta interpretativa pauta-se no fato de que a língua não apresenta **encontros consonantais**, ou seja, todas as sílabas nesta língua são formadas por sequências de consoante-vogal. Assumindo a unidade segmental /tˢ/ temos fonemicamente uma sílaba CV na palavra [tsa] —> /tˢa/ "dez". Note que a sílaba CV segue o padrão recorrente da língua.

As premissas listadas oferecem parte do instrumental necessário para prosseguirmos à análise fonêmica. Nas próximas páginas discutimos alguns conceitos básicos adotados pela teoria fonêmica para que possamos partir, então, para a análise do português.

126 Fonêmica – Fonemas e alofones

4. Fonemas e alofones

Um dos objetivos de uma análise fonêmica é definir quais são os sons de uma língua que têm valor distintivo (servem para distinguir palavras). Sons que estejam em oposição – por exemplo [f] e [v] em "faca" e "vaca" – são caracterizados como unidades fonêmicas distintas e são denominados **fonemas** [cf. Jones (1931), Twaddell (1935) e Schane (1971) para uma discussão teórica deste termo].

O procedimento habitual de identificação de fonemas é buscar duas palavras com significados diferentes cuja cadeia sonora seja idêntica. As duas palavras constituem um **par mínimo**. Assim, em português, definimos /f/ e /v/ como fonemas distintos (observe o uso de barras transversais para transcrevermos fonemas) uma vez que o par mínimo "faca" e "vaca" demonstra a oposição fonêmica. Dizemos que o par mínimo "faca/vaca" caracteriza os fonemas /f,v/ por **contraste em ambiente idêntico** (CAI). Um par de palavras é suficiente para caracterizar dois fonemas.

Quando pares mínimos não são encontrados para um grupo de sons em uma determinada língua, podemos caracterizar os dois segmentos em questão como fonemas distintos pelo **contraste em ambiente análogo** (CAA). Assim, duas palavras que ocorram em ambientes similares podem caracterizar o contraste em ambiente análogo, desde que as diferenças entre os sons não seja atribuída aos sons vizinhos (devido a processos de assimilação, por exemplo). Ilustramos o contraste em ambiente análogo com os sons [s] e [z] em português. Sabemos que em posição intervocálica os segmentos [s] e [z] são fonemas distintos, pois temos pares mínimos que demonstram o contraste em ambiente idêntico entre estes dois sons: "assa/asa".

Consideremos, contudo, o contraste entre [s] e [z] em início de palavra. Suponha que não encontremos um par mínimo que demonstre o contraste em ambiente idêntico entre [s] e [z] em início de palavra. Para prosseguirmos à análise fonêmica, podemos buscar um par de palavras bastante semelhante que caracterize a oposição fonêmica em início de palavra entre [s] e [z] por contraste em ambiente análogo. Um par de palavras que demonstre o contraste fonêmico em *ambiente análogo* apresenta diferença segmental em relação a mais de um segmento (lembre-se que em contraste em *ambiente idêntico* há diferença apenas em um segmento em cada palavra do par mínimo). Um exemplo para demonstrar o contraste fonêmico em ambiente análogo entre [s] e [z] em posição inicial é o par de palavras "sumir/zunir". Note que em "sumir/ zunir" além da diferença segmental de [s] e [z] temos a diferença entre [m] e [n] precedendo a vogal tônica. Não há razão para supormos que as consoantes nasais [m] e [n] possam influenciar a ocorrência de [s] e [z] (por assimilação, por exemplo). Portanto, o par de palavras "sumir/ zunir" demonstra o contraste em ambiente análogo entre [s] e [z] em posição inicial. Outros exemplos seriam "sapato/Zapata; "sambar/zombar". Eventualmente encontraríamos o par de palavras "cinco/zinco" que demonstra o contraste em ambiente idêntico entre [s] e [z] em posição inicial. Portanto, os indícios do status de fonema dos segmentos [s] e [z] foram apontados pelo contraste em ambiente análogo – "sumir/zunir" – e confirmados por um par mínimo – "cinco/zinco" – que demonstra o contraste em ambiente idêntico.

Note que no caso discutido para [s] e [z] encontramos um par mínimo para demonstrar o contraste em ambiente idêntico ("cinco/zinco"), embora tenhamos feito preliminarmente o uso do contraste em ambiente análogo em nossa análise ("sumir/zunir"). Trabalhar com uma língua que você conhece bem certamente contribui para que os dados necessários para a análise sejam encontrados e quase que certamente pares mínimos são identificados para todos os fonemas da língua. Contudo, o procedimento metodológico de se fazer uso de contraste em ambiente análogo para a caracterização de dois sons como fonemas faz-se útil em análises preliminares de línguas totalmente desconhecidas. Na análise do português a ser discutida nas próximas páginas não se fez necessário utilizar o procedimento de contraste em ambiente análogo.

Do ponto de vista de representação temos aqui dois níveis: o fonético e o fonêmico. No plano fonético temos **fones** que transcrevemos entre colchetes, por exemplo [a]. São fones todos aqueles segmentos consonantais e vocálicos identificados na transcrição fonética do corpus. Em outras palavras, fones são os segmentos encontrados no quadro fonético. No plano fonêmico temos **fonemas** que transcrevemos entre barras transversais, por exemplo /a/. A determinação de fonemas se dá a partir da identificação de pares mínimos para um grupo de dois segmentos. Uma questão que se faz pertinente é se devemos buscar pares mínimos entre todos os segmentos da língua. Certamente quanto mais conhecemos uma língua, mais disporemos de dados para identificar pares mínimos para quaisquer segmentos desta língua. Entretanto, há grandes chances de que segmentos como l e k sejam fonemas distintos em qualquer língua. Assim, mesmo que não tenhamos encontrado ainda pares mínimos para eles, podemos postular que l e k são fonemas distintos. Isto se dá porque l e k não têm nenhuma similaridade fonética a não ser o fato de serem ambas consoantes. O segmento l é uma consoante líquida, alveolar e vozeada e k é uma consoante oclusiva, velar e desvozeada. A falta de similaridade fonética nos leva a previamente interpretar l e k como fonemas distintos.

Em alguns casos não encontramos pares mínimos e a falta de similaridade fonética nos leva a postular dois segmentos como fonemas distintos. Um bom exemplo para ilustrar este ponto é a distribuição dos segmentos [h] e [ŋ], em inglês. Enquanto o segmento [h] ocorre em início de sílaba – "house (casa), hat (chapéu), home (lar)" – o segmento [ŋ] ocorre em final de sílaba – "king (rei), tongue (língua), uncle (tio)" (caso você não saiba a pronúncia destas palavras, procure um falante de inglês e teste as suas habilidades de transcrição fonética e verifique a ocorrência de [h] e [ŋ]). Note que os segmentos [h] e [ŋ] ocorrem em ambientes exclusivos, ou seja, onde um ocorre o outro não ocorre. Portanto faz-se impossível encontrar um par mínimo que caracterize o contraste fonêmico entre [h] e [ŋ]. Contudo, devemos caracterizar [h] e [ŋ] como fonemas distintos em inglês devido à falta de semelhança fonética entre estes segmentos. Esta particularidade – de caracterizar dois segmentos sem semelhança fonética como fonemas apesar da ausência de pares mínimos – não se aplica ao português.

128 Fonêmica – Fonemas e alofones

Lembremos que no estágio inicial de descrição de uma língua, o objetivo central é identificar como se organiza a cadeia sonora da fala. Assim sendo, basta que encontremos pares mínimos para **sons foneticamente semelhantes** (SFS). Sons foneticamente semelhantes são aqueles que compartilham de uma ou mais propriedades fonéticas. Um par de sons foneticamente semelhantes constitui um **par suspeito**. Um par suspeito corresponde a um par de sons para os quais devemos buscar um exemplo de par mínimo para atestarmos o status de fonema dos segmentos em questão. Assim, procuramos pares mínimos apenas para os pares suspeitos (de sons foneticamente semelhante) da língua que está sendo analisada. Os casos mais frequentes de similaridade fonética são listados abaixo.

(4) **Sons foneticamente semelhantes**
  a. *um som vozeado e seu correspondente desvozeado.*
  b. *uma oclusiva e as fricativas e africadas com ponto de articulação idêntico ou muito próximo.*
  c. *as fricativas com ponto de articulação muito próximo.*
  d. *as nasais entre si.*
  e. *as laterais entre si.*
  f. *as vibrantes entre si.*
  g. *as laterais, vibrantes e o tepe.*
  h. *sons com propriedades articulatórias muito próximas.*
  i. *as vogais que se distinguem por apenas uma propriedade articulatória. Assim, [e, ɛ] constituem um par suspeito porque estas vogais diferem apenas quanto a uma propriedade articulatória (referente à altura). Por outro lado, [i, u] não representam pares suspeitos uma vez que estes segmentos diferem quanto à anteriorização/posteriorização e arredondamento/não arredondamento.*

No item (4) listamos os casos mais frequentes de similaridade fonética. A partir desta informação, faça o exercício que se segue.

═══════════════ **Exercício 2** ═══════════════

Você deverá marcar **sim** se o par de sons constituir um par suspeito de sons foneticamente semelhantes (SFS). Marque **não** se o par *não* constitui um par de SFS. Justifique sua resposta. Siga os exemplos.

a. k – g   Sim, temos um som desvozeado e seu correspondente vozeado

b. a – ɛ   Não, distinguem-se por mais de uma propriedade: central/anterior e
       média-baixa/baixa (cf. 5i)

c. l – ɾ   _____

d. t – l   _____

e. u – i   _____

f. tʃ – dʒ _____

g. m – n   _____

h. o – u
i. p – b
j. s – z
k. ɲ – n
l. ʃ – v

Vimos então que na busca de identificarmos os fonemas de uma língua listamos os pares suspeitos (sons foneticamente semelhantes) de segmentos consonantais e vocálicos. Passamos então a buscar um par de palavras que venha a constituir um par mínimo para determinarmos os fonemas em questão. É evidente que a busca de um par mínimo pode ser infrutífera. Assim, quando não encontramos pares mínimos (ou análogos) para dois segmentos suspeitos, concluímos que os segmentos em questão **não** são fonemas (note que aqui estamos considerando "sons foneticamente semelhantes". Isto exclui pares de segmentos sem similaridade fonética como [h] e [ŋ] em inglês). Se não conseguirmos caracterizar dois segmentos suspeitos como fonemas distintos devemos buscar evidência para caracterizá-los como **alofones** de um mesmo fonema. Alofones (ou variantes) de um fonema são identificados por meio do método de **distribuição complementar**. Quando dois segmentos estão em distribuição complementar, eles ocorrem em ambientes exclusivos. Em outras palavras, onde uma das variantes ou alofone ocorre, a outra variante não ocorrerá. Esta distribuição deve ser válida para todas as palavras da língua em questão (veremos oportunamente que exceções caracterizarão palavras estrangeiras ou empréstimos). O procedimento de identificação de alofones a partir do método de distribuição complementar é ilustrado abaixo considerando-se a distribuição dos segmentos [tʃ] e [t] no português de Belo Horizonte (pronúncia que geralmente ocorre em áreas da região Sudeste).

(5) **Considere os dados:**

a. tatu [taˈtu]   e. tipo [ˈtʃipʊ]   i. pátio [ˈpatʃɪʊ]
b. tudo [ˈtudʊ]   f. cantiga [kãˈtʃigə] j. teto [ˈtɛtʊ]
c. tinge [ˈtʃĩʒɪ]   g. tingido [tʃĩˈʒidʊ] k. ética [ˈɛtʃikə]
d. trevo [ˈtrevʊ]   h. Kátia [ˈkatʃɪə]   l. atlas [ˈatləs]

Observe que os segmentos [t] e [tʃ] correspondem respectivamente a uma oclusiva e uma africada com pontos de articulação próximos. De acordo com os principais grupos de sons foneticamente semelhantes (SFS) listados em (4), uma oclusiva e uma africada com pontos de articulação próximos constituem um par suspeito. Para um par suspeito de sons devemos encontrar um par mínimo (ou análogo) que caracterize os segmentos em questão como fonemas distintos. Se não encontramos um par mínimo (ou análogo) devemos constatar a distribuição complementar identificando então a distribuição dos alofones. Uma análise preliminar dos dados acima nos mostra que [t] ocorre seguido de [a, u, ʊ, ɾ, ɛ, l] e que [tʃ] ocorre seguido de [i, ĩ, ɪ]. Podemos então

130 Fonêmica – Fonemas e alofones

formular uma hipótese de investigação. Tal hipótese tem por objetivo definir os ambientes em que [t] e [tʃ] ocorrem.

(6) **Hipótese**: O segmento [tʃ] ocorre seguido de [i] e suas variantes [ĩ,ɪ] e o segmento [t] ocorre nos demais ambientes (NDA).

Para verificarmos a veracidade da hipótese proposta devemos ampliar nossos dados e **nos demais ambientes** (NDA) devem estar presentes as outras vogais do português (além de [i] e suas variantes). Devemos considerar também as consoantes [ɾ, l] como possíveis segmentos a seguirem [t] em **encontros consonantais tautossilábicos** (ou seja, grupos de consoantes que ocorrem na mesma sílaba, cf. "**tr**ote").

──────────── **Exercício 3** ────────────

Transcreva foneticamente os dados. Caso o seu dialeto não apresente a variante [tʃ], procure um falante que a apresente em sua fala e faça a transcrição dos dados de acordo com a pronúncia deste falante. Alternativamente você pode inferir como se dá a pronúncia das palavras abaixo em dialetos que apresentam o segmento [tʃ].

a. trote ___[ˈtɾɔtʃɪ]___   e. careta_____   i. pista_____
b. tupã _____   f. tio _____   j. útil_____
c. tinta _____   g. intriga _____   k. toca _____
d. tango _____   h. antigo _____   l. tribo_____

Levando em consideração os dados do exercício 3 preencha o quadro abaixo distribuindo os dados de acordo com a ocorrência de cada segmento naqueles ambientes definidos pela hipótese. Por exemplo, para uma forma como [ˈtɾɔtʃɪ] "trote" marcamos um tracinho no quadro superior à esquerda porque [tʃ] ocorre seguido de [ɪ] e marcamos um tracinho no quadro inferior à direita porque [t] ocorre seguido de [ɾ] (que está incluído NDA). O quadro a seguir deve apresentar quatorze ocorrências de [tʃ] e [t] oriundas dos dados do exercício 3. Você deverá distribuir doze tracinhos no quadro abaixo (dois tracinhos já foram marcados para a palavra "trote").

(7) **Distribuição de [tʃ] e [t]**

Ambiente Segmento	[tʃ]	[t]
seguido de [i] (e suas variantes [ĩ, ɪ])	|	
Nos demais ambientes		|

Fonêmica – Fonemas e alofones 131

Se você procedeu corretamente deverá ter encontrado cinco tracinhos preenchendo o quadro superior à esquerda e nove tracinhos preenchendo o quadro inferior à direita. O quadro superior à direita e o quadro inferior à esquerda devem ter ficado vazios. Este resultado demonstra que no ambiente em que um determinado segmento ocorre o outro não ocorre, caracterizando portanto a **distribuição complementar** dos segmentos [t] e [tʃ].

A tabela ilustrada em (7) mostra que [t] e [tʃ] complementam-se em relação aos ambientes em que ocorrem. Do ponto de vista da análise fonêmica, dizemos que [t] e [tʃ] são **alofones** de um mesmo fonema. A ocorrência de um alofone é previsível pelo contexto ou ambiente determinado pela análise de distribuição complementar: [tʃ] ocorre diante de [i] e suas variantes e [t] ocorre nos demais ambientes.

Alguém poderia questionar nossa análise – que assume que [t] e [tʃ] são alofones – ao apresentar pares mínimos como "tal-tchau" ou "tê(letra)-tchê(sulista)". Em princípio, estes pares mínimos demonstram o status de fonemas distintos de [t] e [tʃ]. Contudo, o fato de pares mínimos como "tal-tchau" ou "tê(letra)-tchê(sulista)" ocorrerem em português, não invalida a análise de distribuição complementar. Isto ocorre porque em todos os dados de pares mínimos para [t] e [tʃ], as palavras que ilustram o exemplo com o [tʃ] devem ter foneticamente um [tʃ] em todo e qualquer dialeto do português ("tchau, tchê", por exemplo). As palavras que apresentam [tʃ] em qualquer dialeto do português – tchau, tchê, Tcheco-Eslováquia, tcheco, tchurma – constituem um grupo restrito e são justificáveis como empréstimos. Os casos de distribuição complementar discutidos acima – em que [tʃ] ocorre seguido de [i] e variantes – marca variação dialetal. Há dialetos em que [tʃ] ocorre (cf. "[tʃ]ia") e há dialetos em que [t] ocorre (cf. "[t]ia"). Temos também o dialeto de alguns falantes de Cuiabá (MT) em que [tʃ] ocorre diante de qualquer vogal – chapa, cheque, cheiro, china, chove, choro, chuva – (o [tʃ] corresponde ao **ch** ortográfico). Neste caso, [tʃ] deve ser analisado ao estar em oposição fonêmica a outros sons foneticamente semelhantes como [t] e [s]. As palavras "tapa, sapa, chapa" ilustram pares mínimos que demonstram o status de fonema de /t, s, tʃ/ para estes falantes de Cuiabá.

Concluímos então que a análise de distribuição complementar proposta – que define [t] e [tʃ] como alofones – é adequada. O próximo passo é definir um fonema que represente os alofones envolvidos na distribuição complementar dos segmentos [t] e [tʃ]. Tanto [t] quanto [tʃ] são considerados alofones e devemos selecionar um destes segmentos para representar o fonema. Optamos por representar os alofones [t] e [tʃ] pelo fonema /t/ na distribuição complementar discutida acima. A escolha do fonema geralmente se dá por aquele alofone que tenha uma ocorrência mais abrangente ou mais geral em termos de distribuição. O outro alofone – geralmente com ocorrência mais restrita ou específica – representará um dos alofones daquele fonema. Escolhemos /t/ para representar o fonema dos alofones [t] e [tʃ] porque o alofone [t] ocorre de maneira mais abrangente [NDA, cf. (7)]. O alofone [tʃ] tem ocorrência específica: diante de [i] e variantes. O alofone selecionado como fonema bem como os demais alofones devem figurar na listagem dos alofones. Em (8) temos a organização da distribuição complementar de [t] e [tʃ] feita por arranjo.

132 Fonêmica – Fonemas e alofones

(8) /t/ ocorre como [tʃ] diante de [i] e suas variantes
ocorre como [t] NDA

Lê-se: O fonema /t/ ocorre como o alofone [tʃ] diante de [i] e suas variantes, e o fonema /t/ ocorre como o alofone [t] nos demais ambientes.

Note que o fonema é transcrito entre barras transversais e os alofones são transcritos entre colchetes caracterizando **diferentes níveis de representação** – fonética (entre colchetes) e fonêmica (entre barras transversais). Do ponto de vista prático, podemos também adotar um formalismo que explicite os mesmos fatos mas que interprete a distribuição complementar como um processo. A possibilidade de organizar a distribuição complementar por processo é ilustrada abaixo:

(9) /t/ → [tʃ] /— [i] (e variantes)

O processo acima explicita que o fonema /t/ manifesta-se foneticamente como [tʃ] quando seguido pelo segmento [i] (e suas variantes). Note aqui também que o fonema é transcrito entre barras transversais e o alofone é transcrito entre colchetes. Uma barra transversal marca que a especificação que se segue é o ambiente em que o processo ocorre. Utilizamos um traço para identificar o local onde o fonema a ser alterado se encontra. No exemplo apresentado em (9) o ambiente em que o processo ocorre é /— [i] (o fonema /t/ seguido por [i] e suas variantes). Se tivéssemos por exemplo um ambiente como / [i] —, então diríamos que o ambiente em que o processo ocorre é quando [i] precede o fonema /t/. Uma vez definido o fonema e seus alofones, vale ressaltar que na **transcrição fonêmica** apenas os fonemas são presentes. Os alofones são representados por seus respectivos fonemas na representação fonêmica. Assim, uma palavra como "trote" será transcrita foneticamente (entre colchetes) como [ˈtrɔtʃɪ] e será transcrita fonemicamente (entre barras transversais) como /ˈtrote/. Note que na transcrição fonêmica apenas os fonemas são utilizados. Você deve observar que algumas palavras terão a representação fonética e fonêmica idêntica: [aˈtɛ] e /aˈtɛ/ "até". Outras palavras apresentam a representação fonética e fonêmica diferente: [ˈtrɔtʃɪ] e /ˈtrote/ "trote". Observe que a vogal final de "trote" ocorre como [ɪ] na transcrição fonética e como /e/ na transcrição fonêmica. A discussão do status fonêmico dos segmentos vocálicos será apresentada posteriormente.

Relembremos aqui a dicotomia "*língua/fala*" proposta por Saussure (1916) (cf. introdução). A língua constitui um sistema linguístico compartilhado por todos os falantes da língua em questão. A *fala* expressa as idiossincrasias particulares de cada falante. Em termos fonético/fonêmico podemos dizer que **fonêmica-língua** e **fonética-fala** são termos relacionados. A fonêmica relaciona-se à *língua* (em termos de sistema linguístico) por definir um sistema sonoro compartilhado em princípio por todos os falantes. A fonética relaciona-se à *fala* e expressa as particularidades da fala de cada indivíduo. A relação entre a fonêmica (*língua*) e a fonética (*fala*) permite que associemos uma representação fonêmica como /ˈtipo/ a qualquer uma das representações fonéticas: [ˈtipo],

Fonêmica – Fonemas e alofones 133

[ˈtʃipo], [ˈtipʊ], [ˈtʲipʊ], etc. Todos os falantes compartilham a representação fonêmica /ˈtipo/, embora possam apresentar qualquer uma das representações fonéticas: [ˈtipo], [ˈtʲipo], [ˈtʃipo], [ˈtipʊ], [ˈtʲipʊ], [ˈtʃipʊ], etc. As **alofonias** consonantais e vocálicas explicam as pronúncias de cada idioleto. Faça o exercício observando cuidadosamente a ocorrência dos alofones [t, tʃ] nas transcrições fonéticas e a ocorrência somente do fonema /t/ nas transcrições fonêmicas.

═══════════════════ **Exercício 4** ═══════════════════

Faça a transcrição fonética dos dados. Observe o uso de colchetes para a transcrição fonética e o uso de barras transversais para a transcrição fonêmica. Compare cada uma das transcrições fonéticas à transcrição fonêmica correspondente.

Ortografia	Fonética	Fonêmica
troca	[ˈtrɔkə]	/ˈtrɔka/
tipo	_____	/ˈtipo/
frita	_____	/ˈfrita/
tigela	_____	/tiˈʒɛla/
pote	_____	/ˈpɔte/
pata	_____	/ˈpata/
ateu	_____	/aˈteu/
tigre	_____	/ˈtigɾe/
luta	_____	/ˈluta/
pátio	_____	/ˈpatio/

Você deve observar que na coluna da esquerda – das transcrições fonéticas – ocorrem os alofones [t] e [tʃ] (entre outros segmentos). Já na coluna da direita – de transcrições fonêmicas – ocorre apenas o fonema /t/ representando os alofones [t] e [tʃ]. A alofonia discutida acima – de [t, tʃ] – caracteriza uma alofonia posicional. A ocorrência dos alofones depende da posição, ou seja, ambiente ou contexto em que estes ocorrem. Alofones cuja ocorrência depende do contexto são denominados alofones ou **variantes posicionais**. Em termos da análise fonêmica, dizemos que "os alofones [t] e [tʃ] são variantes posicionais do fonema /t/". Um outro tipo de alofonia tratada neste modelo não depende do contexto e os alofones são chamados de **variantes livres**. Dois segmentos em **variação livre** ocorrem no mesmo ambiente sem prejuízo de significado. Ou seja, temos duas pronúncias possíveis. Um exemplo de variação livre em português é a alternância de vogal oral e nasal em posição pretônica em palavras não derivadas: [kaˈmadə] ~ [kãˈmadə] "camada". Teorias pós-fonêmicas que analisam a variação e mudança linguística demonstram que a "variação livre" na verdade é condicionada por fatores extralinguísticos como localização geográfica, grau de escolaridade, classe social, sexo, idade, entre outros. A disciplina que investiga o papel de tais fatores é a **sociolinguística**. O exemplo de variação livre ilustrado acima – [kaˈmadə] ~ [kãˈmadə] "camada" – envolve a nasalidade em

134 Fonêmica – Fonemas e alofones

português que requer um tratamento bem mais complexo. Contudo, com propósito ilustrativo tal exemplo é pertinente. Vejamos então como tratar a alofonia de variação livre no modelo fonêmico. Os dados seguintes mostram a variação livre entre oclusivas alveolares – [t] – e oclusivas dentais – [t̪].

(10) **Variação livre das oclusivas [t] e [t̪]**
   a. tapa   [ˈtapə]   ~   [ˈt̪ a p ə]
   b. batata   [baˈtatə]   ~   [b a ˈt̪ a t̪ə]
   c. terra   [ˈtɛhə]   ~   [ˈt̪ ɛ h ə]
   d. toca   [ˈtɔkə]   ~   [ˈt̪ ɔ k ə]

Os dados acima mostram que uma oclusiva alveolar [t] ocorre em variação livre com a oclusiva dental [t̪]. Isto quer dizer que se pronunciarmos [t] ou [t̪] não alteramos o significado da palavra. Dizemos que "os alofones [t] e [t̪] do fonema /t/ encontram-se em variação livre". Uma análise cuidadosa do corpus do português deveria investigar se todos os segmentos alveolares e dentais em português – "t, d, s, z, n, r, l" – ocorrem em variação livre.

Apresentamos abaixo o formalismo fonêmico de arranjo que caracteriza a alofonia do fonema /t/ em português. Alofones posicionais devem ser seguidos da especificação do contexto em que ocorrem. Alofones em variação livre bastam apenas ter a indicação de seu status. Consideramos abaixo os alofones [t, t̪, tʃ].

(11) **Alofonia de /t/**
   /t/ – ocorre como [tʃ] diante de [i] e suas variantes
        – ocorre como [t] ou [t̪] nos demais ambientes em variação livre

———————————— **Exercício 5** ————————————

Tente formalizar a distribuição acima em termos de processo e discuta com um colega as diferenças de cada formalismo: arranjo e processo. Tome como referência a discussão da alofonia de [t] e [tʃ] (cf. 8, 9).

———————————————————————————————————————

Na páginas precedentes discutimos casos de alofonia com variantes posicionais e livres fornecendo assim uma caracterização geral da distribuição complementar no modelo fonêmico.

Ao fazer os exercícios acima você deve ter sedimentado os conceitos apresentados e também praticou o método da distribuição complementar. Relembramos no quadro que se segue os conceitos básicos discutidos nas página anteriores.

Fonêmica – Os procedimentos da análise fonêmica 135

Conceitos básicos da fonêmica

a. **Fone** – unidade sonora atestada na produção da fala, precedendo qualquer análise. Os fones são os segmentos vocálicos e consonantais encontrados na transcrição fonética.

b. **Fonema** – unidade sonora que se distingue funcionalmente das outras unidades da língua. Método de identificação de um fonema: **par mínimo** (ou análogo).

c. **Alofone** – unidade que se relaciona à manifestação fonética de um fonema. Alofones de um mesmo fonema ocorrem em contextos exclusivos. Método de identificação: **distribuição complementar**.

d. **Variantes posicionais** – são alofones que dependem do contexto e **variantes livres** são alofones que não dependem do contexto.

e. **Par suspeito** – representa um grupo de dois sons que apresentam características fonéticas semelhantes (SFS) e devem ser caracterizados ou como fonemas ou como alofones.

---

5. Os procedimentos da análise fonêmica

Os conceitos e procedimentos metodológicos discutidos nas páginas anteriores oferecem o instrumental necessário para procedermos à análise fonêmica do português. Apresentamos a seguir os procedimentos fonêmicos definidos pelo modelo de análise fonêmica proposto por Pike (1947). Tais procedimentos visam a caracterizar o inventário de fonemas da língua e seus respectivos alofones.

Procedimentos da análise fonêmica

P1: Coletar o corpus.

P2: Colocar todos os segmentos encontrados no corpus na tabela fonética.

P3: Identificar os sons foneticamente semelhantes (SFS).

P4: Identificar fonemas e alofones caracterizando a distribuição complementar ou listando os pares mínimos relevantes.

P5: Colocar os segmentos na tabela fonêmica.

A partir de um **quadro fonético** – que foi preenchido a partir dos segmentos consonantais e vocálicos encontrados no corpus – pretende-se chegar a um **quadro fonêmico**. No quadro fonêmico, apenas os fonemas estão presentes. Abaixo do quadro fonêmico relaciona-se os alofones da língua em questão e suas respectivas distribuições.

Consideremos cada um dos procedimentos apresentados acima. Assumimos que as condições para o procedimento **P1** – de coleta do corpus – é satisfeito uma vez que se tenha acesso aos dados da língua em questão. O procedimento **P2** define que "todos

136 Fonêmica – O sistema consonantal do português

os segmentos encontrados no corpus devem ser colocados na tabela fonética". O procedimento **P3** requer "a identificação dos sons foneticamente semelhantes (SFS)". Deve-se fazer uma lista de pares suspeitos. Pares suspeitos são definidos a partir dos sons foneticamente semelhantes (SFS). Uma análise dos pares suspeitos caracteriza os dois segmentos em questão como **fonemas distintos** ou como **alofones de um mesmo fonema**. Tal procedimento é requisitado pelo procedimento **P4** que solicita "a identificação dos fonemas e alofones caracterizando a distribuição complementar ou listando os pares mínimos relevantes". À medida que se identifica os fonemas e alofones da língua em questão preenche-se a **tabela fonêmica** satisfazendo assim o procedimento **P5** e concluindo a análise fonêmica. Baseando-se nos procedimentos fonêmicos apresentamos a seguir uma série de exercícios que têm por objetivo propor uma análise fonêmica para o português. Analisamos inicialmente o sistema consonantal.

O SISTEMA CONSONANTAL DO PORTUGUÊS

1. Fonemas e alofones

Levando-se em consideração os procedimentos metodológicos da fonêmica, propomos uma série de exercícios que têm por objetivo caracterizar o sistema consonantal do português. Consideremos cada um dos procedimentos da análise fonêmica.

Assumimos que as condições para o procedimento **P1** – de coleta do corpus – é satisfeito uma vez que dados da língua portuguesa são acessíveis a todo momento. Passemos então ao procedimento **P2**: "colocar todos os segmentos encontrados no corpus na tabela fonética". O leitor deverá ter em mãos a sua própria tabela fonética consonantal destacável. Tal tabela satisfaz o procedimento **P2** por apresentar o registro de todos os segmentos fonéticos que ocorrem em seu idioleto. De posse de tal tabela, você deverá acompanhar a análise apresentada nas próximas páginas e adequá-la à sua variedade. Independente das diferenças individuais na tabela fonética, devemos ter uma tabela fonêmica uniforme para todos os falantes. Ao final da análise fonêmica do português aqui proposta, devemos ter dezenove fonemas consonantais para qualquer idioleto. A uniformidade quanto ao número de segmentos que ocorrem no quadro fonêmico deve-se à relação com o sistema que denominamos *"língua"*. A diversidade do quadro fonético deve-se à relação com o sistema que denominamos *"fala"* (cf. introdução). O procedimento **P3** requer "a identificação dos sons foneticamente semelhantes (SFS)". A fim de satisfazermos tal requisito, listamos os pares suspeitos de sons foneticamente semelhantes que podem ser encontrados em português:

Fonêmica – O sistema consonantal do português 137

(1) Sons foneticamente semelhantes do português

um som vozeado e seu correspondente desvozeado	p/b; t/d; k/g; tʃ/dʒ; f/v; s/z; ʃ/ʒ; x/ɣ; h/ɦ
uma oclusiva e as fricativas e africadas com ponto de articulação idêntico ou muito próximo	t/s; d/z; t/tʃ; d/dʒ; ʃ/tʃ; ʒ/dʒ
as fricativas com ponto de articulação muito próximo	s/ʃ; z/ʒ; x/h; ɣ/ɦ
as nasais entre si	m/n; m/ɲ; n/ɲ
as laterais entre si	l/ʎ; l/ɬ; ɬ/ʎ; l/ɫ
as vibrantes entre si	ɾ/ř
as laterais, vibrantes e o tepe	l/ɾ; l/ř
sons com propriedades articulatórias muito próximas	n/nʲ; nʲ/ɲ; ɲ/ỹ; nʲ/ỹ e ʎ/y; lʲ/y

Note que nem todos os pares de sons listados acima ocorrem em seu idioleto. Os pares de sons foneticamente semelhantes relevantes para a análise de sua variedade dialetal são aqueles cujos segmentos foram registrados em sua tabela fonética consonantal destacável. Utilizando tal tabela e a listagem apresentada acima, selecione os pares de sons foneticamente semelhantes que são relevantes para o seu idioleto. Faça o exercício abaixo seguinte.

_____ **Exercício 1** _____

Preencha o quadro com os SFS que são relevantes para seu idioleto.

um som vozeado e seu correspondente desvozeado	
uma oclusiva e as fricativas e africadas com ponto de articulação idêntico ou muito próximo	
as fricativas com ponto de articulação muito próximo	
as nasais entre si	
as laterais entre si	
as vibrantes entre si	
as laterais, vibrantes e o tepe	
sons com propriedades articulatórias muito próximas	

Ao selecionar os sons foneticamente semelhantes concluímos o procedimento **P3**. Passemos então ao procedimento **P4** que solicita "a identificação dos fonemas e alofones caracterizando a distribuição complementar ou listando os pares mínimos relevantes". Para satisfazer tal procedimento você deverá tentar encontrar pares mínimos para cada um dos pares de sons foneticamente semelhantes listados no exercício 1. Um par mínimo demonstra o contraste fonêmico entre os sons em questão. Por exemplo, o par mínimo "pato/bato" demonstra o contraste fonêmico entre [p] e [b]. Cada par mínimo encontrado classifica os dois segmentos em questão como **fonemas** do português. No caso de "pato/bato" dizemos que /p/ e /b/ são fonemas distintos no português. Caso não se encontre um par mínimo que demonstre o contraste entre os

138 Fonêmica – O sistema consonantal do português

dois sons em questão faz-se uma análise para verificar se tais sons encontram-se em distribuição complementar. Se os dois sons estiverem em distribuição complementar eles serão classificados como **alofones**.

Investigamos inicialmente a possibilidade de identificar pares mínimos para os sons foneticamente semelhantes. Tem-se por objetivo identificar os fonemas do português. Para isto, preencha a tabela abaixo. Na coluna da esquerda você deverá listar todos os pares de sons foneticamente semelhantes identificados no exercício 1. Alguns pares de SFS já se encontram na tabela para efeito ilustrativo. Tais pares de sons ocorrem para todos os falantes. Se você encontrar um par mínimo para o par de sons em questão apresente o registro ortográfico das duas palavras envolvidas na coluna do meio. Na coluna da direita faça a transcrição fonética das duas palavras que foram registradas ortografica-mente. Caso pares mínimos não sejam encontrados, deixe as duas colunas finais sem preencher (é bastante provável que na tabela abaixo algumas linhas fiquem em branco).

———————————— **Exercício 2** ————————————

SFS	Exemplo ortográfico		Transcrição fonética	
1. p/b	pato	bato	[ˈpatʊ]	[ˈbatʊ]
2. t/d				
3. k/g				

Fonêmica – O sistema consonantal do português 139

No quadro abaixo listamos os sons foneticamente semelhantes possíveis de ocorrer no português brasileiro [cf. (1)]. Quando possível, exemplificamos pelo menos um par mínimo para cada dupla de sons. Quando pares mínimos não foram encontrados sombreamos a linha em questão.

(2) *Exemplos de pares mínimos e/ou identificação da ausência de pares mínimos para os sons foneticamente semelhantes (SFS) do português brasileiro.*

SFS	Contraste ou ausência de contraste fonêmico			
1. **p/b**	pato	bato	['patʊ]	['batʊ]
2. **t/d**	cata	cada	['katə]	['kadə]
3. **k/g**	cravo	gravo	['kravʊ]	['gravʊ]
4. **tʃ/dʒ**	tia	dia	['tʃiə]	['dʒiə]
5. **f/v**	faca	vaca	['fakə]	['vakə]
6. **ʃ/ʒ**	chá	já	['ʃa]	['ʒa]
7. **x/ɣ**				
8. **h/ɦ**				
9. **t/s**	tapa	sapa	['tapə]	['sapə]
10. **d/z**	roda	rosa	['hɔdə]	['hɔzə]
11. **t/tʃ**				
12. **d/dʒ**				
13. **ʃ/tʃ**	chia	tia	['ʃiə]	['tʃiə]
14. **ʒ/dʒ**	gia	dia	['ʒiə]	['dʒiə]
15. **s/ʃ**	assa	acha	['asə]	['aʃə]
16. **z/ʒ**	asa	haja	['azə]	['aʒə]
17. **x/h**				
18. **ɣ/ɦ**				
19. **m/n**	cama	cana	['kãmə]	['kãnə]
20. **m/ɲ**	soma	sonha	['sõmə]	['sõɲə]
21. **n/ɲ**	sono	sonho	['sõnʊ]	['sõɲʊ]
22. **l/ʎ**	mala	malha	['malə]	['maʎə]
23. **l/lʲ**	mala	malha	['malə]	['malʲə]
24. **lʲ/ʎ**				
25. **l/ɫ**				
26. **ɾ/ř**	caro	carro	['kaɾʊ]	['kařʊ]
27. **l/ɾ**	calo	caro	['kalʊ]	['kaɾʊ]
28. **l/ř**	calo	carro	['kalʊ]	['kařʊ]
29. **n/nʲ**	sono	sonho	['sõnʊ]	['sõnʲʊ]
30. **nʲ/ɲ**				
31. **ɲ/ỹ**				
32. **nʲ/ỹ**				
33. **ʎ/y**				
34. **lʲ/y**				

140 Fonêmica – O sistema consonantal do português

Na página seguinte apresentamos a **tabela fonêmica**. Destaque-a. Tal tabela deve ser preenchida com os fonemas e alofones do português. Para tal, propomos uma série de exercícios.

Tarefa

Selecione os fonemas identificados no exercício 2. Cada fonema deve ser colocado na tabela fonêmica destacável no local adequado. Lembre-se que os fonemas são aqueles sons para os quais pares mínimos foram encontrados. Utilize lápis ao preencher a tabela fonêmica pois a análise pode ser alterada à medida que fizermos os exercícios.

Os segmentos /p, b, t, d, k, g, f, v, s, z, ʃ, ʒ, m, n, l, ɾ/ devem ser selecionados para todos os dialetos do português. (exceto dialetos como o de Cuiabá que não apresentam [ʃ, ʒ]). Tais segmentos devem portanto ter sido colocados na tabela fonêmica. Além destes dezesseis fonemas, o leitor pode também ter selecionado um ou mais dos seguintes segmentos: [tʃ, dʒ, ɲ, nʲ, ỹ, ř, ʎ, lʲ, y]. A seleção dos segmentos deste grupo se dá por particularidades dialetais que serão discutidas nas próximas páginas. Há ainda um terceiro grupo de segmentos para o qual os pares de SFS não apresentam pares mínimos. Os pares de segmentos deste grupo encontram-se sombreados na tabela (2). Consideremos tal grupo.

Uma vez que pares mínimos não são encontrados para este grupo, investigamos a possibilidade dos segmentos em questão estarem em distribuição complementar. Caso prove-se afirmativa a hipótese de distribuição complementar, caracterizamos os sons em questão como alofones. Se as alofonias discutidas abaixo forem relevantes para o seu idioleto, liste-as no quadro de alofonias da tabela fonêmica destacável.

O preenchimento da tabela fonêmica satisfaz o procedimento P5. Conclui-se assim a análise fonêmica. Ao concluirmos a análise fonêmica teremos identificado os fonemas e alofones do português.

Passemos então à investigação dos alofones. Consideramos inicialmente a possibilidade dos segmentos [x, ɣ, h, ɦ] estarem em distribuição complementar [cf. dados (7, 8) e (17, 18) no quadro apresentado em (2)]. Considere os dados em (3). "Dialeto 1" reflete a pronúncia de alguns falantes da cidade do Rio de Janeiro e "Dialeto 2" reflete a pronúncia de alguns falantes de Belo Horizonte. Em todos estes exemplos o "r" ortográfico pode ser manifestado como um dos segmentos [x, ɣ, h, ɦ].

Nos exemplos da coluna da esquerda, o "r" ortográfico encontra-se nos seguintes ambientes: posição intervocálica; início de palavra; final de palavra; início de sílaba precedido de consoante. Na coluna do meio o "r" ortográfico encontra-se em limite de sílaba seguido de consoante desvozeada. Na coluna da direita o "r" ortográfico encontra-se em limite de sílaba seguido de consoante vozeada. Em cada um dos exemplos a seguir observe a manifestação fonética do "r" ortográfico em termos dos ambientes em que tal segmento ocorre (o símbolo ~ indica que uma forma alterna com a outra).

Tabela destacável D

Tabela fonêmica consonantal destacável

Fonemas consonantais

Articulação maneira	lugar	Bilabial	Labiodental	Dental ou alveolar	Alveolopalatal	Palatal	Velar	Glotal
Oclusiva	desv voz							
Africada	desv voz							
Fricativa	desv voz							
Nasal	voz							
Tepe	voz							
Vibrante	voz							
Retroflexa	voz							
Lateral	voz							

Alofonia consonantal

Tipo de alofonia	Fonema	Alofones	Contextos e exemplos
Vozeamento 1: /R/			
Vozeamento 2: /S/			
Palatização de oclusivas alveolares /t,d/			
Lateral palatal			
l-pós-vocálico			
Nasal palatal			

Consoantes pós-vocálicas

Consoante pós-vocálica	Ortografia	Representação fonética	Representação fonêmica
/S/	paz; pasta		/ˈpaS/;/ˈpaSta/
/R/	mar; marca		/ˈmaR/;/ˈmaRka/
/l/	sal; salta		/ˈsal/;/ˈsalta/
/N/	lã; lanche		/ˈlaN/;/ˈlaNʃe/

Estrutura silábica: $C_1 C_2 V V C_3 C_4$

Fonêmica – O sistema consonantal do português 141

(3) **Dialeto 1**

carro	[ˈkaɣʊ] ~ [ˈkaxʊ]	torto	[ˈtoxtʊ]	corda	[ˈkɔɣdə]
rato	[ˈɣatʊ] ~ [ˈxatʊ]	corpo	[ˈkoxpʊ]	carbono	[kaɣˈbonʊ]
mar	[ˈmaɣ] ~ [ˈmax]	arte	[ˈaxtʃɪ]	tarde	[ˈtaɣdʒɪ]
Israel	[iʒɣaˈɛw] ~ [iʃxaˈɛw]	porca	[ˈpɔxkə]	larga	[ˈlaɣgə]
		terço	[ˈtexsʊ]	Herzog	[eɣˈzɔgɪ]
		garfo	[ˈgaxfʊ]	árvore	[ˈaɣvorɪ]
		marcha	[ˈmaxʃə]	surge	[ˈsuɣʒɪ]
				arma	[ˈaɣmə]
				carne	[ˈkaɣnɪ]
				orla	[ˈɔɣlə]

Dialeto 2

carro	[ˈkaɦʊ] ~ [ˈkahʊ]	torto	[ˈtohtʊ]	corda	[ˈkɔɦdə]
rato	[ˈɦatʊ] ~ [ˈhatʊ]	corpo	[ˈkohpʊ]	carbono	[kaɦˈbonʊ]
mar	[ˈmaɦ] ~ [ˈmah]	arte	[ˈahtʃɪ]	tarde	[ˈtaɦdʒɪ]
Israel	[izɦaˈɛw] ~ [ishaˈɛw]	porca	[ˈpɔhkə]	larga	[ˈlaɦgə]
		terço	[ˈtehsʊ]	Herzog	[eɦˈzɔgɪ]
		garfo	[ˈgahfʊ]	árvore	[ˈaɦvorɪ]
		marcha	[ˈmahʃə]	surge	[ˈsuɦʒɪ]
				arma	[ˈaɦmə]
				carne	[ˈkaɦnɪ]
				orla	[ˈɔɦlə]

Você deve ter observado que a variante vozeada [ɣ] (ou [ɦ]) ocorre sempre antes de consoante vozeada (cf. dados da coluna da direita). A variante desvozeada [x] (ou [h]) ocorre antes de consoantes desvozeadas (cf. dados da coluna do meio). Nos demais ambientes (que são: posição intervocálica; início de palavra; final de palavra; início de sílaba precedido de consoante) pode ocorrer a variante vozeada ou desvozeada (cf. dados da primeira coluna).

Os dados da primeira coluna mostram que os segmentos [x, ɣ] e [h, ɦ] podem alternar livremente na mesma palavra. Dizemos que nos contextos de "posição intervocálica (ca**rr**o); início de palavra (**r**ato); final de palavra (ma**r**); início de sílaba precedido de consoante" há **variação livre** dos segmentos [x, ɣ, h, ɦ].

Já em limite de sílaba (cf. colunas 2 e 3) observamos que a distribuição dos segmentos [x, ɣ] (ou [h, ɦ]) depende do contexto, ou seja, a consoante seguinte. Podemos postular que os segmentos vozeados [ɣ] e [ɦ] ocorrem antes de consoantes vozeadas e que os segmentos desvozeados [x] e [h] ocorrem antes de consoantes desvozeadas. Dizemos que há **variação posicional** em limite de sílaba sendo que os segmentos [x, ɣ, h, ɦ] são alofones posicionais que relacionam-se a um único fonema. Para efeitos da análise apresentada aqui utilizamos o símbolo /R/ para representar o fonema que relaciona-se aos alofones [x, ɣ, h, ɦ] em posição final de sílaba. Em (4) formalizamos em termos de arranjo a alofonia de vozeamento de /R/, a qual denominamos "alofonia de vozeamento 1".

142 Fonêmica – O sistema consonantal do português

(4)   Alofonia de Vozeamento 1

Tipo de alofonia	Fonema	Alofones	Contextos e exemplos
Vozeamento 1	/R/	[x, h] e [ɣ, ɦ]	• O alofone posicional [ɣ] (ou [ɦ]) ocorre em limite de sílaba antes de consoante vozeada. Exemplo: /ˈkɔRda/ [ˈkɔɣdə] (ou [ˈkɔɦdə]).
			• O alofone posicional [x] (ou [h]) ocorre em limite de sílaba antes de consoante desvozeada. Exemplo: /ˈtoRto/ [ˈtoxtʊ] (ou [ˈtohtʊ]).

Em (5) formalizamos a alofonia de vozeamento 1:

(5)   Alofonia de vozeamento 1
As fricativas [x, ɣ, h, ɦ] quando em final de sílaba concordam em vozeamento com a consoante seguinte.

Deve-se observar que /R/ ocorre sempre em posição final de sílaba (como em "cor") e quando em final de sílaba em meio de palavra (como em "corda, torto"). Neste último caso há concordância de vozeamento com a consoante seguinte. Note que na formulação de alofonia apresentada em (5) não indicamos o fonema referente a tais alofones. Tal omissão é proposital e /R/ não deve constar da tabela fonêmica pelo momento. Discutiremos o status fonêmico de /R/ na seção seguinte ao tratarmos do R-pós-vocálico.

Os segmentos [x, ɣ, h, ɦ] relacionam-se a /R/ em **posição final de sílaba**. Em outros contextos os segmentos [x, ɣ, h, ɦ] relacionam-se ao R-forte. Adotamos o símbolo /R̄/ para representar fonemicamente o R-forte. Em posição intervocálica há o contraste fonêmico entre o R-forte e o r-fraco. O r-fraco sempre se manifesta em português como o tepe [ɾ]: "caro, prata". Adotamos o símbolo /R̄/ para representar o R-forte que varia consideravelmente no português brasileiro, tendo sobretudo as seguintes manifestações fonéticas: [x, h, ř]. Observe os exemplos em (6):

(6)   Contraste fonêmico entre o r-fraco e o R-forte
a. caro   /ˈkaɾo/   carro   /ˈkaR̄o/
b. careta   /kaˈɾeta/   carreta   /kaˈR̄eta/
c. era   /ˈɛɾa/   erra   /ˈɛR̄a/

O contraste fonêmico entre /ɾ/ e /R̄/ – ou seja o r-fraco e o R-forte – somente é atestado em posição intervocálica [cf. (6)]. Consideremos os ambientes de ocorrência do r-fraco e do R-forte. O r-fraco relaciona-se ao tepe [ɾ] e ocorre em todos os dialetos do português em posição intervocálica (cf. caro) e seguindo consoante na mesma sílaba (cf. prata). O r-fraco é sempre representado fonemicamente por /ɾ/. O R-forte /R̄/ ocorre em posição intervocálica (cf. carro); em início de sílaba em começo de palavra (cf. rua) e em início de sílaba precedido por consoante (cf. Israel). Note que

Fonêmica – O sistema consonantal do português 143

nos três contextos o /R̄/ – ou seja, o R-forte – encontra-se em início de sílaba (carro, rua, Israel). O R-forte será transcrito foneticamente como /R̄/ e pode se manifestar foneticamente como as fricativas [x, h] ou a vibrante múltipla [ř]. Finalmente, lembramos ao leitor que em final de sílaba a representação fonêmica do "r" ortográfico é /R/ e em início de sílaba a representação fonêmica do "r" ortográfico é /R̄/. A distribuição fonêmica destes segmentos é apresentada abaixo:

(7)   **Quadro ilustrando algumas distribuições possíveis de [ɾ, R, R̄]**

	Ambiente	Exemplo	Belo Horizonte		Rio de Janeiro		Caipira		Portugal	
/ɾ/ r-fraco	Intervocálica	caro	/ɾ/	[ɾ]	/ɾ/	[ɾ]	/ɾ/	[ɾ]	/ɾ/	[ɾ]
	Seguindo C na mesma sílaba	prato	/ɾ/	[ɾ]	/ɾ/	[ɾ]	/ɾ/	[ɾ]	/ɾ/	[ɾ]
/R̄/ R-forte	Intervocálica	carro	/R̄/	[h]	/R̄/	[x]	/R̄/	[ř]	/R̄/	[ř]
	Início de palavra	rua	/R̄/	[h]	/R̄/	[x]	/R̄/	[ř]	/R̄/	[ř]
	Seguindo C em outra sílaba	Israel	/R̄/	[h]	/R̄/	[x]	/R̄/	[ř]	/R̄/	[ř]
/R/ posvocálico	Final de sílaba antes de C voz.	corda	/R/	[ɦ]	/R/	[ɣ]	/R/	[ɹ]	/R/	[ɾ]
	Final de sílaba antes de C desvoz.	torto	/R/	[h]	/R/	[x]	/R/	[ɹ]	/R/	[ɾ]
	Final de palavra	mar	/R/	[h]	/R/	[x]	/R/	[ɹ]	/R/	[ɾ]

Salientamos que /ɾ/ e /R̄/ são fonemas pois contrastam em posição intervocálica em todas as variedades do português: caro/carro (cf. 6).

Tarefa

Incorpore o símbolo /R̄/ à tabela fonêmica na posição correspondente ao segmento que representa o R-forte em seu dialeto. Veja a sua pronúncia para a palavra "carro". Você deve escolheer um dos segmentos [x, h, ř]. Preencha a parte referente a "alofonia de vozeamento 1" em sua tabela fonêmica de acordo com o apresentado em (5)

O exercício seguinte tem por objetivo fixar a distribuição de /ɾ, R̄, R/. Você deve completar os espaços sublinhados com o fonema pertinente selecionando /ɾ, R̄, R/. Tomemos como exemplo as palavras "caro", "carro", "mar" e "carta". Você deve selecionar o fonema /ɾ/ para a palavra "caro" /ˈkaɾo/, e o fonema /R̄/ para a palavra "carro" /ˈkaR̄o/ e /R/ para o R-pós-vocálico em "mar" /ˈmaR/ e "carta" /ˈkaRta/. Você deve apresentar também a transcrição fonética para seu idioleto.

144 Fonêmica – O sistema consonantal do português

Exercício 3

Para cada exemplo abaixo complete as lacunas com um dos seguintes fonemas: /ɾ, R̄, R/. Apresente a transcrição fonética correspondente. Siga o modelo dos exemplos. Observe que a transcrição fonêmica deve estar entre barras transversais e a transcrição fonética deve estar entre colchetes.

Ortografia	Fonêmica	Fonética
a. cara	/kaˈɾa/	_____
b. rasa	/ˈR̄aza/	_____
c. prata	/ˈp_ata/	_____
d. carma	/ˈka_ma/	_____
e. arame	/aˈ_ame/	_____
f. garça	/ˈga_sa/	_____
g. sarna	/ˈsa_na/	_____
h. azar	/aˈza_/	_____
i. cabra	/ˈkab_a/	_____
j. barraca	/baˈ_aka/	_____

O processo de "alofonia de vozeamento 1" descrito relaciona-se à asssimilação de vozeamento de /R/ em limite de sílaba. Há em português um outro processo semelhante que envolve os segmentos [s, z, ʃ, ʒ]. Denominamos tal processo "alofonia de vozeamento 2". Considere as formas em (8). "Dialeto 1" representa a pronúncia típica do português de Belo Horizonte e "Dialeto 2" representa a pronúncia típica do português do Rio de Janeiro.

(8)	Dialeto 1	Dialeto 2
a. caspa	[ˈkaspə]	[ˈkaʃpə]
b. casca	[ˈkaskə]	[ˈkaʃkə]
c. rasga	[ˈhazgə]	[ˈxaʒgə]
d. asma	[ˈazmə]	[ˈaʒmə]

Observamos nos exemplos em (8) que o s ortográfico em posição final de sílaba concorda em vozeamento com a consoante que o segue. Em (8a,b), o s ortográfico é desvozeado por ser seguido de consoante desvozeada. Em (8c,d), o s ortográfico manifesta-se como uma consoante vozeada por ser seguido de consoante vozeada. Note que a distribuição da consoante fricativa (que corresponde ao s ortográfico) em posição final de sílaba depende do contexto, ou seja, da consoante seguinte. Temos portanto um caso de distribuição complementar. Formulamos esta alofonia como:

(9) **Alofonia de vozeamento 2**
As fricativas [s, z, ʃ, ʒ] quando em final de sílaba concordam em vozeamento com a consoante seguinte.

Fonêmica – O sistema consonantal do português 145

Note que na formulação de alofonia apresentada em (9) não indicamos o fonema referente a tais alofones. Tal omissão é proposital. Retomamos este tópico na seção seguinte ao tratarmos do **arquifonema** /S/ em português.

Tarefa

De posse da tabela fonêmica destacável, preencha a parte referente à "alofonia de vozeamento 2". Para isto, considere o quadro acima observando as características particulares de seu idioleto. Note que /S/ não deve constar da tabela fonêmica.

---

(10)   **Alofonia de vozeamento 2**

Tipo de alofonia	Fonema	Alofones	Contextos e exemplos
Vozeamento 2	/S/	[s] (ou [ʃ]) e [z] (ou [ʒ])	•O alofone posicional [s] (ou [ʃ]) ocorre em posição pós-vocálica seguido de consoante desvozeada. Exemplo: /ˈkaSka/ [ˈkaskə] (ou [ˈkaʃkə]) "casca".
			•O alofone posicional [z] (ou [ʒ]) ocorre em posição pós-vocálica seguido de consoante vozeada. Exemplo: /ˈaSma/ [ˈazmə] (ou [ˈaʒmə]) "asma".

Lembre-se de que apenas os fonemas ocorrem na transcrição fonêmica. Portanto, para representar fonemicamente os segmentos [s, z, ʃ, ʒ] em **posição final de sílaba** deve-se utilizar o símbolo /S/. Exemplos são apresentados abaixo:

(11) | | **Fonêmica** | **Dialeto 1** | **Dialeto 2** |
|---|---|---|---|
| a. caspa | /ˈkaSpa/ | [ˈkaspə] | [ˈkaʃpə] |
| b. casca | /ˈkaSka/ | [ˈkaskə] | [ˈkaʃkə] |
| c. rasga | /ˈR̄aSga/ | [ˈhazgə] | [ˈxaʒgə] |
| d. asma | /ˈaSma/ | [ˈazmə] | [ˈaʒmə] |

A transcrição fonêmica é igual para todos os dialetos. As particularidades fonéticas de cada variante em questão são expressas na transcrição fonética [veja as duas últimas colunas em (11)]. Salientamos que /S/ é utilizado para representar fonemicamente as sibilantes [s, z, ʃ, ʒ] somente em posição final de sílaba. Em outros ambientes (que sejam diferentes de final de sílaba) deve-se utilizar as sibilantes que correspondem aos fonemas /s, z, ʃ, ʒ/. Os exemplos em (12) ilustram os fonemas /s, z, ʃ, ʒ/ em posição intervocálica, demonstrando o contraste fonêmico entre estes segmentos.

(12) | **Ortográfico** | **Fonêmico** | **Fonético** |
|---|---|---|
| a. assa | /ˈasa/ | [ˈasə] |
| b. asa | /ˈaza/ | [ˈazə] |
| c. acha | /ˈaʃa/ | [ˈaʃə] |
| d. haja | /ˈaʒa/ | [ˈaʒə] |

146 Fonêmica – O sistema consonantal do português

Considerando-se os dados em (12) podemos afirmar que /s, z, ʃ, ʒ/ são fonemas do português (pois estes dados são pares mínimos que demonstram o contraste fonêmico). A perda de contraste fonêmico entre /s, z, ʃ, ʒ/ em português ocorre apenas em posição final de sílaba e consiste de um caso de **neutralização** que justifica o fato de /S/ não constar da tabela fonêmica. A neutralização em português é discutida nas próximas páginas.

_____ **Exercício 4** _____

Complete as lacunas com um dos seguintes símbolos: /s, z, ʃ, ʒ, S/. Apresente a transcrição fonética correspondente. Siga o modelo. A transcrição fonêmica deve estar entre barras transversais e a transcrição fonética deve estar entre colchetes.

Ortografia	Fonêmica	Fonética
a. cajá	/kaˈʒa/	_____
b. asma	/ˈaSma/	_____
c. caçada	/kaˈ_ada/	_____
d. azar	/aˈ_aR/	_____
e. abastada	/abaˈ_ˈtada/	_____
f. gasta	/ˈga_ta/	_____
g marcha	/ˈmaR_a/	_____
h. salada	/_aˈlada/	_____
i. chata	/ˈ_ata/	_____
j. jarra	/ˈ_aR̄a/	_____

A discussão sobre alofonia iniciou-se por não termos encontrado pares mínimos para os seguintes pares de sons: x/ɣ; h/ɦ; t/tʃ; d/dʒ; x/h; ɣ/ɦ; ʎʲ/ʎ; l/ɫ; nʲ/ɲ; ɲ/ỹ; nʲ/ỹ; ʎ/y; ʎʲ/y. Nas páginas precedentes consideramos a "alofonia de vozeamento 1" que explica a ausência de pares mínimos para os segmentos: x/ɣ; h/ɦ; x/h; ɣ/ɦ. Consideramos também a "alofonia de vozeamento 2" que se refere a /S/ em limite de sílaba. Resta-nos analisar os demais pares de sons para os quais pares mínimos não foram identificados. Estes são: t/tʃ; d/dʒ; ʎʲ/ʎ; l/ɫ; nʲ/ɲ; ɲ/ỹ; nʲ/ỹ; ʎ/y; ʎʲ/y. Consideremos inicialmente os pares t/tʃ; d/dʒ.

Falantes cujo inventário fonético apresenta os segmentos t/tʃ e d/dʒ geralmente têm em seu sistema sonoro a "alofonia de **palatalização de oclusivas alveolares**". Tal alofonia já foi discutida anteriormente [ver (6) a (12) na seção de fonêmica]. Formalizamos abaixo a "alofonia de palatalização de oclusivas alveolares".

(13) **"Alofonia de palatalização de oclusivas alveolares".**

Tipo de alofonia	Fonema	Alofones	Contextos e exemplos
Alofonia de palatalização de oclusivas alveolares	/t/ e /d/	[tʃ] e [dʒ]	• Os alofones posicionais [tʃ] e [dʒ] ocorrem precedendo a vogal alta anterior [i] e suas variantes [ɪ, ĩ]. • Os alofones livres dental ou alveolar ocorrem NDA

Fonêmica – O sistema consonantal do português 147

O quadro anterior expressa que o fonema /t/ ocorre como o alofone [tʃ] diante de [i] e suas variantes, e o fonema /t/ ocorre como o alofone [t] (dental ou alveolar) nos demais ambientes. E, o fonema /d/ ocorre como o alofone [dʒ] diante de [i] e suas variantes, e o fonema /d/ ocorre como o alofone [d] (dental ou alveolar) nos demais ambientes.

Casos em que pares mínimos foram encontrados para t/tʃ (cf. "tê/tchê; tal/tchau") não invalidam a análise de distribuição complementar. Os exemplos com [tʃ] (como tchê, tchau) ocorrem sempre com o segmento [tʃ] em qualquer variedade do português independente de haver ou não a alofonia de palatalização das oclusivas alveolares t/d. O que ocorre é um grupo restrito de palavras (geralmente empréstimos) que apresentam o segmento [tʃ] em qualquer dialeto do português: "tchau; tchê; Tcheco-Eslováquia; tcheco; tchurma". Há ainda o fato de nestes casos o comportamento de tʃ/dʒ ser assimétrico. Enquanto há exemplos com o segmento [tʃ] em qualquer dialeto (cf. "tchau; tchê") o mesmo não ocorre com o segmento [dʒ].

Verifique se os segmentos [tʃ] e [dʒ] encontram-se em sua tabela fonêmica destacável. Eles podem ter sido colocados na tabela fonêmica pois pares mínimos como "chia/tia" e "gia/dia" em princípio demostram o contraste fonêmico. O desenrolar da análise, avaliando a distribuição complementar é que caracteriza a "alofonia de palatalização de oclusivas alveolares" demonstrando que os segmentos [tʃ] e [dʒ] não são fonemas. Se a "Alofonia de palatalização de oclusivas alveolares" aplica-se ao seu idioleto, retire os segmentos [tʃ] e [dʒ] da tabela fonêmica destacável. Isto se dá porque estes segmentos são alofones dos fonemas /t/ e /d/. Os alofones [tʃ] e [dʒ] devem ser listados na parte de alofonia.

Lembre-se que somente os fonemas são representados fonemicamente. Portanto a representação fonêmica de palavras como "tia" e "dia" é respectivamente /ˈtia/ e /ˈdia/ em dialetos que apresentam a "alofonia de palatalização de oclusiva alveolar": [ˈtʃiə] e [ˈdʒiə]. Faça o exercício abaixo.

───────────────── **Exercício 5** ─────────────────

Para cada exemplo complete as lacunas com um dos fonemas /t, d/. Apresente a transcrição fonética correspondente. Siga o modelo. Observe que a transcrição fonêmica deve estar entre barras transversais e a transcrição fonética deve estar entre colchetes.

Ortografia	Fonêmica	Fonética
a. ditado	/diˈtado/	[dʒiˈtadʊ]
b. tarde	/ˈ_aR_e/	
c. teatro	/_eaˈ_ɾo/	
d. ardido	/aRˈ_i_o/	
e. fonética	/foˈnɛ_ika/	
f. triste	/ˈ_ɾiS_e/	
g. atirado	/a_iˈra_o/	

148 Fonêmica – O sistema consonantal do português

h. castigo /kaSⁱ_igo/ _____
i. disco /ⁱ_iSko/ _____
j. cordialidade /koR_ialiⁱ_a_e/ _____

Analisaremos a seguir os segmentos ʎ/ʎ; ʎ/y; ʎ/y para os quais pares mínimos não foram encontrados. Considere os dados em (14).

(14) **Distribuição da lateral palatal**

Ortografia	Dialeto 1	Dialeto 2	Dialeto 3	Fonêmica
palha	[ˈpaʎə]	[ˈpalʲə]	[ˈpayə]	/ˈpaʎa/
bolha	[ˈboʎə]	[ˈbolʲə]	[ˈboyə]	/ˈboʎa/
agulha	[aˈguʎə]	[aˈgulʲə]	[aˈguyə]	/aˈguʎa/

Os dialetos listados acima têm caráter ilustrativo. É importante observar que o uso de qualquer uma das variantes [ʎ, lʲ, y] não altera o significado da palavra. Pode-se encontrar falantes que façam uso de mais de uma variante. Por exemplo, um falante pode alternar formas como [ˈpaʎə] ~ [ˈpalʲə] "palha". Temos então que a alternância entre [ʎ, lʲ, y] não causa mudança de significado e também que a ocorrência de [ʎ, lʲ, y] não é definida por contexto. Podemos então assumir que os segmentos encontram-se em variação livre. A "alofonia da lateral palatal" aplica-se individualmente ou em grupos. O fonema /ʎ/ pode relacionar-se a um único alofone – que pode ser um dos segmentos [ʎ, lʲ, y]. Pode-se também ter os três alofones livres: [ʎ, lʲ, y]. Alternativamente, o fonema /ʎ/ pode relacionar-se a pares, por exemplo [ʎ, lʲ] ou [lʲ, y]. O leitor deve avaliar a alofonia da lateral palatal para seu idioleto. Adotamos o fonema /ʎ/ para representar os alofones [ʎ, lʲ, y]. Formalizamos abaixo a "alofonia da lateral palatal".

(15) **Alofonia da lateral palatal**

Tipo de alofonia	Fonema	Alofones	Contextos e exemplos
Lateral Palatal	/ʎ/	[ʎ], [lʲ], [y] individual ou em grupos	• Variação livre. Exemplo: /ˈpaʎa/ —> [ˈpaʎə] ~[ˈpalʲə] ~ [ˈpayə] "palha"

Tarefa
Observe quais dos segmentos [ʎ, lʲ, y] ocorrem em seu idioleto. Caracterize a alofonia da lateral palatal e registre-a no quadro de alofonias da tabela fonêmica destacável. O fonema /ʎ/ deve constar da tabela fonêmica destacável pois há contraste fonêmico entre laterais (cf. "mala/malha").

Fonêmica – O sistema consonantal do português 149

─────────── **Exercício 6** ───────────

Transcreva foneticamente as palavras abaixo observando a ocorrência do fonema lateral palatal /ʎ/. A transcrição fonética deve estar entre colchetes. Note que na transcrição fonética você deve utilizar o(s) símbolo(s) que representa(m) as características articulatórias de seu idioleto (um ou mais dos símbolos [ʎ, lʲ,y]). Em seguida, complete a coluna de transcrição fonêmica com o fonema consonantal pertinente. Você deve selecionar para cada lacuna um dos seguintes fonemas: /p, b, t, d, k, g, f, v, s, z, ʃ, ʒ, m, n, l, ɾ, R̄, ʎ/

Ortografia	Fonética	Fonêmica
bagulho	_____	/_aˈ_u__o/
palhoça	_____	/_aˈ_ɔ_a/
velho	_____	/ˈ_ɛ__o/
galho	_____	/ˈ_a__o/
pilha	_____	/ˈ_i__a/
bilhete	_____	/_iˈ_e_e/
abelhudo	_____	/a_eˈ_u__o/
malharia	_____	/_a_aˈ_ia/
bedelho	_____	/_eˈ_e__o/
baralho	_____	/_aˈ_a__o/

Tratamos acima da "alofonia da lateral palatal". Consideramos agora o par de segmentos laterais [l] e [ɫ] para os quais pares mínimos não foram encontrados. Observe os exemplos. "Dialeto 1" reflete a pronúncia típica de Portugal. "Dialeto 2" reflete a pronúncia típica do Brasil (exceto alguns dialetos do sul).

(15) | **Ortografia** | **Dialeto 1** | **Dialeto 2** |
|---|---|---|
| a. lata | [ˈlatə] | [ˈlatə] |
| b. placa | [ˈplakə] | [ˈplakə] |
| c. bala | [ˈbalə] | [ˈbalə] |
| d. orla | [ˈɔrlə] | [ˈɔfilə] |
| e. sal | [ˈsaɫ] | [ˈsaw] |
| f. salta | [ˈsaɫtə] | [ˈsawtə] |
| g. sol | [ˈsɔɫ] | [ˈsɔw] |
| h. selva | [ˈsɛɫvə] | [ˈsɛwvə] |

Nos exemplos (15a-d), a manifestação fonética da consoante lateral é idêntica para os dois dialetos: uma lateral alveolar (ou dental). Os contextos em que tal lateral ocorre são início de palavra (lata); seguindo consoante na mesma sílaba (placa); em posição intervocálica (bala); e seguindo consoante em sílaba distinta (orla). Nos exemplos (15e-h) há diferença dialetal. No dialeto 1 – de Portugal – temos uma lateral velarizada: [ɫ]. No dialeto 2 – do Brasil – a lateral é vocalizada e manifesta-se

150 Fonêmica – O sistema consonantal do português

foneticamente como o glide [w] caracterizando a **vocalização de lateral**. A velarização da lateral em Portugal e a vocalização da lateral no Brasil ocorrem no contexto de posição final de sílaba. Temos ambientes exclusivos para a distribuição da lateral alveolar ou dental [cf. (15a-d)] e da lateral velarizada [ł] ou glide recuado [w] [cf. (15e-h)]. Ambientes exclusivos caracterizam a distribuição complementar. Formulamos a seguir a "alofonia do l-pós-vocálico".

(16) **Alofonia do l-pós-vocálico**

Tipo de alofonia	Fonema	Alofones	Contextos e exemplos
Velarização do l-pós-vocálico (Dialeto 1 – típico de Portugal)	/l/	[l] e [ł]	• O alofone posicional [ł] ocorre em posição final de sílaba. Ex: /ˈsal/ [ˈsał] "sal" e /ˈsalta/ [ˈsałta] " salta". • O alofone posicional [l] ocorre NDA.
Vocalização do l-pós-vocálico (Dialeto 2 – típico do Brasil)	/l/	[l] e [w]	• O alofone posicional [w] ocorre em posição final de sílaba. Ex: /ˈsal/ [ˈsaw] "sal" e /ˈsalta/ [ˈsawta] "salta". • O alofone posicional [l] ocorre NDA.

=============== **Exercício 7** ===============

Transcreva foneticamente as palavras abaixo. Note que a transcrição fonética deve estar entre colchetes. Complete em seguida, na coluna de transcrição fonêmica, o espaço sublinhado com o fonema consonantal pertinente. Você deve selecionar para cada lacuna um dos seguintes fonemas: /p, b, t, d, k, g, f, v, s, z, ʃ, ʒ, m, n, l, ɾ, R̄, ʎ/

Ortografia	Fonética	Fonêmica
a. cultural	_____	/_u_ _u ˈ_a_/
b. almejado	_____	/a_ _ɛˈ_a_o/
c. capital	_____	/_a_ i ˈ_a_/
d. gol	_____	/ˈ_o_/
e. atol	_____	/aˈ_ɔ_/
f. azul	_____	/ˈa_u_ /
g. canil	_____	/_aˈ_i_ /
h. ultraje	_____	/u_ˈ_ _a_e/

Finalmente vamos considerar os pares de sons foneticamente semelhantes nʲ/ɲ; ɲ/ỹ; nʲ/ỹ para os quais não foram encontrados pares mínimos. Investigamos a hipótese de alofonia de variação livre. "Dialeto 1" representa uma pronúncia possível para falantes do Sudeste do Brasil. "Dialeto 2" representa uma pronúncia possível para falantes de Belém do Pará. Considere os dados:

Fonêmica – O sistema consonantal do português 151

(17) **Ortografia** | **Dialeto 1** | **Dialeto 2**
a. banho | [ˈbãɲʊ] ~ [ˈbã̃yʊ] | [ˈbãɲʊ] ~ [ˈbãnʲʊ]
b. sonho | [ˈsõɲʊ] ~ [ˈsõỹʊ] | [ˈsõɲʊ] ~ [ˈsõnʲʊ]
c. lenha | [ˈlẽɲə] ~ [ˈlẽỹə] | [ˈlẽɲə] ~ [ˈlẽnʲə]

Os exemplos em (17) indicam um caso de variação livre entre [ɲ, ỹ, nʲ]. Adotamos o fonema /ɲ/ para representar os alofones [ɲ, ỹ, nʲ]. Em (18), formulamos a "alofonia da nasal palatal".

(18) **Alofonia da nasal palatal**

Tipo de alofonia	Fonema	Alofones	Contextos e exemplos
Nasal Palatal	/ɲ/	[ɲ], [ỹ], [nʲ] (individual ou em grupos)	Variação livre podendo marcar característica dialetal. Exemplo: /ˈbaɲo/ —> [ˈbãɲʊ] ~[ˈbãỹʊ] ~ [ˈbãnʲʊ] "banho"

Tarefa

Selecione os alofones da nasal palatal que ocorrem em seu idioleto. Preencha o quadro referente à alofonia da nasal palatal na tabela fonêmica destacável. O fonema /ɲ/ deve estar na tabela fonêmica na posição correspondente ao segmento nasal palatal.

Os procedimentos de análise fonêmica considerados acima nos levaram a identificar os fonemas e alofones do português. Identificamos dezenove fonemas: /p, b, t, d, k, g, f, v, s, z, ʃ, ʒ, m, n, ɲ, l, ʎ, ɾ, R̄/. Este grupo de fonemas é idêntico para todos os dialetos do português (exceto para falantes de certos dialetos, como por exemplo de Cuiabá, que não apresentam os fonemas /ʃ, ʒ/ em "chá, já"e sim os fonemas /tʃ, dʒ / na posição inicial nestas palavras). Os fonemas devem ter sido adicionados à tabela fonêmica destacável à medida que os exercícios desta seção foram concluídos.

Considerando-se as particularidades dialetais identificamos as seguintes alofonias: vozeamento 1 (de /R/); vozeamento 2 (de /S/); palatalização de oclusivas alveolares; lateral palatal; l-pós-vocálico; nasal palatal. As alofonias consonantais relevantes para o seu idioleto devem ter sido listadas nos quadros que se encontram abaixo da tabela fonêmica consonantal.

Resta-nos, finalmente, considerar as consoantes complexas [kʷ, gʷ] que ocorrem em palavras como "quadro" e "linguiça". A representação fonêmica de consoantes complexas é /kʷ, gʷ/. Assim, temos que a representação fonêmica das palavras "quadro" e "linguiça"

152 Fonêmica – A estrutura silábica

são respectivamente: /ˈkʷadɾo/ e /liNˈgʷisa/. As análises do português excluem os fonemas /kʷ, gʷ/ do inventário fonêmico (e portanto estes segmentos não constam da tabela fonêmica). Isto deve-se ao fato dos fonemas /kʷ, gʷ/ representarem um resquício histórico do latim, que ainda hoje está em evolução no português. Mais especificamente, há um grupo de palavras em que a consoante complexa pode alternar com uma consoante oclusiva, como em "li[kʷ]idificador/li[k]idificador". E há um grupo de palavras em que a consoante complexa deve ocorrer: "[kʷ]adro", mas não "*[k]adro". Temos vários argumentos para postular que a representação fonêmica das consoantes complexas é /kʷ, gʷ/. Dentre os principais argumentos destacamos: as sequências /kʷ, gʷ/ comportam-se como uma única consoante na estrutura silábica (exclui-se a representação /kw, gw/); restrições acentuais (*lín[gʷ]iça, *íni[kʷ]a); e restrições em alternâncias morfológicas ("iní[kʷ]a/ini[kʷ]idade" e "inó[kʊ]a/ino[ku]idade"). Estes argumentos são discutidos detalhadamente em Cristófaro Silva (1995).

Consideramos a seguir a estrutura silábica do português. Adotamos a análise de Mattoso Câmara (1970) com complementações da autora. A distribuição das consoantes na estrutura silábica do português é essencial para a compreensão global do sistema fonêmico desta língua.

A ESTRUTURA SILÁBICA

1. Introdução

Sílabas são constituídas de vogais – que representamos por **V** – e consoantes – que representamos por **C**. A estrutura máxima de uma sílaba do português é apresentada a seguir (versão preliminar). A vogal é sempre obrigatória e as consoantes podem ser opcionais conforme os critérios listados:

(1) $C_1 C_2 V C_3 C_4$ (versão preliminar)

A vogal é o núcleo da sílaba e as consoantes ocupam as partes periféricas. O núcleo ou pico da sílaba pode receber o acento primário (ou tônico) ou secundário (átono). Geralmente os núcleos das sílabas em português são preenchidos por segmentos vocálicos (uma das poucas exceções em que uma consoante ocupa o núcleo da sílaba é o sinal de silêncio: ps! [ps]). Uma sílaba do português requer então que a posição da vogal seja preenchida, o preenchimento das posições consonantais é opcional. Qualquer vogal tônica ou átona do português brasileiro pode ocupar tal posição.

Apresentamos os quadros que ilustram exemplos de sílabas possíveis do português: constituídas apenas de vogal, constituídas de uma ou duas consoantes pré-vocálicas e constituídas de uma ou duas consoantes pós-vocálicas.

Fonêmica – A estrutura silábica **153**

Os pontos de interrogação – ??? – indicam que potencialmente pode-se encontrar exemplos para tais categorias (aparentemente a falta de exemplos representa lacunas na distribuição). Uma linha pontilhada indica ausência de dados. Palavras entre parênteses consistem do único exemplo encontrado para aquela categoria; ou representam um padrão anômalo relacionado a palavras estrangeiras incorporadas ao português; ou expressam variação dialetal.

2. Sílabas constituídas de uma vogal

O quadro abaixo ilustra exemplos de palavras que apresentam pelo menos uma sílaba constituída apenas de vogal. As vogais das palavras entre parênteses podem apresentar uma outra vogal correspondente em certos dialetos do português.

(2) **Sílabas constituídas apenas de vogal**

Vogal	Início de palavra		Meio de palavra		Final de palavra	
	tônica	pretônica	tônico	pretônica/postônica	tônica	postônica
[i]	[i]da	[i]greja	cu[i]ca	ju[i]zado	hava[i]	——
[e]	[e]le	[e]levador	co[e]lho	jo[e]lhada	fuzu[e]	(cári[e])
[ɛ]	[ɛ]ra	(h[ɛ]rege)	po[ɛ]ta	(co[ɛ]rente)	obo[ɛ]	——
[a]	[a]ve	[a]viador	pi[a]da	di[a]rista	ali[a]	(áre[a])
[ɔ]	h[ɔ]ra	([ɔ]régano)	cari[ɔ]ca	(ge[ɔ]logia)	curi[ɔ]	——
[o]	[o]vo	[o]dor	le[o]a	le[o]nino	pare[o]	(ódi[o])
[u]	[u]til	[u]vular	gra[u]do	mi[u]deza	ba[u]	——
[ɪ]	——	——	——	——	——	perdo[ɪ]
[ə]	——	——	——	olimpí[ə]da	——	di[ə]
[ʊ]	——	——	——	perí[ʊ]do	——	páti[ʊ]
[ĩ]	[ĩ]ndio	[ĩ]mperador	Co[ĩ]mbra	co[ĩ]ncide	Ca[ĩ]m	——
[ẽ]	[ẽ]ntre	([ẽ]ncanto)	co[ẽ]ntro	do[ẽ]ntio	???	——
[ã]	[ã]njo	[ã]ntigo	adi[ã]nta	adi[ã]ntar	(souti[ã])	——
[õ]	[õ]nde	[õ]mbreira	a[õ]nde	???	???	——
[ũ]	[ũ]m	[ũ]mbilical	ori[ũ]ndo	???	pi[ũ]m	——

Para sílabas constituídas apenas de vogais podemos observar as seguintes restrições:

154 Fonêmica – A estrutura silábica

(3) **Restrições em sílabas constituídas de uma vogal**
a. *As vogais orais [i, e, ɛ, a, ɔ, o, u] podem ocupar a posição de vogal em sílabas constituídas apenas de vogais, sendo que qualquer uma destas vogais pode ocorrer em início de palavra ou em meio de palavra em posição tônica ou átona dependendo do dialeto.*
b. *As vogais átonas postônicas [ɪ, ə, ʊ] geralmente ocorrem em posição de final de palavra. Para falantes que apresentam sequências de vogais postônicas em palavras como "cárie, área, ódio", temos um subconjunto das vogais [i, e, a, o, u] em posição átona final.*
c. *Vogais nasais em sílabas constituídas apenas de vogais geralmente ocorrem em início de palavra em posição tônica ou átona. Quando em meio de palavra, a vogal nasal em sílaba única deve ser precedida de uma vogal oral (cf. Coimbra, ainda, reinstalar).*

Lembramos ao leitor que ditongos são interpretados como sequências de vogais. Sendo assim, em uma palavra como "oito" temos duas sílabas constituídas apenas de vogais: "oi.to". As duas sílabas formadas apenas por vogais combinam-se formando um ditongo decrescente que consiste de uma sequência de vogal-glide: "[ˈoɪ]to". Duas sílabas formadas apenas por vogais podem combinar-se também para formar um ditongo crescente que consiste de uma sequência de glide-vogal: "estac[ɪo]namento". Devemos assumir então que a estrutura da sílaba em português apresenta duas vogais: VV. [note que em (1) assumimos apenas uma vogal na estrutura silábica]. Resta-nos definir quais das vogais na sequência é o pico ou núcleo da sílaba. Para efeito de descrição da estrutura silábica, assumimos que o pico de qualquer sílaba do português é **V**. A vogal correspondente ao glide – que pode ser pré-vocálica ou pós-vocálica – será descrita como **V'**. De acordo com estes critérios a estrutura silábica do português apresentada em (1) deve ser reescrita como:

(4) $C_1 C_2 V V' C_3 C_4$ ou $C_1 C_2 V' V C_3 C_4$ (versão definitiva)

Os segmentos consonantais – que são opcionais – são representados por C. O núcleo da sílaba é um constituinte obrigatório que é representado por V. O glide – que é opcional – é representado por V. Na primeira representação em (4), a estrutura silábica $C_1C_2VV'C_3C_4$ apresenta uma sequência de *vogal-glide* (ou ditongo decrescente) e as consoantes são opcionais. Na segunda representação em (4), a estrutura silábica $C_1C_2V'VC_3C_4$ apresenta uma sequência de *glide-vogal* (ou ditongo crescente) e as consoantes são opcionais. Retomamos a interpretação fonêmica dos glides no final desta seção.

Consideramos a seguir os segmentos consonantais cuja ocorrência é opcional na estrutura das sílabas do português. As consoantes preenchem as partes periféricas da sílaba podendo ser pré-vocálicas – quando ocorrem antes da vogal – ou pós-vocálicas – quando ocorrem após a vogal. Consideremos inicialmente as consoantes pré-vocálicas.

Fonêmica – A estrutura silábica **155**

3. Consoantes pré-vocálicas

Em posição pré-vocálica podemos ter uma ou duas consoantes em português. Temos então os seguintes tipos de sílabas: $C_1V \sim C_1VV$' (quando temos apenas uma consoante precedendo o núcleo) ou $C_1C_2V \sim C_1C_2VV$' (quando temos duas consoantes precedendo o núcleo).

Tratemos de cada caso individualmente. O quadro apresentado abaixo ilustra exemplos em que ocorre apenas uma consoante pré-vocálica: $C_1V \sim C_1VV$'.

(5) **Somente uma consoante pré-vocálica**

Consoante	Início de palavra		Meio de palavra	
	CV	CVV'	CV	CVV'
/p/	/p/á	/p/ai	ca/p/a	cha/p/éu
/b/	/b/ala	/b/oi	sa/b/e	aca/b/ou
/t/	/t/apa	/t/eu	pa/t/a	a/t/eu
/d/	/d/edo	/d/eu	ca/d/ê	be/d/éu
/k/	/k/asa	/k/ai	pa/k/a	pe/k/ou
/g/	/g/ato	/g/aulês	la/g/o	min/g/au
/f/	/f/aca	/f/oi	ba/f/o	or/f/eu
/v/	/v/aca	/v/ai	la/v/a	ca/v/ou
/s/	/s/aco	/s/ei	a/s/a	pa/s/eio
/z/	/z/ero	/z/eus	a/z/a	ca/z/ei
/ʃ/	/ʃ/ave	/ʃ/eiro	a/ʃ/a	a/ʃ/ei
/ʒ/	/ʒ/ato	/ʒ/eito	a/ʒ/a	a/ʒ/eita
/R̄/	/R̄/ato	/R̄/ei	ca/R̄/o	co/R̄/eu
/ɾ/	——	——	ca/ɾ/o	sa/ɾ/ou
/m/	/m/ato	/m/au	a/m/or	a/m/ei
/n/	/n/ata	/n/oite	a/n/o	ba/n/iu
/ɲ/	(/ɲ/oque)	——	ba/ɲ/o	so/ɲ/ei
/l/	/l/ata	/l/ei	ma/l/a	aba/l/ei
/ʎ/	(/ʎ/ama)	——	a/ʎ/o	ma/ʎ/ei

Para sílabas constituídas de apenas uma consoante pré-vocálica podemos fazer as seguintes observações:

156 Fonêmica – A estrutura silábica

(6) **Restrições em sílabas com uma consoante pré-vocálica**

a. *Em posição inicial /ɲ, ʎ/ ocorrem somente em empréstimos e /r/ não ocorre. Quando apenas uma consoante ocorre precedendo a vogal temos uma sílaba CV e a consoante pode ser qualquer um dos dezenove fonemas consonantais listados anteriormente. Entretanto, os fonemas /ɲ, ʎ, r/ só ocorrem em posição intervocálica. Exceções ocorrem para /ɲ/ e /ʎ/: "nhoque" e "lhama". Estas palavras são empréstimos e geralmente apresentam uma pronúncia alternativa em que a vogal [i] precede a consoante incial: "[i]nhoque" e "[i]lhama".*

b. *Sílabas que apresentam os fonemas /ɲ, ʎ, r/ em posição inicial só podem ser precedidas de uma sílaba com vogal oral (vimos acima que /ɲ, ʎ, r/ ocorrem somente em posição intervocálica). Os demais fonemas consonantais que iniciam uma sílaba podem ser precedidos de uma sílaba com vogal oral ou nasal ou que termine em consoante pós-vocálica.*

Consideramos a seguir sílabas que apresentam duas consoantes pré-vocálicas: $C_1C_2V \sim C_1C_2VV'$. O conjunto das duas consoantes é chamado de **encontro consonantal tautossilábico**. Em encontros consonantais tautossilábicos as duas consoantes são parte da mesma sílaba. Considere o quadro:

(7) **Duas consoantes pré-vocálicas**

Consoante	Início de palavra		Meio de palavra	
	CCV	CCVV'	CCV	CCVV'
/pr/	/pr/ece	/pr/eito	a/pr/eço	com/pr/ou
/pl/	/pl/ano	/pl/eura	a/pl/ica	a/pl/auso
/br/	/br/asil	/br/eu	a/br/e	a/br/iu
/bl/	/bl/oco	(/bl/au)	em/bl/ema	???
/tr/	/tr/ato	/tr/eis	a/tr/ás	en/tr/ou
/tl/	——	——	a/tl/as	——
/dr/	/dr/ácula	/dr/uida	a/dr/o	enqua/dr/ei
/dl/	——	——	——	——
/kr/	/kr/avo	/kr/ei	a/kr/e	la/kr/ei
/kl/	/kl/ave	/kl/áusula	ca/bl/oco	???
/gr/	/gr/ave	/gr/ou	ma/gr/a	san/gr/ei
/gl/	/gl/utão	/gl/auco	en/gl/oba	???
/fr/	/fr/aco	/fr/aude	Á/fr/ica	con/fr/ei
/fl/	/fl/ama	/fl/euma	a/fl/uente	a/fl/ui
/vr/	——	——	li/vr/o	li/vr/ei
/vl/	(/vl/admir)	——	——	——

Fonêmica – A estrutura silábica 157

Para sílabas que apresentam encontros consonantais tautossilábicos em posição pré-vocálica, podemos fazer as seguintes observações:

(8) **Restrições em sílabas com duas consoantes pré-vocálicas**

   a. *Quando C_1 e C_2 ocorrem, a primeira consoante é uma obstruinte (categoria que inclui oclusivas e fricativas pré-alveolares) e a segunda consoante é uma líquida (categoria que inclui /l, ɾ/).*

   b. */dl/ não ocorre e /vl/ ocorre apenas em um grupo restrito de nomes próprios que são empréstimos (ex: "Wladmir, Wlamir", etc.).*

   c. */vɾ/ e /tl/ não ocorrem em início de palavra e apresentam distribuição restrita, ou seja, com poucos exemplos.*

Tratamos das restrições segmentais impostas às consoantes pré-vocálicas do português. Para que possamos compreender a distribuição das consoantes pós-vocálicas, devemos introduzir as noções de **neutralização** e **arquifonema**. Tais noções são apresentadas na próxima seção ao considerarmos o arquifonema /S/ do português.

4. Consoantes pós-vocálicas

4.1. O arquifonema /S/

Certos segmentos que apresentam contraste fonêmico (isto é, que podemos encontrar pares mínimos que caracterizem os segmentos como fonemas) podem apresentar a perda do contraste fonêmico em um ambiente específico. Temos em português a oposição fonêmica entre /s, z, ʃ, ʒ/. Os pares mínimos "assa, asa, acha, haja" caracterizam o contraste fonêmico dos fonemas /s, z, ʃ, ʒ/ em posição intervocálica. Os pares mínimos "(ele) seca, Zeca, (ele) checa, jeca" caracterizam o contraste fonêmico dos fonemas /s, z, ʃ, ʒ/ em início de palavra. Note que caso haja a troca de um fonema pelo outro haverá mudança de significado da palavra. Observe contudo que em posição final de sílaba, o contraste fonêmico dos fonemas /s, z, ʃ, ʒ/ desaparece. Queremos dizer com isto que em posição final de sílaba qualquer um dos segmentos [s, z, ʃ, ʒ] pode ocorrer sem causar prejuízo de significado. Observe nos exemplos apresentados a seguir a realização fonética da consoante que ocorre no final de sílaba na palavra "mês": [ˈmes] ou [ˈmeʃ] "mês"; [mezbuˈnitʊ] ou [meʒbuˈnitʊ] "mês bonito" e [mezatraˈzadʊ] "mês atrasado". Em todos estes exemplos podemos depreender o significado da palavra "mês". Note contudo que a consoante final da palavra "mês" nestes exemplos ocorre como qualquer um dos segmentos [s, z, ʃ, ʒ]. Concluímos então que os fonemas /s, z, ʃ, ʒ/ apresentam contraste fonêmico em início de palavra (cf. "(ele) seca, Zeca, (ele) checa, jeca") e em posição intervocálica (cf. "assa, asa, acha, haja"). O contraste fonêmico contudo não é atestado em posição de final de sílaba (cf. [ˈmes] ou [ˈmeʃ] "mês"; [mezbuˈnitʊ] ou [meʒbuˈnitʊ] "mês bonito" e [mezatraˈzadʊ] "mês atrasado").

158 Fonêmica – A estrutura silábica

Devemos então buscar uma maneira de expressar este tipo de comportamento, ou seja, o fato de certos fonemas perderem o contraste fonêmico em ambientes específicos. Para isto, utilizamos a noção de neutralização e arquifonema. Dizemos que há **neutralização** dos fonemas /s, z, ʃ, ʒ/ em posição final de sílaba em português. Para representarmos a consoante que ocorre em posição final de sílaba – que corresponde a um dos segmentos [s, z, ʃ, ʒ] – utilizamos o símbolo /S/ o qual representa um **arquifonema**. Portanto, um arquifonema expressa a perda de contraste fonêmico, ou seja, a neutralização – de um ou mais fonemas em um contexto específico. Em (9) apresentamos a distribuição do arquifonema /S/ em português.

(9) **Distribuição do arquifonema /S/ em português**
   a. *Ocorre como [z] (ou [ʒ] dependendo do dialeto) em limite de sílaba seguido por consoante vozeada (cf. "esbarro, desvio").*
   b. *Ocorre como [s] (ou [ʃ] dependendo do dialeto) em limite de sílaba seguido por consoante desvozeada ou quando em posição de final de palavra (cf. "pasta, asco, mês, luz").*
   c. *Ocorre como [z] em qualquer dialeto quando um segmento inicialmente em posição final de sílaba (por exemplo, o segmento final de "luz") passa a ocupar a posição inicial de sílaba (o primeiro segmento da segunda sílaba "luzes").*

Postulamos acima o arquifonema /S/. Tal segmento pode manifestar-se foneticamente como [s, z, ʃ, ʒ] em posição final de sílaba. Observe que o arquifonema é transcrito entre barras transversais tendo portanto um status fonêmico. O arquifonema /S/ será utilizado somente na transcrição fonêmica nos contextos em que a neutralização se aplica: posição final de sílaba. Note que uma palavra como "pasta" pode ser transcrita foneticamente como ['pastə] ou ['paʃtə] dependendo do dialeto em questão. Contudo, a transcrição fonêmica de tal palavra será idêntica para qualquer dialeto: /'paSta/. Observe que em /'paSta/ o arquifonema /S/ ocorre em posição final de sílaba. O mesmo ocorre com uma forma como "paz" que pode ocorrer foneticamente como ['pas] ou ['paʃ] dependendo do dialeto e que fonemicamente apresenta a seguinte transcrição: /'paS/.

Temos então que o arquifonema deve ser utilizado somente na transcrição fonêmica nos contextos em que a neutralização se aplica. No caso de /S/ em português o contexto da neutralização é em posição final de sílaba. Ao considerarmos palavras como "assa, asa, acha, haja" devemos utilizar o fonema que representa o segmento intervocálico: /'asa/; /'aza/; /'aʃa/; /'aʒa/.

─────────────────── **Exercício 1** ───────────────────

Transcreva fonética e fonemicamente os dados apresentados. Observe que as transcrições fonéticas estejam entre colchetes e as transcrições fonêmicas entre barras transversais.

Fonêmica – A estrutura silábica 159

Ortografia	Fonética	Fonêmica
fugaz	_____	/_u'_a_ /
arroz	_____	/a'_o_ /
atroz	_____	/a'_ _ɔ_ /
luz	_____	/'_u_ /
susto	_____	/'_u_ _o/
vespa	_____	/'_e_ _a/
lesma	_____	/'_e_ _a/
vesga	_____	/'_e_ _a/
mês	_____	/'_e_ /
mês passado	_____	/_e_ _a '_a_o/
mês bonito	_____	/_e_ _o '_i_o/
mês alegre	_____	/_e_a'_ɛ_ _e/

Podemos concluir a discussão dizendo que os quatro fonemas /s, z, ʃ, ʒ/ perdem a sua propriedade contrastiva (que os identifica como fonemas distintos) em posição final de sílaba sendo representados neste contexto pelo arquifonema /S/.

Retomemos então à questão inicial que nos levou à investigação do arquifonema /S/: quais são as consoantes que podem ocorrer em posição pós-vocálica em português? Acabamos de ver que o arquifonema /S/ é uma destas consoantes. Tratamos a seguir do R-pós-vocálico que ocorre em posição pós-vocálica em palavras como "mar" e "marca".

4.2. O R-pós-vocálico

Temos em português o r-fraco e o R-forte. Contraste fonêmico (ou seja, pares mínimos) entre estes dois tipos de "R" somente é atestado em posição intervocálica: "caro/carro; careta/carreta; sarar/sarrar". O r-fraco (que ocorre em palavras como "caro, careta, arara") manifesta-se foneticamente como um tepe ou vibrante simples em qualquer dialeto do português: [ɾ], tendo a representação fonêmica /ɾ/. O R-forte ocorre em início de sílaba (cf. carro, rua, Israel), tendo a representação fonêmica /R̄/. A realização fonética do R-forte varia consideravelmente de dialeto para dialeto (para a descrição do R-forte e do r-fraco em seu idioleto ver o capítulo anterior). Nesta seção estamos particularmente interessados no R-pós-vocálico, que terá a representação fonêmica /R/. Considere os exemplos em (10).

(10) Ortografia	Belo Horizonte	São Paulo	Fonêmica
par	['pah]	['paɾ]	/'paR/
parto	['pahtʊ]	['paɾtʊ]	/'paRto/
ator	[a'toh]	[a'toɾ]	/a'toR/
torcida	[tuh'sidə]	[tuɾ'sidə]	/toR'sida/
cor	['koh]	['koɾ]	/'koR/
corte	['kohtʃɪ]	['kɔɾtɪ]	/'kɔRte/

160 Fonêmica – A estrutura silábica

Os exemplos de (10) refletem uma pronúncia possível para o dialeto de Belo Horizonte (segunda coluna) e da cidade de São Paulo (terceira coluna). Note que em Belo Horizonte ocorre o segmento [h] em posição final de sílaba e neste mesmo contexto ocorre o tepe [ɾ] em São Paulo. Lembramos que há o contraste fonêmico em posição intervocálica entre [h] e [ɾ] (cf. "caro/carro") sendo que [h] relaciona-se ao R-forte e [ɾ] relaciona-se ao r-fraco. O R-forte varia consideravelmente no português brasileiro e o representamos por /R̄/ sendo que este segmento sempre ocorre no início da sílaba. O tepe /ɾ/ é sempre representado por [ɾ]. A perda de contraste fonêmico entre o R-forte e r-fraco é **neutralizada** no português em posição de final de sílaba. Isto quer dizer que neste contexto pode ocorrer foneticamente segmento correspondente ao R-forte ou o r-fraco. Neste contexto – de posição final de sílaba – utilizamos o arquifonema /R/ para representar fonemicamente o R-pós-vocálico. O arquifonema /R/ ocorre somente em posição final de sílaba – seja em meio de palavra (cf. ca**r**ta) ou em final de palavra (cf. ma**r**). Como dissemos anteriormente, há contraste fonêmico entre o R-forte e r-fraco apenas em posição intervocálica (cf. "caro/carro"). Os demais ambientes em que o R-forte, o r-fraco e o arquifonema /R̄/ ocorrem são:

(11)

Tipo de "r"	Contexto	Exemplo
r-fraco /ɾ/	Entre vogais: ca**r**o	/ˈkaɾo/
	Seguindo consoante na mesma sílaba: p**r**ato	/ˈpɾato/
R-forte /R̄/	Entre vogais: ca**rr**o	/ˈkaR̄o/
	Início de palavra: **r**ato	/ˈR̄ato/
	Seguindo consoante em outra sílaba: Is**r**ael	/isR̄aˈɛl/
Arquifonema /R/	Final de palavra: ma**r**	/ˈmaR/
	Final de sílaba: ca**r**ta	/ˈkaRta/

Em todos os dialetos do português haverá o contraste fonêmico em posição intervocálica entre o r-fraco e o R-forte (cf. "caro/carro"). Este contraste fonêmico pode manifestar-se pelo número de vibrações da língua na articulação do segmento consonantal: vibrante simples em "caro" [ˈkaɾʊ] e vibrante múltipla em "carro" [ˈkařʊ]. Alternativamente o R-forte pode manifestar-se como uma consoante fricativa [x, ɣ, h, ɦ] ou retroflexa [ɻ]. Seguindo consoante tautossilábica (na mesma sílaba), também temos o r-fraco para qualquer dialeto (cf. "cravo, primo"). O r-fraco se manifestará foneticamente como um tepe ou vibrante simples em todos os dialetos do português. A variação linguística ocorre de maneira bastante ampla nos demais contextos em que o R-forte ocorre. Em (12), ilustramos a distribuição dos sons de "r" no dialeto de Belo Horizonte e no dialeto de **Pará de Minas** (MG).

Fonêmica – A estrutura silábica 161

(12)

Tipo de "r"	Contexto	BH	Pará de Minas	Exemplo
r-fraco: /ɾ/	Entre vogais: caro	[ˈkaɾʊ]	[ˈkaɾʊ]	"caro"
	Seguindo consoante na mesma sílaba: prato	[ˈpɾatʊ]	[ˈpɾatʊ]	"prato"
R-forte: /R̄/	Entre vogais: carro	[ˈkahʊ]	[ˈkahʊ]	"carro"
	Início de palavra: rato	[ˈhatʊ]	[ˈhatʊ]	"rato"
	Seguindo consoante em outra sílaba: Israel	[ishaˈɛw]	[ishaˈɛw]	"Israel"
Arquifonema /R/	Final de palavra: mar	[ˈmah]	[ˈmaɹ]	"mar"
	Final de sílaba: carta	[ˈkahtə]	[ˈkaɹtə]	"carta"

Os dados apresentados em (12) refletem uma das pronúncias possíveis para o português [Cristófaro Silva (1994)]. No português de Belo Horizonte (MG) o R-forte manifesta-se como uma fricativa glotal [h]. A distribuição do R-forte no dialeto de Pará de Minas (MG) pode ser resumida assim: a fricativa glotal [h] ocorre em início de sílaba [cf. (12c-e)] e a aproximante retroflexa [ɹ] ocorre em posição final de sílaba [cf. (12f-g)].

Há contraste fonêmico entre o r-fraco e o R-forte em posição intervocálica [cf. (12a) e (12c)]. Em posição não intervocálica há neutralização das oposições entre o r-fraco e o R-forte em proveito do último [Mattoso Câmara (1970: 48)]. Assim, podemos assumir que o dialeto de Belo Horizonte tem [h] como a representação do R-forte e R-pós-vocálico [cf. (12c-g)]. O dialeto de Pará de Minas tem [h] para o R-forte e [ɹ] para o R-pós-vocálico [cf. (12c-g)]. De acordo com esta proposta as transcrições fonêmicas dos exemplos apresentados em (12) são as seguintes:

(13) **Ortografia**   **Fonêmica**
     a. caro   /ˈkaɾo/
     b. prato   /ˈprato/
     c. carro   /ˈkaR̄o/
     d. rato   /ˈR̄ato/
     e. Israel   /iSR̄aˈɛl/
     f. mar   /ˈmaR/
     g. carta   /ˈkaRta/

Observe que as transcrições fonêmicas são idênticas para qualquer dialeto. Na transcrição fonêmica temos o R-forte representado por /R̄/ e o r-fraco representado por /ɾ/. O R-pós-vocálico é representado pelo arquifonema /R/. A variação dialetal é expressa na representação fonética que pode apresentar um subconjunto dos segmentos [ɾ, x, ɣ, h, ɦ, ɹ, ř]. Faça o exercício abaixo.

162 Fonêmica – A estrutura silábica

─────────────── **Exercício 2** ───────────────

Transcreva fonética e fonemicamente os dados abaixo e discuta a distribuição do r-fraco, do R-forte e do R-pós-vocálico para a sua variedade dialetal.

era	_____	/'ɛ_a/
guri	_____	/_u'_i/
arara	_____	/a'_a_a/
cravo	_____	/'__ _a_o/
primo	_____	/'__ _i_o/
aprova	_____	/a'__ _ɔ_a/
reto	_____	/'_ɛ_o/
rapaz	_____	/_a'_a_/
cerrado	_____	/_ɛ'_a_o/
israelita	_____	/i__ _a ɛ '_i_a
amor	_____	/a'_o_/
certo	_____	/'_ɛ__ _o/
forte	_____	/'_ɔ__ _e/

Ao concluir o exercício anterior você deve ser capaz de discutir a distribuição do R-forte, do r-fraco e do R-pós-vocálico em seu idioleto. Compare o seu exercício ao de um colega ou tente formular uma outra distribuição possível para o português que seja diferente da sua. A seguir tratamos da ocorrência do /l/ pós-vocálico.

4.3. O /l/ pós-vocálico

Outra consoante que também ocorre em posição final de sílaba é o fonema /l/. Lembremos que em início de sílaba (cf. "leve, lata, lindo") ou quando precedido de consoante na mesma sílaba (cf. "atlas, plano, aclive"), o fonema /l/ manifesta-se foneticamente como uma consoante lateral alveolar (ou dental) em qualquer dialeto do português. Em posição final de sílaba (cf. "cal, atol, alça, selva"), o fonema /l/ tem duas possibilidades de realização fonética. Na primeira possibilidade, o fonema /l/ em posição final de sílaba pode ocorrer como uma lateral alveolar (ou dental) velarizada [ɫ]. Neste caso, palavras como "cal, alça" são transcritas foneticamente como: ['kaɫ] e ['aɫsə], pronúncia de variedades do Sul do Brasil e de Portugal. A segunda possibilidade é a vocalização do fonema /l/ em posição final de sílaba, esta típica da maioria dos dialetos do português brasileiro e palavras como "cal, alça" são transcritas foneticamente como: ['kaw] e ['awsə]. Veja que uma forma como "cal" – que pode ser pronunciada ['kaɫ] ou ['kaw] – terá a representação fonêmica /'kal/ em qualquer dialeto. Similarmente, uma forma como "alça" cuja representação fonêmica é /'alsa/ pode ser transcrita foneticamente como ['aɫsə] ou ['awsə] dependendo do dialeto em questão.

Fonêmica – A estrutura silábica 163

========================= Exercício 3 =========================

Transcreva fonética e fonemicamente os dados a seguir. Note que a transcrição fonética deve refletir as pronúncias de dialetos que apresentam a vocalização do /l/ – Dialeto 1 – e dialetos em que uma consoante lateral ocorre em posição final de sílaba – Dialeto 2. As transcrições fonêmicas são idênticas para os dois dialetos.

Ortografia	Fonética		Fonêmica
	Dialeto 1	Dialeto 2	
a. papel			/__aˈ__ɛ__/
b. selva			/ˈ__ɛ____a/
c. sol			/ˈ__ɔ__/
d. solstício			/__ɔ____ˈ__i__io/
e. cachecol			/__a__ɛˈ__ɔ__/
f. sul			/ˈ__u__/
g. vulto			/ˈ__u____o/
h. marechal			/__a__ɛˈ__a__/
i. colcha			/ˈ__o____a/
j. Brasil			/____aˈ__i__/

Como conclusão temos que além do arquifonema /S/ e do /R/ pós-vocálico, o fonema /l/ também ocorre em posição pós-vocálica em português (cf. /ˈpaS/ "paz"; /ˈmaR/ "mar" e /ˈkal/ "cal"). Assumimos para o português um quarto elemento pós-vocálico que denominamos **arquifonema nasal** /N/. O arquifonema nasal /N/ é atestado por exemplo em uma forma fonêmica como /ˈlaN/ – que corresponde à forma fonética [lã] "lã". O arquifonema nasal é discutido em detalhes nas próximas páginas quando consideramos o sistema fonêmico vocálico do português. Apresentamos a seguir o quadro das quatro consoantes pós-vocálicas do português e as restrições segmentais impostas a tais consoantes.

Em (13) listamos as consoantes pós-vocálicas do português e apresentamos um exemplo de transcrição fonêmica correspondente a tal consoante.

(13) **Consoantes que ocorrem em posição pós-vocálica**

Consoante pós-vocálica	Representação fonêmica		Ortografia
/S/	/ˈpaS/	; /ˈpaSta/	paz; pasta
/R/	/ˈmaR/	; /ˈmaRka/	mar; marca
/l/	/ˈsal/	; /ˈsalta/	sal; salta
/N/	/ˈlaN/	; /ˈlaNʃe/	lã; lanche

164 Fonêmica – A estrutura silábica

> **Tarefa**
>
> Complete a coluna de "representação fonética" na tabela de consoantes pós-vocálicas que é apresentada na parte inferior da tabela fonêmica destacável.

Lembre-se que a estrutura silábica do português é: $C_1C_2VV'C_3C_4$ [cf. (4)]. As consoantes pós-vocálicas correspondem à C_3 e C_4. Listamos a seguir as restrições silábicas impostas a tais consoantes no português.

(14) **Restrições impostas às consoantes pós-vocálicas**
   a. *A ocorrência de C_3 e/ou C_4 é opcional.*
   b. *Quando C_3 ocorre, esta consoante deve ser um dos segmentos: /S/, /R/, /l/, /N/ (cf. /ˈpaS/ "paz"; /ˈmaR/ "mar"; /ˈkal/ "cal" e /ˈlaN/ "lã" ou /ˈpaSta/ "pasta"; /ˈmaRka/ "marca"; /ˈkalma/ "calma" e /ˈlaNʃe/ "lanche"). Geralmente apenas uma consoante – ou seja C_3 – é permitida em posição pós-vocálica em português.*
   c. *Quando C_4 ocorre, esta consoante deve ser /S/ e o segmento correspondente à consoante C_3 será um dos segmentos: /l/, /R/, /N/ (cf. /solSˈtisio/ "solstício"; /peRSpekˈtiva/ "perspectiva" e /traNSˈtoRno/ "transtorno").*

Vimos em (14) que a estrutura máxima das sílabas em português é $C_1C_2VV'C_3C_4$. O núcleo da sílaba é a vogal V, que é o único elemento obrigatório. O glide e as consoantes são elementos opcionais. A sílaba do português em que encontramos o maior número de elementos é (CCVCC). Um exemplo em que tal sílaba ocorre é "**trans**.por.te".

Vale dizer que quando o glide pós-vocálico ocorre na estrutura de uma sílaba e tal glide é seguido de uma consoante, tal consoante ocupa a posição final da palavra, por exemplo "cais". A consoante em posição final de palavra que segue o glide pós-vocálico é sempre /S/. Em outras palavras, as consoantes pós-vocálicas /R/, /l/ e /N/ não ocorrem seguindo glides: *cáir, *cáil ou *cáim. Note contudo que as consoantes pós-vocálicas /S/, /R/, /l/, /N/ ocorrem seguindo vogais acentuadas: país, cair, Abigail ou Caim. Excluem-se também formas em que um glide pós-vocálico ocorre seguido de consoante em meio de palavra: *cáista, *cáirta, *cáilta, *cáinta. A palavra "câimbra" parece ser o único exemplo em que uma sequência de vogal-glide pós-vocálico ocorre seguido de um elemento consonantal pós-vocálico: /ˈkaiNbra/. Opera em português a restrição geral de excluir-se consoantes pós-vocálicas após glides.

Temos que quatro consoantes é o número máximo que podemos encontrar em uma sequência em uma única palavra: /ˈmoNStro/ "monstro" (duas consoantes pós-vocálicas – /NS/ – seguidas de duas consoantes pré-vocálicas – /tɾ/).

Devemos observar que consoantes pós-vocálicas ocorrem em final de palavra – [ˈpas] "paz" – ou em meio de palavra – [ˈpastə] "pasta". Quando consoantes pós-vocálicas ocorrem em meio de palavra, como em [ˈpastə] "pasta", a sílaba seguinte deve iniciar-se por consoante (no caso de "pasta" a sílaba que segue a consoante pós-vocálica **s** começa com **t**). Note que em juntura de palavras – ou seja, quando

Fonêmica – A estrutura silábica **165**

colocamos palavras em sequência – os segmentos pós-vocálicos podem sofrer alterações. Por exemplo, se uma palavra termina em /S/ e a palavra seguinte começa com uma vogal – como em "paz + imediata" – temos que a consoante final que se encontrava em posição pós-vocálica (em [ˈpas] /ˈpaS/ "paz") passa a ocupar uma posição pré-vocálica. Observe que no exemplo "paz + imediata": /pa.zi.me.di.ˈa.ta/ o S-pós-vocálico de "paz" passa a ocupar uma posição pré-vocálica ao formar sílaba com a vogal inicial da palavra "imediata". O S-pós-vocálico permanece em posição pós-vocálica em casos que este seja seguido por uma palavra que começa em consoante: "paz + conquistada": /paS.koN.kiS.ˈta.da/.

Concluímos aqui a discussão sobre a estrutura silábica do português. Consideramos a seguir o arquifonema nasal /N/ que foi anteriormente proposto e introduzimos a análise fonêmica do sistema vocálico do português.

4.4.O arquifonema /N/

Lembremos que em posição tônica em português temos sete vogais orais – [i, e, ɛ, a, ɔ, o, u] – e cinco vogais nasais – [ĩ, ẽ, ã, õ, ũ] (cf. fonética). A questão que se coloca na análise das vogais nasais – em oposição às vogais orais – é se temos doze fonemas vocálicos distintos (sete orais e cinco nasais) ou se as vogais nasais consistem da combinação de uma vogal oral com o arquifonema nasal /N/. A proposta de que há fonemas distintos para as vogais orais e nasais implica em assumir-se um conjunto de doze fonemas vocálicos (sete orais e cinco nasais). Já a proposta de que as vogais nasais consistem da combinação de uma vogal oral com o arquifonema nasal /N/ implica em assumir-se um conjunto de sete fonemas vocálicos (os fonemas orais que se combinam com o arquifonema /N/ para formar as vogais nasais correspondentes).

Entre os autores que defendem a oposição fonêmica entre vogais orais e nasais temos Head (1964), Pontes (1972) e Back (1973). Segundo estes autores pares mínimos como [ˈla] "lá" e [ˈlã] "lã" ou [ˈmitʊ] "mito" e [ˈmĩtʊ] "minto" caracterizam a oposição fonêmica entre as vogais orais e nasais no português.

Em oposição a esta abordagem – de contraste fonêmico – temos a análise defendida por Mattoso Câmara (1970) que argumenta que as vogais nasais do português consistem da combinação de uma vogal oral com o arquifonema nasal /N/. De acordo com esta proposta, as vogais nasais [ĩ, ẽ, ã, õ, ũ] devem ser representadas fonemicamente como /iN, eN, aN, oN, uN/. Certamente esta é uma análise de caráter mais abstrato do que a análise que argumenta pelo contraste fonêmico. O caráter abstrato decorre do fato de não atestarmos foneticamente em português a ocorrência de consoantes nasais pós-vocálicas, como por exemplo [ˈkampo] ou [ˈsin]. O que há para alguns falantes do português é a presença de um elemento nasal que ocorre após vogais nasais: [ˈkãᵐpʊ] "campo" ou [ˈsĩⁿ] "sim" [cf. Cagliari (1981)].

Vejamos então quais são as consequências da proposta de Mattoso Câmara (1970). Note que ao assumirmos que as vogais nasais são fonemicamente caracterizadas como uma vogal oral seguida de arquifonema nasal – ou seja /VN/ – assumimos também que as vogais nasais possuem a estrutura silábica de uma **sílaba fechada**. Sílabas fechadas ou travadas

166 Fonêmica – A estrutura silábica

são aquelas que terminam em uma consoante. Por exemplo, em [ˈus] /ˈuS/ "os" temos a sílaba travada pelo arquifonema /S/ e em [ˈũ] /ˈuN/ "um" temos a sílaba travada pelo arquifonema /N/. Mattoso Câmara argumenta que a vogal nasal comporta-se de maneira semelhante às vogais que ocorrem em sílaba travada por consoante. Isto porque quando uma palavra que termina em vogal nasal é seguida de uma palavra iniciada por vogal não há crase: "lã azul" e "jovem amigo" seriam exemplos disto. Outro argumento do autor em defesa de caracterizar as vogais nasais como vogal seguida de arquifonema nasal baseia-se na distribuição dos "r, s" na estrutura silábica do português. Ele argumenta que sílabas travadas são seguidas do R-forte (cf. "Israel") e é esta variedade do "r" que ocorre seguindo vogais nasais (cf. "genro"). Mattoso Câmara argumenta ainda que temos hiatos em português (cf. "piada") e entretanto não temos hiatos com a primeira vogal nasal (ou seja, *pĩada não ocorre). Quando potencialmente poderíamos ter hiatos com vogal nasal o que ocorre é que ou a nasalidade desaparece (como em "boa") ou o segmento correspondente ao segmento nasal passa a ocupar uma posição consonantal na sílaba seguinte (como em "valentona"). Finalmente Mattoso Câmara aponta que não devemos considerar que vogais nasais tenham o status de fonemas em línguas que não apresentem o contraste entre vogais nasais seguidas de pausa – por exemplo [ˈbõ] – e vogais orais seguidas de consoantes nasais – por exemplo [ˈbon] – e entre estas e a vogal oral correspondente – por exemplo [ˈbo]. Segundo o autor o francês demonstraria esta propriedade em formas como: [ˈbo] "beau"; [ˈbõ] "bon" e [ˈbon] "bonne". Lüdtke (1952) argumenta que pelo menos no português europeu ocorre tal contraste que seria exemplificado em formas como [ˈvi] "vi" [ˈvĩ] "vim" e [ˈvim] "vime" [cf. Callou e Leite (1993: 86)].

Salientamos aqui que, do ponto de vista teórico, ambas as análises são possíveis. Se assumimos que há contraste fonêmico entre vogais orais e nasais teremos que admitir doze fonemas vocálicos para o português (sete orais e cinco nasais). A segunda proposta – de interpretarmos as vogais nasais como uma vogal oral seguida de arquifonema nasal /VN/ – permite-nos postular um conjunto de sete fonemas vocálicos para o português (correspondentes às vogais orais) e um arquifonema nasal /N/ – que ocorre em posição pós-vocálica. Neste trabalho adotamos a análise de Mattoso Câmara discutida acima e transcrevemos fonemicamente as vogais nasais como uma sequência de vogal oral seguida de arquifonema nasal: [ã] /aN/. Contamos então com um sistema vocálico de sete fonemas orais – [i, e, ɛ, a, ɔ, o, u] (e não de doze vogais como previsto pela análise de contraste fonêmico). Além do mais, uma vez que temos os arquifonemas /S/ e /R/ no português não é *ad hoc* postularmos um arquifonema nasal.

Lembramos ao leitor que a sequência de vogal oral e arquifonema nasal /N/ representa casos de vogais nasais que ocorrem como vogais nasais em qualquer dialeto do português: /ˈsiN/ [ˈsĩ] "sim" ou /ˈsiNto/ [ˈsĩtʊ] "sinto". Enquanto as vogais nasais são consistentes em todos os dialetos do português, as vogais nasalizadas variam consideravelmente de dialeto para dialeto. Lembre-se que vogais nasalizadas ocorrem seguidas de uma consoante nasal que se manifesta foneticamente: [baˈnãnə] ou [bãˈnãnə] [baˈnanə] "banana". A transcrição fonêmica de uma vogal nasalizada consiste de uma vogal oral seguida de uma consoante nasal (e

Fonêmica – A estrutura silábica 167

não de arquifonema!): /baˈnana/. A consoante nasal que segue a vogal nasalizada pode ser /m, n, ɲ/.

Gostaríamos de finalizar a discussão deste tópico abordando a representação de vogais médias nasais e nasalizadas. **Vogais nasais** são sempre nasais para qualquer falante de qualquer dialeto do português: "sim" /ˈsiN/ [ˈsĩ]. **Vogais nasalizadas** podem ser nasalizadas ou orais dependendo de dialeto: "banana" / baˈnana/ [baˈnãnə] [bãˈnãnə] [baˈnanə]. A questão que queremos abordar é quanto à representação de vogais médias quando nasais ou nasalizadas. Do ponto de vista fonêmico desconhece-se línguas que contrastem vogais médias nasais. Ou seja: ẽ/ɛ̃ e õ/ɔ̃ não apresentam contraste fonêmico nas línguas naturais. Queremos dizer com isso que não há língua que tenha palavras como [lẽma]-[lɛ̃ma] ou [fõme]-[fɔ̃me] que tenham significados diferentes.

Levando-se em consideração este fato, optamos em transcrever as vogais médias nasais do português como [ẽ, õ]. As vogais nasais sempre ocorrem como nasais em todos os dialetos. Assim temos a transcrição fonêmica /ˈleNto/ "lento" associada à representação fonética [ˈlẽtʊ] ou [ˈlẽⁿtʊ]. E temos a transcrição fonêmica /ˈpoNto/ "ponto" associada à representação fonética [ˈpõtʊ] ou [ˈpõⁿtʊ]. Em resumo, as **vogais nasais** médias são transcritas como: /eN/ [ẽ] e /oN/ [õ]. As razões em assumir tais representações são sobretudo de caráter tipográfico.

Quanto à representação fonêmica das **vogais nasalizadas** médias, adotamos os símbolos /ɛ, ɔ/ seguidos de uma consoante nasal (que pode ser /m, n, ɲ/). Temos então a transcrição fonêmica /ˈlɛma/ "lema" associada à representação fonética [ˈlɛ̃mə] ou [ˈlɛmə]. E temos a transcrição fonêmica /ˈfɔme/ "fome" associada à representação fonética [ˈfõmɪ] ou [ˈfɔmɪ]. A opção por estas representações deve-se sobretudo à variação das vogais nasalizadas em termos dialetais. Em certos dialetos (que compreende a maioria dos dialetos do Brasil) temos que as vogais médias acentuadas seguidas de consoantes nasais são nasalizadas: /ˈlɛma/ "lema" [ˈlɛ̃mə] e /ˈfɔme/ "fome" [ˈfõmɪ]. Já em outros dialetos (como certas variantes do estado de São Paulo) estas mesmas vogais são orais: /ˈlɛma/ "lema" [ˈlɛmə] e /ˈfɔme/ "fome" [ˈfɔmɪ]. O exercício seguinte tem por objetivo fixar a representação fonética e fonêmica de vogais nasais e nasalizadas.

═══════════════════ **Exercício 4** ═══════════════════

Transcreva fonética e fonemicamente os dados abaixo para as vogais nasais e vogais nasalizadas. Lembre-se de que as transcrições fonéticas devem vir entre colchetes e as transcrições fonêmicas devem vir entre barras transversais.

Vogais Nasais

Ortografia	Fonética	Fonêmica
a. conde	_____	/ˈ__o__e/
b. manto	_____	/ˈ__a__o/
c. cantiga	_____	/__a__ˈ__i__a/

168 Fonêmica – A estrutura silábica

Ortografia	Fonética	Fonêmica
d. centavo	_____	/__e__ᵎ__a__o/
e. anzol	_____	/a__ᵎ__ɔ__/
f. anjo	_____	/ᵎa____o/
g. ângulo	_____	/ᵎa____u__o/
h. gente	_____	/ᵎ__e____e/
i. tinta	_____	/ᵎ__i____a/
j. onde	_____	/ᵎo____e/

Vogais Nasalizadas

Ortografia	Fonética	Fonêmica
a. cama	_____	/ᵎ__a__a/
b. sanar	_____	/__aᵎ__a__/
c. banho	_____	/ᵎ__a__o/
d. camada	_____	/__aᵎ__a__a/
e. panela	_____	/__aᵎ__ɛ__a/
f. cena	_____	/ᵎ__ɛ__a/
g. remo	_____	/ᵎ__ɛ__o/
h. fome	_____	/ᵎ__ɔ__e/
i. sonata	_____	/__ɔᵎ__a__a/
j. sonho	_____	/ᵎ__ɔ__o/

Concluindo a discussão sobre as vogais nasais do português, vejamos a representação fonêmica dos ditongos nasais. Por coerência com a interpretação dada às vogais nasais – como vogal oral seguida de arquifonema nasal /VN/ – assumimos que os ditongos nasais são representados por uma vogal oral seguida de arquifonema nasal. O arquifonema pode ocorrer em posição final de sílaba (e palavra) e temos uma representação fonêmica como /ᵎlaN/ para [ᵎlã] "lã". O arquifonema pode ocorrer também entre vogais como por exemplo em /ᵎmaNo/ – [ᵎmãʊ̯] "mão". Note que quando o arquifonema nasal ocorre em posição final de sílaba (e palavra) a vogal que o precede pode ser qualquer uma das vogais /i,e,a,o,u/: /ᵎsiN/ "sim"; /ᵎbeN/ "bem"; /ᵎlaN/ "lã"; /ᵎboN/ "bom" e /ᵎR̄uN/ "rum". Contudo, quando o arquifonema ocorre entre vogais, a vogal que precede o arquifonema /N/ pode ser /a,o/ e a vogal que segue o arquifonema pode ser /a,o,e/: /ᵎboNa/ "boa"; /iRᵎmaNo/ "irmão"; /leᵎoNe/ "leão" e /ᵎpaNe/ "pão". A interpretação fonêmica dos ditongos nasais é bastante complexa pois depende da análise das vogais nasais e também da morfologia das formas que apresentam ditongos nasais. Muitas vezes postula-se a representação fonêmica de formas que apresentam ditongos nasais a partir de informação proveniente do **componente morfológico**. Por exemplo, assume-se representações como /leᵎoNe/ "leão" e /ᵎpaNe/ "pão" com o arquifonema nasal intervocálico porque em formas derivadas como "leo**n**ino, pa**n**ificadora" ocorre uma consoante nasal intervocálica (que indicamos em negrito). Assume-se que

Fonêmica – A estrutura silábica 169

o desaparecimento do arquifonema – em /aNo/, /oNe/ e /aNe/ – causa a nasalização da vogal do ditongo que ocorre como [ãu̯]. No caso das formas em "ão" – que podem terminar em /aNo/, /oNe/ ou /aNe/ – temos a alternância dos ditongos nasais nas formas plurais: [ãu̯s], [õɪ̯s] ou [ãɪ̯s] (cf. "capitão", por exemplo). Note contudo que nas formas terminadas em /oNa/ o arquifonema não causa a nasalização da vogal precedente (cf. /boNa/ [ˈbou̯ə] ~ [ˈboə] "boa".

A interpretação dos ditongos nasais do português tem sido foco frequente de atenção na literatura [cf. por exemplo Lacerda e Head (1966); Mattoso Câmara (1970); Mateus (1975); Callou e Leite (1990)]. Remetemos o leitor à bibliografia pertinente uma vez que uma discussão detalhada da representação fonêmica dos ditongos nasais nos desviaria do tópico em consideração no momento: o sistema vocálico do português. Concluímos aqui a interpretação fonêmica das vogais nasais em português que certamente é um tópico bastante polêmico. Tratamos a seguir de outro tópico controvertido: a interpretação de glides no português.

5. Glides

Uma outra discussão controvertida na análise da cadeia sonora do português é a interpretação dos glides pós-vocálicos (cf. "gaita, pau"). Na discussão fonética sobre os ditongos, vimos que os glides correspondem a vogais assilábicas e fazem parte de um contínuo em que há mudança de qualidade vocálica. Os glides em português são transcritos foneticamente como [ɪ̯] e [u̯]. Observe contudo que do ponto de vista fonêmico também podemos transcrever os glides como [y] e [w]. Esta proposta sugere que os glides comportam-se de maneira análoga aos segmentos consonantais na estrutura silábica. Mattoso Câmara (1953) argumenta que os glides em português devem ser interpretados como fonemas consonantais independentes: /y, w/. Esta abordagem baseia-se na interpretação dos glides na estrutura silábica. Ao analisarmos os glides como consoantes podemos associar uma forma como "pau" à representação fonêmica /ˈpaw/ em que temos uma sílaba travada do tipo CVC. Sabemos que sílabas travadas ocorrem em português (cf. "mês, amor, sol, sim") e tal proposta incorpora os glides aos segmentos possíveis de ocuparem a posição pós-vocálica em sílabas travadas em português. Em outras palavras, analisando glides como segmentos consonantais podemos interpretar a estrutura silábica de formas como "pasta" e "pausa" por um lado e "paz" e "pau" por outro lado de forma análoga: todas estas formas apresentam uma sílaba travada por um segmento consonantal pós-vocálico. Em "pasta" e "paz", a sílaba é travada pelo arquifonema /S/. Em "pausa" e "pau" a sílaba é travada pelo segmento consonantal /w/. O argumento básico para adotar-se esta posição é o de que teremos um **sistema fonotático** (que representa a estrutura das sílabas) mais simples, em que o padrão silábico (C)VC expressa a interpretação de glides e dos demais segmentos pós-vocálicos em português. Note que de acordo com esta proposta devemos acrescentar os fonemas consonantais /y, w/ aos dezenove fonemas consonantais do português. Teremos então 21 fonemas consonantais.

170 Fonêmica – A estrutura silábica

Uma proposta alternativa é a de que os glides sejam analisados como segmentos vocálicos e devem ser interpretados como vogais na estrutura silábica. Desta maneira uma forma como "pau" teria a representação fonêmica /ˈpau/ com uma estrutura silábica CVV. Note que neste caso além do padrão CVC teremos que incorporar um padrão silábico do tipo CVV à estrutura silábica do português. De acordo com esta proposta teremos um sistema fonotático mais complexo (adicionalmente com sílabas CVV). Contudo, manteremos os dezenove fonemas consonantais do português (sendo que os glides são tratados como vogais).

Comparemos então estas duas propostas de interpretação de glides em português. A primeira proposta trata os glides como segmentos consonantais sendo parte pós-vocálica da sílaba travada CVC. Nesta abordagem devemos incluir os fonemas /y, w/ aos demais dezenove fonemas consonantais do português. Portanto, embora tenhamos um sistema fonotático mais simples (que exclui sílabas CVV), temos um sistema fonêmico mais complexo (que inclui os fonemas /y, w/). A segunda proposta assume o padrão silábico CVV para interpretarmos os glides. Excluímos os fonemas /y, w/ do inventário fonêmico mas temos um sistema fonotático mais complexo (que inclui sílabas CVV). Neste estágio da análise do português, a escolha entre as duas propostas parecia ser sem motivação ou fundamento. A primeira opção seria complicar o inventário fonêmico (acrescentando os fonemas /y, w/) e simplificar o inventário fonotático (excluindo o padrão silábico CVV). A outra opção seria complicar o inventário fonotático (acrescentando o padrão silábico CVV) e simplificar o inventário fonêmico (excluindo os fonemas /y, w/). Mattoso Câmara (1953) adota a primeira opção e interpreta os glides como segmentos consonantais representados pelos fonemas /y, w/. Ainda de acordo com esta opção, o glide é interpretado como uma consoante pós-vocálica em sílabas do tipo CVC: "pai" e "pau" demonstrariam este padrão silábico.

Em (1970), Mattoso Câmara revê a proposta assumida em 1953 e demonstra que os glides em português devem ser analisados como segmentos vocálicos. Esta análise apresenta um sistema fonotático mais complexo (que inclui o padrão CVV) e interpreta os glides como segmentos vocálicos (não havendo necessidade de assumir-se os fonemas /y, w/). O argumento central que apoia a análise de glides como vogais baseia-se na distribuição dos "r, s" em português. O autor argumenta que quando sílabas do tipo CVC são seguidas por outra sílaba que se inicia com a consoante "r" teremos aí o R-forte: /iSR̄aˈɛl/ "Israel" e não */iSɾaˈɛl/ ou /ˈʒeNR̄o/ e não */ˈʒeNɾo/ "genro". Se os glides comportam-se como consoantes pós-vocálicas em sílabas travadas do tipo CVC, espera-se que o "r" que segue o glide seja o R-forte. Isto porque o R-forte segue consoantes em sílabas travadas (cf. "Israel, genro").

Contudo, exemplos como "beira" ou "europa" mostram que é o r-fraco (e não o R-forte) que segue o glide. Uma vez que o r-fraco ocorre entre vogais (cf. "pera") e entre glide e vogal (cf. "beira"), o autor sustenta a análise segundo a qual os glides são interpretados como segmentos vocálicos. Contra exemplos a esta análise são as palavras "bairro" e suas formas derivadas (cf. "bairrista"). Contudo, nos demais casos em que o "r" segue o glide pós-vocálico temos o r-fraco: "pairar, amoreira, instaura, pleura, touro, etc.".

Adotamos a proposta de Mattoso Câmara (1970). Portanto o sistema fonotático do português é: $C_1C_2VVC_3C_4$. Glides correspondem a um segmento opcional V e podem seguir a vogal (cf. "gaita") ou podem preceder a vogal (cf. "nacional"). Do ponto de vista da representação segmental, os glides correspondem às vogais altas /i,u/ em posição átona, que se manifestam foneticamente como segmentos assilábicos [į, ų]. Os glides são sempre associados a uma vogal e nunca podem ser núcleo de sílaba (e consequentemente um glide não pode receber acento).

6. Conclusão

Vimos acima que a estrutura silábica do português é: $C_1C_2VVC_3C_4$. Pelo menos uma vogal deve ocorrer em uma sílaba bem-formada do português. Se duas vogais ocorrem, uma será assilábica (glide). O glide pode preceder ou seguir a outra vogal. Temos sílabas com uma ou duas consoantes pré-vocálicas. Caso duas consoantes pré-vocálicas ocorram, a segunda deve obrigatoriamente ser uma líquida: /l, r/. As restrições segmentais em sílabas pré-vocálicas são listadas em (6) e (8). Analisamos as consoantes pós-vocálicas discutindo os arquifonemas /S/ e /N/. Consideramos também os segmentos /R/ e /l/ que podem ocorrer em posição pós-vocálica. Caso ocorram duas consoantes pós-vocálicas em sequência, a última delas será obrigatoriamente /S/. Consideramos finalmente a representação fonêmica dos glides em português. A análise mais adequada interpreta os glides como segmentos vocálicos que podem seguir ou preceder uma outra vogal. Concluímos assim a descrição do sistema fonotático do português. Na seção seguinte determinamos os fonemas vocálicos do português e discutimos a alofonia vocálica.

O SISTEMA VOCÁLICO ORAL

1. Fonemas vocálicos

O sistema vocálico do português deve ser analisado em relação ao sistema acentual. Temos em português vogais tônicas (ou acentuadas) e vogais pretônicas e postônicas (ou átonas). Apresentamos em (1) o quadro fonético das vogais orais do português. Pode haver diferença entre este quadro e o quadro de vogais que você preencheu na tabela fonética destacável. Isto deve-se a variação dialetal ou idioletal. O quadro abaixo tem por objetivo listar o inventário fonético mais abrangente possível. As diferenças que possam ocorrer não alteram a análise a ser apresentada.

172 Fonêmica – O sistema vocálico oral

(1) Quadro fonético das vogais orais

	anterior		central		posterior	
	arred	não arred	arred	não arred	arred	não arred
alta		ɪ i		ɨ	u ʊ	
média-alta		e			o	
média-baixa		ɛ		ə	ɔ	
baixa				a		

Tarefa

Compare as vogais que você selecionou em sua tabela fonética destacável com as vogais listadas em (1). Escreva as vogais orais que você identificou para o seu idioleto:_____

Lembramos ao leitor que devemos analisar fonemicamente apenas os segmentos vocálicos orais. Isto deve-se ao fato das vogais nasais serem interpretadas como sequência de vogal e arquifonema nasal: /VN/ (por exemplo /ˈsiN/ "sim" e /ˈsiNto/ "sinto"). Note contudo que as vogais nasalizadas – que ocorrem por exemplo em "banana" – serão consideradas como alofones como será discutido abaixo. O primeiro passo para a análise fonêmica das vogais é identificarmos os pares mínimos para os pares suspeitos de SFS (sons foneticamente semelhantes). Em seguida identificaremos a alofonia vocálica. Relembremos, em primeiro lugar, os parâmetros de identificação de pares suspeitos para SFS relacionados aos segmentos vocálicos: "as vogais que se distinguem por apenas uma propriedade articulatória". Listamos a seguir os pares de SFS para as vogais do português.

========= Exercício 1 =========

Identifique pares mínimos para os pares suspeitos listados para os segmentos vocálicos. Pode ser que não exista exemplos para alguns dos pares listados abaixo!

a. i/e _____   e. a/ə _____
b. e/ɛ _____   f. i/ɪ _____
c. ɔ/o _____   g. u/ʊ _____
d. o/u _____

Você deve ter encontrado pares mínimos para os pares de SFS listados em (1a-d). Exemplos são encontrados para os pares i/e; e/ɛ; ɔ/o; o/u listados no exercício 1: p[i]ra/p[e]ra; s[e]de/s[ɛ]de; f[o]rma/f[ɔ]rma; m[o]rro/m[u]rro. Para os pares a/ə; i/ɪ; u/ʊ pares mínimos não são encontrados. Ao encontrarmos pares mínimos para os pares i/e; e/ɛ; ɔ/o; o/u caracterizamos estes segmentos como fonemas. Temos então que são fonemas vocálicos do português os seis segmentos /i, e, ɛ, ɔ, o, u/. Devemos acrescentar a este grupo o fonema /a/ que se distingue dos demais segmentos vocáli-

Fonêmica – O sistema vocálico oral 173

cos do português por mais de uma propriedade articulatória. Identificamos então um grupo de sete fonemas vocálicos no português:

(2) **Fonemas vocálicos do português**: /i, e, ɛ, a, ɔ, o, u/

Tarefa

Preencha o quadro de fonemas vocálicos do português com os sete fonemas vocálicos / i, e, ɛ, a, ɔ, o, u/. O quadro de fonemas vocálicos encontra-se na tabela destacável de alofonia vocálica. Observe que temos sete fonemas vocálicos para qualquer dialeto do português. As particularidades de cada dialeto – ou idioleto – são caracterizadas pelas alofonias vocálicas. A tabela destacável de alofonia vocálica é apresentada a seguir. Destaque-a e proceda à investigação. Bom trabalho!

---

2. Alofonia vocálica

Discutimos a seguir a distribuição alofônica das vogais orais do português. Note que nas transcrições fonêmicas cada segmento vocálico é obrigatoriamente representado por um dos fonemas /i, e, ɛ, a, ɔ, o, u/. Como mencionamos anteriormente, a análise fonêmica do sistema vocálico do português deve levar em consideração a posição do segmento vocálico em relação ao padrão acentual. Devemos considerar também a ocorrência de vogais médias /e, o, ɛ, ɔ/ em relação às demais vogais da palavra. As vogais assilábicas ou glides ocorrem apenas com as vogais altas /i, u/ átonas e podem anteceder ou seguir outra vogal. Consideramos finalmente a ocorrência de vogais nasais em relação às demais vogais da palavra e a ocorrência de vogais nasalizadas em relação ao acento e à consoante nasal que a segue.

Em cada um dos quadros da tabela destacável de alofonia vocálica há um exemplo ortográfico. A vogal relacionada ao alofone em questão encontra-se em negrito no exemplo ortográfico. As áreas sombreadas indicam que aquela categoria não se aplica para o fonema em questão. As seguintes particularidades justificam as áreas sombreadas: as vogais assilábicas do português relacionam-se apenas aos fonemas /i, u/; assumimos que as vogais médias seguidas de consoantes nasais são vogais médias abertas /ɛ, ɔ/; em posição postônica medial apenas as vogais /ɛ, ɔ/ podem apresentar variação alofônica se a vogal acentuada também for uma vogal média aberta e/ou uma vogal nasalizada.

Para compreendermos a alofonia vocálica propomos que o leitor faça uma série de exercícios que consideram individualmente cada um dos fonemas /i, e, ɛ, a, ɔ, o, u/. Ao fazer tais exercícios você deverá preencher a tabela destacável de alofonia vocálica. Passemos então aos exercícios. Cada exercício apresenta na coluna da esquerda um conjunto de palavras em sua forma ortográfica. Na segunda coluna você deve transcrever foneticamente o alofone correspondente. O registro fonético deve representar o seu idioleto. Na terceira coluna listamos os contextos da alofonia. Na última coluna apresentamos a transcrição fonêmica e o registro ortográfico que correspondem ao contexto dos alofones analisados.

174 Fonêmica – O sistema vocálico oral

2.1. Alofonia de /i/

========================= **Exercício 2** =========================

Fonema	Alofone	Contexto	Exemplo	
/i/	[ ]	posição tônica	/ˈvi/	vi
	[ ]	posição pretônica seguido de consoante oral	/tipiˈti/	tipiti
	[ ]	posição postônica final	/ˈʒuɾi/	júri
	[ ]	posição postônica medial	/ˈalito/	hálito
	[ ]	posição assilábica em ditongo decrescente	/ˈgaita/	gaita
	[ ]	posição assilábica em ditongo crescente	/ˈsabia/	sábia
	[ ]	posição tônica seguida de consoante nasal /m,n/	/aˈsima/ /ˈino/	acima hino
	[ ]	posição tônica seguida de consoante nasal /ɲ/	/ˈviɲo/	vinho
	[ ]	posição pretônica seguida de consoante nasal /m,n/	/siˈmula/ /piˈnɛl/	simula pinel
	[ ]	posição pretônica seguida de consoante nasal /ɲ/	/viˈɲedo/	vinhedo

O quadro acima lista os alofones do fonema /i/. Um subgrupo dos segmentos vocálicos [i, ɪ, ĩ] (ou talvez todos estes segmentos) podem fazer parte do grupo de alofones que você listou no exercício 2.

========================= **Exercício 3** =========================

Faça a transcrição fonética (entre colchetes) e a transcrição fonêmica (entre barras transversais) das palavras abaixo. Ocorrem os fonemas vocálicos /i, a/.

Ortografia	Fonética	Fonêmica
aqui	[aˈki]	/aˈki/
titia		
safari		
pálida		
pairar		
pátria		
prima		
primata		
sina		
sinal		
linha		
alinhar		

Tabela destacável E

Tabela de alofonia vocálica destacável

Fonemas vocálicos: / , , , , , , /

Alofones

	/i/	/e/	/ɛ/	/a/	/ɔ/	/o/	/u/
Tônica	[i] vi	[e] ipê	[ɛ] ipê	[a] pá	[ɔ] pó	[o] avô	[u] guru
Pretônica seguida de consoante oral	[ ] tipití	[ ] bebê	[ ] pelé	[ ] Sabará	[ ] vovó	[ ] agogô	[ ] lugar
Postônica final	[ ] juri	[ ] livre		[ ] casa		[ ] sapo	
Postônica medial diferente de /ɛ,ɔ/	[ ] hálito	[ ] sôfrego		[ ] sílaba		[ ] êxodo	[ ] cúmulo
Postônica medial com V tônica /ɛ,ɔ/			[ ] cólera época		[ ] célebre cócoras		
Postônica medial com V tônica deifrente /ɛ,ɔ/			[ ] chávena número bípede		[ ] pároco bússola ícone		
Assilábica em ditongo decrescente	[ ] gaita						[ ] viu
Assilábica em ditongo crescente	[ ] sábia						[ ] vácuo
Pretônica antes de V nasal			[ ] evento demanda		[ ] nojento comanda		
Tônica seguida de C nasal /m,n/	[ ] acima hino		[ ] tema cena	[ ] cama cana	[ ] coma loma		[ ] fumo une
Tônica seguida de C nasal /ɲ/	[ ] vinho		[ ] lenha	[ ] banha	[ ] sonha		[ ] unha
Pretônica seguida de C nasal /m,n/	[ ] simula pinel		[ ] temática tenaz	[ ] camada panaca	[ ] comédia sonata		[ ] fumar unir
Pretônica seguida de C nasal /ɲ/	[ ] vinhedo		[ ] lenhador	[ ] assanhada	[ ] sonhador		[ ] unhar

Fonêmica – O sistema vocálico oral 175

2.2. Alofonia de /e/

============= **Exercício 4** =============

Fonema	Alofone	Contexto	Exemplo	
/e/	[ ]	posição tônica	/iˈpe/	ipê
	[ ]	posição pretônica seguido de consoante oral	/beˈbe/	bebê
	[ ]	posição postônica final	/ˈlivɾe/	livre
	[ ]	posição postônica medial	/ˈsofɾego/	sôfrego

O quadro acima lista os alofones do fonema /e/. Um subgrupo dos segmentos vocálicos [e, i, ɪ, i̥] (ou talvez todos estes segmentos) podem fazer parte do grupo de alofones que você listou no exercício 4. Você deve observar que os contextos de alofonia de /e/ apresentados no exercício 4 são em número menor do que os contextos apresentados para a alofonia de /i/ no exercício 2. A ocorrência de /e/ é mais restrita do que /i/ por duas razões. Em primeiro lugar, o fonema /e/ não ocorre como parte assilábica de ditongo (esta categoria é restrita a /i,u/ em português). Em segundo lugar, o fonema /e/ não ocorre seguido de consoante nasal. Neste contexto temos /ɛ/ (cf. /ˈlɛma/ [ˈlẽmə] ~ [ˈlɛmə] "lema").

============= **Exercício 5** =============

Faça a transcrição fonética e fonêmica das palavras abaixo. Ocorrem os fonemas vocálicos /i, e, o/.

Ortografia	Fonética	Fonêmica
viver	_____	_____
pererê	_____	_____
limite	_____	_____
pêssego	_____	_____

2.3. Alofonia de /ɛ/

============= **Exercício 6** =============

Fonema	Alofone	Contexto	Exemplo	
/ɛ/	[ ]	posição tônica	/ˈfɛ/	fé
	[ ]	posição pretônica seguido de consoante oral	/pɛˈlɛ/	Pelé
	[ ]	posição postônica medial quando a V tônica é ɛ/ɔ	/ˈkɔlɛɾa/	cólera
			/ˈsɛlɛbɾe/	célebre
	[ ]	posição postônica medial quando a V tônica é diferente das vogais médias ɛ/ɔ	/ˈʃavɛna/	chávena
			/ˈnumɛɾo/	número
			/ˈbipɛde/	bípede

176 Fonêmica – O sistema vocálico oral

/ɛ/	[ ]	posição pretônica antes de consoante não nasal	/ɛˈveNto/	evento
			/dɛˈbaNda/	debanda
	[ ]	posição tônica seguida de consoante nasal /m,n/	/ˈtɛma/	tema
			/ˈsɛna/	sena
	[ ]	posição tônica seguida de consoante nasal /ɲ/	/ˈlɛɲa/	lenha
	[ ]	posição pretônica seguida de consoante nasal /m,n/	/tɛˈmatika/	temática
			/tɛˈnaS/	tenaz
	[ ]	posição pretônica seguida de consoante nasal /ɲ/	/lɛɲaˈdoR/	lenhador

O quadro acima lista os alofones do fonema /ɛ/ em português. Um subgrupo dos segmentos vocálicos [ɛ, e, ẽ, ɪ, ɨ] (ou talvez todos estes segmentos) podem fazer parte do grupo de alofones listados no exercício 6.

───────── **Exercício 7** ─────────

Faça a transcrição fonética (entre colchetes) e a transcrição fonêmica (entre barras transversais) das palavras abaixo. Ocorrem os fonemas vocálicos /a, e, ɛ, i, ɔ, o/.

Ortografia	Fonética	Fonêmica
filé	[fiˈlɛ]	/fiˈlɛ/
serelepe		
ópera		
cátedra		
fúnebre		
líder		
leme		
temer		
sirene		
acenar		
senha		
penhasco		

2.4. Alofonia de /a/

───────── **Exercício 8** ─────────

Fonema	Alofone	Contexto	Exemplo	
/a/	[ ]	posição tônica	/ˈpa/	pá
	[ ]	posição pretônica seguido de consoante oral	/sabaˈra/	Sabará
	[ ]	posição postônica final	/ˈkaza/	casa
	[ ]	posição postônica medial	/ˈsilaba/	sílaba

Fonêmica – O sistema vocálico oral 177

/a/	[ ]	posição tônica seguida de consoante nasal /m,n/	/ˈkama/	cama
			/ˈkana/	cana
	[ ]	posição tônica seguida de consoante nasal /ɲ/	/ˈbaɲa/	banha
	[ ]	posição pretônica seguida de consoante nasal /m,n/	/kaˈmada/	camada
			/paˈnaka/	panaca
	[ ]	posição pretônica seguida de consoante nasal /ɲ/	/asaˈɲada/	assanhada

O quadro acima lista os alofones do fonema /a/ em português. Um subgrupo dos segmentos vocálicos [a, ə, ã] (ou talvez todos estes segmentos) podem fazer parte do grupo de alofones listados no exercício 8.

═══════════════════ **Exercício 9** ═══════════════════

Faça a transcrição fonética (entre colchetes) e a transcrição fonêmica (entre barras transversais) das palavras abaixo. Ocorrem os fonemas vocálicos /i, a, o/.

Ortografia	Fonética	Fonêmica
pirata	[piˈɾatə]	/piˈɾata/
cachaça	_____	_____
sala	_____	_____
câmara	_____	_____
lama	_____	_____
lamaçal	_____	_____
banana	_____	_____
ananás	_____	_____
ganha	_____	_____
ganhador	_____	_____

2.5. Alofonia de /ɔ/

═══════════════════ **Exercício 10** ═══════════════════

Fonema	Alofone	Contexto	Exemplo	
/ɔ/	[ ]	posição tônica	/ˈpɔ/	pó
	[ ]	posição pretônica seguido de consoante oral	/voˈvɔ/	vovó
	[ ]	posição postônica medial quando a V tônica é ɛ/ɔ	/ˈkɔkɔraS/	cócoras
			/ˈɛpɔka/	época
	[ ]	posição postônica medial quando a V tônica é diferente das vogais médias ɛ/ɔ	/ˈparɔko/	pároco
			/ˈbusɔla/	bússola
	[ ]	posição pretônica antes de consoante não nasal	/R̄oˈzada/	rosada

178 Fonêmica – O sistema vocálico oral

/ɔ/	[ ]	posição tônica seguida de consoante nasal /m,n/	/ˈkɔma/	coma
			/ˈlɔna/	lona
	[ ]	posição tônica seguida de consoante nasal /ɲ/	/ˈsɔɲa/	sonha
	[ ]	posição pretônica seguida de consoante nasal /m,n/	/kɔˈmɛdia/	comédia
			/sɔˈnata/	sonata
	[ ]	posição pretônica seguida de consoante nasal /ɲ/	/sɔɲaˈdoR/	sonhador

O quadro acima lista os alofones do fonema /ɔ/ em português. Um subgrupo dos segmentos vocálicos [ɔ, o, õ, ʊ] (ou talvez todos estes segmentos) podem fazer parte do grupo de alofones listados no exercício 10.

─────────── **Exercício 11** ───────────

Faça a transcrição fonética (entre colchetes) e a transcrição fonêmica (entre barras transversais) das palavras abaixo. Ocorrem os fonemas vocálicos /i, e, ɛ, a, ɔ, o/.

Ortografia	Fonética	Fonêmica
cipó	[siˈpɔ]	/siˈpɔ/
pororoca		
colega		
átomo		
jogando		
docente		
cômodo		
Antônio		
comadre		
Antonieta		
conhaque		

2.6. Alofonia de /o/

─────────── **Exercício 12** ───────────

O quadro anterior lista os alofones do fonema /o/ em português. Um subgrupo

Fonema	Alofone	Contexto	Exemplo	
/o/	[ ]	posição tônica	/aˈvo/	avô
	[ ]	posição pretônica seguido de consoante oral	/agoˈgo/	agogô
	[ ]	posição postônica final	/ˈsapo/	sapo
	[ ]	posição postônica medial	/ˈezodo/	êxodo

Fonêmica – O sistema vocálico oral 179

dos segmentos vocálicos [o, u, ʊ] (ou talvez estes três segmentos) fazem parte do grupo de alofones listados no exercício 12.

══════════════════ **Exercício 13** ══════════════════

Faça a transcrição fonética (entre colchetes) e a transcrição fonêmica (entre barras transversais) das palavras abaixo. Ocorrem os fonemas vocálicos /e, a, o/.

Ortografia	Fonética	Fonêmica
pivô	[piˈvo]	/piˈvo/
sorriso	_____	_____
pato	_____	_____
sínodo	_____	_____

2.7. Alofonia de /ʊ/

══════════════════ **Exercício 14** ══════════════════

Fonema	Alofone	Contexto	Exemplo	
/u/	[ ]	posição tônica	/guˈɾu/	guru
	[ ]	posição pretônica seguido de consoante oral	/luˈgaR/	lugar
	[ ]	posição postônica medial	/ˈkumulo/	cúmulo
	[ ]	posição assilábica em ditongo decrescente	/ˈviu/	viu
	[ ]	posição assilábica em ditongo crescente	/ˈvakuo/	vácuo
	[ ]	posição tônica seguida de consoante nasal /m,n/	/ˈfumo/	fumo
			/ˈune/	une
	[ ]	posição tônica seguida de consoante nasal /ɲ/	/ˈuɲa/	unha
	[ ]	posição pretônica seguida de consoante nasal /m,n/	/fuˈmaR/	fumar
			/uˈniR/	unir
	[ ]	posição pretônica seguida de consoante nasal /ɲ/	/uˈɲaR/	unhar

O quadro acima lista os alofones do fonema /u/ em português. Um subgrupo dos segmentos vocálicos [u, ũ, ʊ] (ou talvez todos estes segmentos) podem fazer parte do grupo de alofones listados no exercício 14.

══════════════════ **Exercício 15** ══════════════════

Faça a transcrição fonética (entre colchetes) e a transcrição fonêmica (entre barras transversais) das palavras abaixo. Ocorrem os fonemas vocálicos /i, e, ɛ, a, ɔ, o, u/.

Ortografia	Fonética	Fonêmica
angu	[ãˈgu]	/aNˈgu/
curió	_____	_____
mulher	_____	_____
cédula	_____	_____
uivar	_____	_____

180 Fonêmica – O sistema vocálico oral

árduo _____ _____
úmido _____ _____
zunir _____ _____
cunho _____ _____
umidade _____ _____
zunido _____ _____
cunhado _____ _____

3. Conclusão

Concluímos a discussão da análise fonêmica do português. Definimos os sete fonemas orais: /i, e, ɛ, a, ɔ, o, u/. Analisamos a alofonia vocálica que deve considerar os seguintes fatores: a posição do segmento vocálico em relação ao acento tônico; a ocorrência de vogais médias /e, o, ɛ, ɔ/ em relação as demais vogais da palavra; o fato de que as vogais assilábicas ou glides ocorrem apenas com as vogais altas /i, u/ átonas e podem anteceder ou seguir outra vogal; a ocorrência de vogais nasais em relação às demais vogais da palavra e finalmente a ocorrência de vogais nasalizadas em relação ao acento e à consoante nasal que a segue. Ao preencher a tabela destacável de alofonia vocálica você listou os alofones vocálicos que caracterizam a sua variedade linguística. Faça o exercício seguinte que tem por objetivo fixar a representação fonêmica dos segmentos vocálicos.

—————————————— **Exercício 16** ——————————————

Faça a transcrição fonética (entre colchetes) e a transcrição fonêmica (entre barras transversais) das palavras abaixo. Ocorrem os fonemas vocálicos /i, e, ɛ, a, ɔ, o, u/.

Ortografia	Fonética	Fonêmica
mole	_____	_____
código	_____	_____
ótimo	_____	_____
equívoco	_____	_____
bêbada	_____	_____
século	_____	_____
safari	_____	_____
algébrico	_____	_____
pároco	_____	_____
fôlego	_____	_____
utilidade	_____	_____
colorido	_____	_____
purificado	_____	_____
acúmulo	_____	_____

Fonêmica – O sistema vocálico oral **181**

mineirice	_____	_____
penedo	_____	_____
namorado	_____	_____
sonoplastia	_____	_____
punir	_____	_____
sequela	_____	_____
linguarudo	_____	_____
dentuça	_____	_____
sentada	_____	_____

4. Exercício final

Faça a transcrição fonética (entre colchetes) e a transcrição fonêmica (entre barras transversais) do texto abaixo. Utilize um único par de colchetes/barras transversais. Transcreva as palavras individualmente deixando um espaço entre elas. Por exemplo: "o estudo das línguas" [ˈʊ isˈtudʊ ˈdaz ˈlĩgʷas]. Acentue cada palavra individualmente (mesmo os monossílabos).

Texto

"O estudo das línguas naturais expressa a realidade com que convivemos. Um caos aparente que na verdade é rigorosamente organizado. Ao estudioso compete desvendar os mistérios deste caos. Um caos em movimento constante que a todo momento desafia as análises. Um grande desafio que certamente vale empreender."

Transcrição fonética

182 Fonêmica – O acento

Transcrição fonêmica

O ACENTO

Mattoso Câmara (1970) assume que o acento tônico é distintivo em português, ou seja, o acento tem por objetivo diferenciar vocábulos. Podemos encontrar vários pares de palavras oxítonas e paroxítonas que ilustram a oposição fonêmica entre o acento na vogal final – ou seja palavras oxítonas – e o acento na penúltima vogal – ou seja palavras paroxítonas: "cara/cará; cáqui/caqui; cera/será" etc. Por outro lado, a oposição do acento **paroxítono** e proparoxítono é sempre demonstrado em palavras de categorias morfológicas diferentes, ou seja, um dos exemplos é um substantivo e o outro exemplo é uma forma verbal. Exemplos que ilustram este caso são: "fabrica/fábrica; clinica/clínica; duvida/dúvida; sabia/sábia". Temos algumas poucas exceções em que o contraste acentual entre paroxítonas e proparoxítonas não ocorre entre verbo/substantivo (como em "fabrica/fábrica"). Uma destas exceções é o par de palavras "secretaria/secretária". Note que neste caso as duas palavras pertencem à mesma categoria gramatical (são substantivos). Outros exemplos que contrastam acentualmente palavras paroxítonas e proparoxítonas da mesma categoria gramatical são: Paris/pares; Tonico/tônico. Observe que nestes exemplos sempre tem-se um nome próprio, que pode mais facilmente infringir padrões da língua. Podemos portanto expressar a generalização de que a oposição do acento paroxítono e proparoxítono é demonstrado em palavras de categorias morfológicas diferentes (substantivo e verbo). Esta generalização não altera a análise acentual proposta por Mattoso Câmara (1970). Contudo, trabalhos mais atuais discutem o papel de tal generalização em termos dos parâmetros que caracterizam o padrão acentual do português [cf. Bisol (1992b); Segundo (1993); Lee (1994)]. Como mencionamos anteriormente, Mattoso Câmara (1970) assume o caráter contrastivo do acento em português. As ponderações feitas anteriormente quanto às categorias gramaticais envolvidas na caracterização do acento não invalidam tal proposta. Em (1), ilustramos pares distintivos que caracterizam o contraste acentual.

Fonêmica – O acento 183

(1) **Contraste acentual**
oxítona/paroxítona: "cáqui" e "caqui"
paroxítona/proparoxítona: "(ele) fabrica" e "fábrica"

Tendo função distintiva, o acento deve então ser marcado na representação fonêmica. Conforme recomendado anteriormente este deve ser o procedimento adotado. Portanto, toda transcrição fonêmica tem uma vogal acentuada. As representações fonêmicas dos exemplos apresentados em (1) são respectivamente: /ˈkaki/ – /kaˈki/ "cáqui" e "caqui" e /faˈbrika/ – /ˈfabrika/ "(ele) fabrica" e "fábrica".

═══════════════════ **Exercício 1** ═══════════════════

Transcreva fonética e fonêmicamente os dados abaixo. Marque a sílaba tônica colocando o símbolo [ˈ] antes da sílaba acentuada.

Ortografia	Fonética	Fonêmica
sílaba		
dissílaba		
silabar		
silabado		
ópera		
opera		
operado		
operador		
médica		
medica		
medicado		
medicamento		

Mattoso Câmara sugere que marquemos a vogal tônica por um valor acentual *3*. Este valor é estabelecido em caráter contrastivo com as demais vogais que tenham proeminência acentual (ou seja, as vogais pretônicas e postônicas). Lembre-se que glides são vogais assilábicas e portanto sem proeminência acentual (cf. "gaita"). O tratamento da proeminência acentual é sempre de um ponto de vista contrastivo em que as vogais acentuadas são comparadas às vogais não acentuadas. Portanto, ao marcarmos uma vogal tônica com o valor *3* estamos expressando que esta vogal tem a proeminência acentual três vezes maior do que a unidade. A unidade terá o valor *1* e, segundo a proposta apresentada aqui, caracterizará a proeminência acentual pretônica. Portanto, vogais pretônicas são marcadas com o valor acentual *1*. As vogais postônicas (sejam finais ou não) tem a proeminência acentual *0*. O valor acentual *2* será discutido posteriormente pois envolve casos em que temos duas palavras juntas. De acordo com esta proposta marcamos o acento tônico na palavra "parabólico" como em (2).

(2) /p a r a b ɔ l i k o/
          | | | | |
          1   1   3   0   0

Em (2), as vogais pretônicas recebem o valor acentual *1*, a vogal tônica recebe o valor acentual *3* e as vogais postônicas recebem o valor acentual *0*. Os valores *0*, *1*, *3* ocorrem em palavras (ou vocábulos) e o valor *2* ocorre quando temos uma sequência de palavras (ou sequência de vocábulos). Em outras palavras, quando temos dois vocábulos juntos constituímos um grupo de força e a vogal tônica do primeiro vocábulo terá o valor de sua proeminência acentual reduzida a *2*. Podemos dizer que duas palavras "a" e "b" têm valor *3* assinalado para sua vogal tônica quando estas palavras são consideradas isoladamente. Se consideradas em sequência – ou seja "a + b" – o valor *3* assinalado para a vogal tônica da primeira palavra é então reduzido a *2*. Em (3), mostramos a distinção do padrão acentual discutida pelo autor em um vocábulo "habilidade" e em uma sequência de vocábulos "hábil + idade".

(3) **Padrões acentuais**

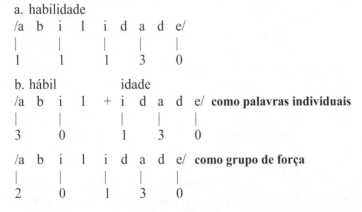

Em (3a), temos um vocábulo em que as vogais pretônicas têm valor *1*, a vogal tônica tem valor *3* e a vogal postônica tem valor *0*. Antes de considerarmos (3b), vejamos os valores adotados para cada um de seus vocábulos em separado. O vocábulo "hábil" tem valor *3* para a vogal tônica e *0* para a vogal postônica. O vocábulo "idade" tem valor *1* para a vogal pretônica, tem valor *3* para a vogal tônica e tem valor *0* para a vogal postônica. Se colocarmos estes dois padrões acentuais em sequência teremos: *3 0 1 3 0*. Em (3b), ilustramos este padrão acentual ao tratarmos (hábil + idade) como palavras isoladas. Note que neste padrão temos duas vogais marcadas com valor *3*. Isto não é possível uma vez que em um grupo de força devemos ter apenas uma única proeminência acentual. Assim, a vogal designada valor *3* no vocábulo "hábil" tem o seu valor reduzido a *2* e temos o padrão acentual *2 0 1 3 0* que é ilustrado em (3b) na representação final para o grupo de força. Faça o exercício seguinte designando valores de proeminência acentual para cada grupo de palavras.

Fonêmica – Conclusão 185

=========== **Exercício 2** ===========

Assinale um valor acentual para cada uma das vogais dos exemplos abaixo.

a. "celebridade"

c e l e b r i d a d e

b. "célebre idade"

c e l e b r i d a d e

c. "parasitar"

p a r a s i t a r

d. "para citar"

p a r a c i t a r

e. "paparicado"

p a p a r i c a d o

f. "técnica"

t e [k i] n i c a

g. "ar roxo"

a r r o x o

h. "arrocho"

a r r o c h o

De acordo com a proposta de Mattoso Câmara apresentada em (3) o acento é analisado como um delimitador do vocábulo fonológico tendo assim valor demarcativo, além do valor distintivo demonstrado anteriormente [cf. (1)].

CONCLUSÃO

Concluímos aqui a análise fonêmica do português brasileiro. Você deve ter preenchido as tabelas fonêmica consonantal e vocálica. No quadro de segmentos consonantais devem constar dezenove fonemas: /p, b, t, d, k, g, f, v, s, z, ʃ, ʒ, R̄, ɾ, m, n, ɲ, l, ʎ/. Na tabela fonêmica das vogais devem constar os sete fonemas vocálicos: /i, e, ɛ, a, ɔ, o, u/. As alofonias relevantes para o dialeto analisado devem ser listadas após às tabelas fonêmicas. Lembramos que a lista dos fonemas deve ser idêntica para a grande maioria dos falantes do português (exceto para falantes de certos dialetos, como de certas variantes

186 Fonêmica – Conclusão

de Cuiabá, que substituem os fonemas fricativos ʃ/ʒ pelas africadas tʃ/dʒ em "chá, já"). As particularidades dialetais – e idioletais – são expressas pelas alofonias.

A estrutura silábica também é idêntica para todos os falantes do português. A relevância da sílaba – com status teórico independente – faz-se presente em vários modelos pós-estruturalistas como veremos no capítulo seguinte. A análise do padrão acentual, que segue a proposta de Mattoso Câmara (1970), reflete a interpretação dada ao acento dentro do modelo fonêmico. Ressaltamos que os tratamentos dados ao acento em teorias atuais levantam questões bastante interessantes, tanto do ponto de vista teórico, quanto do empírico. Análises atuais do acento – que consideram sobretudo a **Teoria Métrica** – contribuem para uma melhor compreensão da organização do sistema sonoro do português [cf. Bisol (1992a, 1992b); Lee (1994); Massini-Cagliari (1992); Segundo (1993)].

A proposta de análise fonêmica apresentada aqui pode vir a suscitar discussões quanto ao caráter interpretativo. Um dos aspectos controvertidos é quanto ao tratamento dado às vogais nasais (as quais consideramos como sequência de vogal e arquifonema /VN/ e que podem alternativamente ser tratadas como tendo contraste fonêmico V/Ṽ: "lá/lã" ou "mito/minto"). Outro aspecto polêmico envolve a interpretação dos glides (os quais consideramos alofones das vogais altas /i, u/ e que podem alternativamente ser tratados como fonemas consonantais distintos /y, w/). As propostas alternativas foram mencionadas durante a discussão do tópico em questão. Optamos pela alternativa que nos parece mais adequada ou que segue a proposta de Mattoso Câmara (1970), a qual foi assumida neste capítulo.

Este capítulo considerou detalhadamente a análise da sequência segmental (com uma breve interpretação do acento). A fonêmica regula os princípios de análise da sequência segmental. Mattoso Câmara (1970) refere à fonêmica como a *primeira articulação*. Há contudo interação entre a sequência segmental e aspectos relacionados à formação das palavras. Por exemplo, as vogais médias [ɛ, ɔ] tendem a ocorrer em posição pretônica em palavras derivadas (cf. "terrinha, bolinha") cujos radicais (cf. "terr-, bol-") apresentam uma das vogais [ɛ, ɔ], como nas palavras "terra, bola". A morfologia regula os princípios que organizam a **boa formação** das palavras. Por exemplo, como derivar e flexionar palavras em uma determinada língua. Em termos estruturalistas, a morfofonêmica trata dos aspectos da interação entre a sequência segmental e os **princípios de boa formação** de palavras. Mattoso Câmara (1970) refere-se à **morfologia** e morfofonêmica como a *segunda articulação*. Devemos estar cientes que para uma compreensão ampla do componente sonoro devemos levar em consideração aspectos morfológicos. Sobretudo, a análise da flexão verbal e de palavras derivadas do português requerem a consideração de aspectos morfológicos. Fica aqui o convite para ampliar os conhecimentos adquiridos nas áreas de fonética e fonologia e expandi-los por meio do estudo da morfologia da língua portuguesa. O tratamento de aspectos morfológicos neste livro desviaria a atenção que temos focalizado na análise do componente sonoro [cf. por exemplo Rocha (1998) e Sandmann (1991, 1992)].

O modelo fonêmico discutido neste capítulo permitiu-nos observar, interpretar, formalizar e, em alguns casos, justificar o comportamento do sistema sonoro do português. Obviamente, como qualquer tentativa de formalismo, há problemas com tal modelo. Contudo, a abordagem estruturalista fornece subsídio teórico para modelos subsequentes. Outras perspectivas teóricas de cunho estruturalista e modelos teóricos pós-estruturalistas que analisam o componente sonoro são discutidos no capítulo seguinte.

Modelos fonológicos

1. Introdução

Este capítulo tem por objetivo apresentar uma visão da trajetória pós-estruturalista da análise do componente sonoro das línguas naturais. O modelo fonêmico, apresentado no capítulo anterior, ilustra uma tentativa estruturalista de formalização do componente sonoro. Correntes teóricas pós-estruturalistas que tratam do componente sonoro são conhecidas como modelos fonológicos. Este capítulo apresenta os principais aspectos e referências bibliográficas dos seguintes modelos fonológicos: **Fonologia Gerativa padrão**; **Fonologia Gerativa natural** e **Fonologia Natural**; Fonologia não linear: **Fonologia CV** e **Fonologia Autossegmental**; **Fonologia de Dependência**; **Fonologia de Governo**; **Fonologia Lexical**; **Fonologia Métrica**; **Teoria da Otimização**; **Fonologia de Uso** e **Teoria de Exemplares**. A **interface Fonologia-Sintaxe** é também considerada, bem como a perspectiva da **Fonologia de Laboratório**.

Inicialmente apontamos aspectos da proposta estruturalista que são relevantes para a discussão de modelos teóricos subsequentes. Tratamos em detalhe do modelo gerativo padrão uma vez que tal proposta teórica conduziu (e de certa maneira ainda conduz) os progressos teóricos e metodológicos da fonologia atual. Pretendemos guiar o leitor para uma proposta de investigação da trajetória pós-estruturalista na fonologia. Apontamos os princípios gerais de cada modelo e indicamos referências bibliográficas primárias. Quando possível, fornecemos bibliografia em português e referências de análises que demonstrem a aplicabilidade de um determinado modelo a dados da língua portuguesa. Sugerimos como leitura introdutória a conceitos e formulações teóricas sobre os estudos fonológicos, os trabalhos de Mattoso Câmara (1969); Halle (1970) e Dascal (1981). Outras obras (em inglês) são Jakobson e Halle (1956); Postal (1968); e Makkai (1972). O trabalho de Anderson (1985) oferece uma visão da fonologia no século XX. Dentre os trabalhos que discutem questões teóricas e de aplicabilidade de modelos pós-estruturalistas, destacamos: Abaurre e Wetzels (1992); Bisol (1992a, 1996a, 1996c); Carr (1993); Goldsmith (1990, 1995); Goyvaerts (1978); Katamba (1992); Roca (1999); Van Der Hulst e Smith (1982, 1985).

2. O Estruturalismo

O modelo fonêmico, apresentado no capítulo anterior, expressa uma tentativa do **Estruturalismo** de formalização do componente sonoro. Contribuições significativas de outras correntes estruturalistas serão apontadas nesta seção.

188 Modelos fonológicos – O Estruturalismo

Em uma análise fonêmica, deve-se ter um inventário fonético (que lista todas as vogais e consoantes da língua) e um inventário fonêmico (que lista os fonemas, alofones e informações complementares da língua a ser descrita, como por exemplo, considerações sobre a estrutura silábica ou suprassegmental). A unidade mínima da análise fonêmica é o fonema. Pares mínimos caracterizam a oposição entre os fonemas. Alofones caracterizam a variação expressa pela distribuição complementar. O texto clássico de análise fonêmica é *Phonemics – a Technique for Reducing Languages to Writing*, de Kenneth Pike (1947). Neste livro encontra-se uma proposta elementar de análise fonêmica para a língua portuguesa formulada por Reed e Leite (1947: 194-202).

O fonema constitui uma unidade mínima de análise que tem um papel contrastivo e concreto na investigação linguística. Do ponto de vista metodológico, o status de unidade teórica do fonema permite a segmentação do contínuo da fala. Por exemplo, a palavra "pata" tem quatro unidades discretas ou fonemas: /ˈpata/. Tais unidades têm status independente na organização da cadeia sonora. Posteriormente, a proposta de interpretar-se o fonema como unidade mínima de análise será questionada e implicará em mudanças significativas para a teoria linguística.

Em correntes estruturalistas, a investigação do componente sonoro prevalecia sobre a análise de outras áreas da gramática (como a morfologia e a sintaxe por exemplo). Na verdade, os procedimentos teóricos e metodológicos postulados para a análise do componente sonoro dentro de uma ótica estruturalista foram estendidos a outras áreas da análise linguística contribuindo para com o progresso da linguística como ciência. À linguística cabe analisar e formalizar o suprassistema que Saussure denominou **língua**. A fonte de dados para a análise linguística a ser proposta é a **fala**. A fala consiste da linguagem enquanto evento físico (em termos de pronunciar-se sequências de sons).

Além da corrente fonêmica, outras propostas teóricas tiveram um caráter importante na elaboração e desenvolvimento da proposta estruturalista. Uma destas propostas é a corrente do **Círculo Linguístico de Praga**. Trabalhos exponenciais do Círculo Linguístico de Praga são Trubetzkoy (1939) e Jakobson (1967). Contribuições significativas à corrente estruturalista buscam a delimitação do objeto de estudo da linguística e o estabelecimento de procedimentos metodológicos e teóricos a serem empregados na investigação linguística. Vale consultar pelo menos as seções que tratam da investigação do componente sonoro nos trabalhos de Saussure (1916); Sapir (1925); Bloomfield (1933); Martinet (1968). Estas referências são sugestões adicionais para a compreensão do objeto de estudo da linguística. Uma reflexão ampla e certamente de caráter exaustivo para a época de formulação é a análise do componente sonoro do português formulada por Mattoso Câmara (1970). Tal proposta de análise assume procedimentos estruturalistas clássicos de análise fonêmica, bem como contribuições adicionais de noções assumidas pelo Círculo Linguístico de Praga, como as noções de neutralização e arquifonema.

Há dois pontos principais que suscitaram questionamentos teóricos do modelo estruturalista e contribuíram para o advento da fonologia gerativa padrão. O primeiro deles refere-se a problemas do modelo em expressar generalizações dos sistemas fonológicos.

Vejamos uma discussão concreta deste aspecto. No modelo estruturalista, cada fonema é tratado como uma unidade distinta que se relaciona a seus respectivos alofones em contextos específicos. O fonema /k/, por exemplo, relaciona-se ao alofone [kʲ] quando seguido de /i/ e relaciona-se ao alofone [kʷ] quando seguido de vogais arredondadas (e relaciona-se ao fonema /k/ nos demais ambientes). Note que outros fonemas relacionam-se a um alofone labializado quando seguido de vogais arredondadas. Por exemplo, o fonema /p/ relaciona-se ao alofone [pʷ], o fonema /b/ relaciona-se ao alofone [bʷ], etc. (a consoante labializada deve ser seguida de vogal arredondada).

Contudo, em termos de formalização, o modelo estruturalista não permite expressar a generalização de que "consoantes são labializadas quando seguidas de vogais arredondadas". Isto deve-se ao fato de fonemas relacionarem-se a alofones e não apresentarem um relacionamento entre si. A falta de um mecanismo que expresse as generalizações presentes nos sistemas sonoros é um dos argumentos dos precursores da fonologia gerativa padrão contra a proposta estruturalista. A fonologia gerativa padrão propõe a oferecer como alternativa ao modelo estruturalista um mecanismo de formalização sofisticado que expresse as generalizações de sistemas fonológicos.

Outro ponto que levantou questionamentos teóricos do modelo estruturalista é a questão de assumir que a unidade mínima de análise é o fonema. Para uma discussão do conceito de fonema e das implicações teóricas de tal conceito veja Jones (1931); Twadell (1935) e Schane (1971). Segundo críticos da proposta estruturalista, a oposição entre segmentos – digamos /p/ e /b/ – relaciona-se não às unidades /p/-/b/ mas sim à propriedade de /p/ ser desvozeado e /b/ ser vozeado. A oposição que categoriza /p/ e /b/ como segmentos distintos é uma propriedade que pertence não a segmentos individuais, mas a grupos de segmentos. Por exemplo, /p, t, k/ são segmentos desvozeados em posição a /b, d, g/ que são segmentos vozeados. Agrupa-se assim fonemas pelas propriedades que estes compartilham (ou pela ausência de uma determinada propriedade). O status do fonema como unidade mínima de análise é portanto questionado.

Como consequência destas ponderações, os "fonemas" passam a ser interpretados como sendo constituídos de um conjunto específico de propriedades. A presença ou ausência de uma determinada propriedade é indicada para cada segmento. Temos então uma oposição binária. No caso da propriedade de vozeamento, dizemos que o segmento /p/ é [-vozeado] e que o segmento /b/ é [+vozeado]. A propriedade ou traço [vozeado] distingue segmentos quanto a este aspecto. Cada uma destas propriedades é referida como um traço distintivo e segmentos são constituídos de um feixe de **traços distintivos**. Esta perspectiva teórica da interpretação segmental teve início ainda no Círculo Linguístico de Praga com a contribuição significativa de Roman Jakobson. O fonema passa a ter um caráter abstrato. Em 1951, após imigrar para os Estados Unidos da América, Jakobson publica *Preliminaries to Speech Analysis* junto com Fant e Halle. Neste trabalho sedimenta-se a noção de que segmentos são constituídos de um feixe de traços distintivos. Os fundamentos básicos do trabalho de Jakobson, Fant e Halle (1951) contribuíram para com a proposta de representação segmental assumida pela fonologia gerativa padrão.

190 Modelos fonológicos – A fonologia gerativa padrão

Podemos resumir que as críticas quanto à falta de expressão para as generalizações presentes nos sistemas sonoros e o caráter de unidade mínima do fonema representam dois aspectos que a fonologia gerativa padrão propôs a oferecer um tratamento alternativo. Investigamos tal proposta na seção seguinte.

3. A Fonologia Gerativa Padrão

Tratamos do modelo de **Fonologia Gerativa Padrão** em mais detalhes do que os modelos que o seguem. A razão para tal detalhamento é que além de contribuir quantitativamente com um grande número de trabalhos, este modelo contribuiu para com a elaboração de propostas teóricas subsequentes (mesmo que indiretamente).

Em 1965, Chomsky publica *Aspects of the Theory of Syntax*, apresentando uma proposta convincente de interpretação e análise da estrutura linguística. Este trabalho revoluciona a relação interna dos estudos linguísticos. O componente sonoro, que tinha um papel preponderante na análise linguística, passa a ser visto apenas como parte integrante do mecanismo linguístico. O **componente sintático** passa a ser o foco da análise linguística. A proposta de análise gerativa assume a noção de processos transformacionais. A fala é gerada a partir de transformações impostas a **representações subjacentes**. As representações subjacentes pretendem espelhar o conhecimento linguístico internalizado que o falante tem de sua língua. As representações subjacentes relacionam-se à competência linguística. A competência linguística opõe-se ao desempenho. O desempenho é formalizado pelas representações de superfície que pretendem refletir o comportamento empírico da língua a ser analisada. Comparando-se a proposta gerativa ao modelo estruturalista podemos dizer que a **competência** relaciona-se à **língua** e que o **desempenho** relaciona-se à **fala**. A inovação do modelo gerativo do ponto de vista teórico e metodológico refere-se à noção transformacional de geração de estruturas gramaticais e quanto ao relacionamento explícito que passa a ser definido entre a linguagem e o mecanismo psicológico que a gera.

Além de causar impacto nos meios linguísticos quanto à proposta de descrição gramatical, a teoria gerativa propõe uma interação entre os diversos componentes da descrição gramatical. Ou seja, a teoria gerativa relaciona teoricamente os componentes sintático, semântico e fonológico. Na verdade, a proposta gerativa assume que o falante possui uma determinada estrutura profunda que contém informações gramaticais. Regras transformacionais aplicam-se a uma estrutura profunda gerando estruturas superficiais. Representações de superfície têm acesso ao componente fonológico e geram as representações fonéticas. Tal proposta é esquematizada a seguir [cf. Kenstowicz e Kisseberth (1979)].

Modelos fonológicos – A fonologia gerativa padrão 191

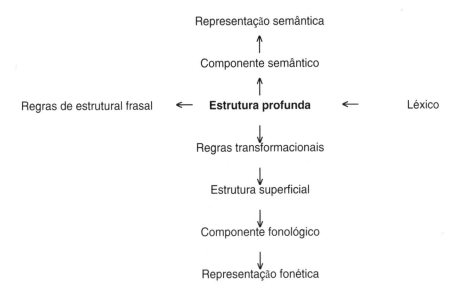

Como indicado no diagrama, o componente sonoro ou fonológico é compreendido como parte integrada e inter-relacionada à teoria da gramática. A abordagem gerativa aplicada à fonologia baseou-se inicialmente na proposta de Chomsky e Halle (1968) no livro clássico intitulado *The Sound Pattern of English*. Posteriormente, livros teóricos e didáticos foram elaborados para guiar estudiosos da Fonologia Gerativa Padrão. Dentre estes, destaco os trabalhos de Schane (1973); Hyman (1975); e Kenstowicz e Kisseberth (1979). Estes trabalhos apresentam a proposta da Fonologia Gerativa Padrão, discutem aspectos controvertidos deste modelo e propõem refinamentos teóricos para o aperfeiçoamento da descrição fonológica. Publicou-se também livros de exercícios com o objetivo de propiciar ao leitor a aplicação prática da Fonologia Gerativa. Dentre estes podemos citar Schane e Bendixxen (1978); Whitley (1978) e Halle e Clements (1983). Uma introdução à fonologia gerativa (em português) é apresentada no trabalho de Callou e Leite (1990).

A Fonologia Gerativa Padrão propõe-se a formalizar as oposições e distribuições presentes nos sistemas sonoros de maneira a expressar as generalizações atestadas empiricamente. Assume-se que processos fonológicos expressam as alternâncias segmentais. **Processos fonológicos** são formalizados por regras fonológicas. **Regras fonológicas** são elaboradas na forma $A \rightarrow B / C\_\_D$ (sendo que ABCD são categorias opcionais). O símbolo A corresponde à **descrição estrutural**, o símbolo B corresponde à **mudança estrutural** e C e D correspondem a ambientes. Os ambientes podem preceder a mudança estrutural para C ou podem segui-la, como é o caso de D. Uma regra do tipo $A \rightarrow B / C\_\_D$ implica que uma sequência do tipo CAD será transformada em CBD. As regras fonológicas geram novas estruturas por meio de transformações.

Para formalizar em termos de regra o processo fonológico de labialização de consoantes seguidas de vogais arredondadas podemos dizer que $C \rightarrow C_{arr} / \_\_ V_{arr}$.

192 Modelos fonológicos – A fonologia gerativa padrão

Os símbolos C e V correspondem a consoantes e vogais, respectivamente. A leitura da regra acima é: uma consoante passa a ser arredondada quando seguida de vogal arredondada. O símbolo "→" indica a mudança a ser efetuada e o símbolo "/" marca o limite do contexto especificado para a ocorrência de tal mudança. A tentativa de formalizar a labialização consonantal ilustrada acima é bastante elementar e sobretudo assume segmentos como unidades mínimas de análise: por exemplo, C (consoante) e V (vogal). Em termos gerativos, a formalização segmental deve ser expressa por traços distintivos. Sendo assim o processo fonológico de labialização de consoantes antes de vogais arredondadas pode ser formalizado como:

(1) **Labialização consonantal**

$$[+\text{consonantal}] \rightarrow [+\text{arredondado}] / \underline{\quad\quad} \begin{bmatrix} +\text{silábico} \\ +\text{arredondado} \end{bmatrix}$$

Lê-se: Uma consoante é produzida com arredondamento dos lábios quando encontra-se seguida de vogal arredondada.

Observe que este processo expressa a generalização de que qualquer consoante que seja seguida de uma vogal arredondada será labializada. Este recurso descritivo permite a inter-relação entre segmentos que compartilham de uma determinada propriedade. Além do mais, faz-se possível expressar um fenômeno recorrente nas línguas naturais: a labialização de consoantes seguidas de vogais arredondadas. Um dos méritos do modelo gerativo é que os pressupostos teóricos e o formalismo utilizado permitem expressar generalizações. Por exemplo, expressa-se fenômenos fonológicos recorrentes nas línguas naturais, como a labialização de consoantes seguidas de vogais arredondadas, a palatalização de consoantes seguidas da vogal /i/, a nasalização de vogal seguida de consoante nasal, o vozeamento de consoantes seguidas de uma outra consoante que seja vozeada, a **redução vocálica** em posição átona, etc. As diferenças e semelhanças sonoras entre as línguas naturais passam a ser compreendidas no gerativismo como a compartilhação de um (ou mais) processos fonológicos. A análise linguística comparativa considera o conjunto de regras fonológicas de cada língua.

Para compreender a formalização das regras fonológicas, deve-se em primeiro lugar identificar e classificar os traços distintivos que estão presentes na representação segmental. Dois conceitos são fundamentais para a compreensão dos traços distintivos propostos por Chomsky e Halle (1968): **posição neutra** e **vozeamento espontâneo**. O conceito de posição neutra refere-se à configuração do trato vocal no momento anterior ao início da produção da fala. O vozeamento espontâneo refere-se às diferenças de pressão do ar abaixo e acima da glote e à configuração das cordas vocais. Estes dois conceitos são apresentados a seguir.

Modelos fonológicos – A fonologia gerativa padrão 193

Posição neutra – Na posição neutra o véu palatino é levantado e a passagem da corrente de ar através do nariz é interrompida. O corpo da língua, que na respiração normal repousa sobre a parte inferior da boca em estado de relaxamento, é levantado na posição neutra, aproximadamente até o nível que a língua ocupa na articulação da vogal inglesa [e] na palavra "bed", mas a lâmina da língua permanece aproximadamente na mesma posição que ela mantém na respiração normal. Uma vez que a fala é produzida geralmente com exalação, a pressão do ar nos pulmões imediatamente antes do início da fala deve ser maior do que a pressão atmosférica. Durante a respiração normal, as cordas vocais devem estar completamente separadas uma vez que nenhum som é emitido. Por outro lado, existem boas razões para acreditarmos que no momento anterior ao início da fala, o indivíduo normalmente estreita a sua glote e posiciona suas cordas vocais de maneira que na posição neutra elas vibrarão espontaneamente devido à corrente de ar normal e desimpedida (SPE: 300).

Vozeamento espontâneo – Os dois principais fatores que controlam a vibração das cordas vocais são a diferença na pressão do ar abaixo e acima da glote e a configuração das cordas vocais (sua tensão, forma e posição relativa). A pressão subglotal é aquela que é mantida na traqueia pelos músculos respiratórios. Na ausência de uma constrição importante na cavidade oral, a pressão supraglotal será aproximadamente igual à pressão atmosférica e, portanto, inferior à pressão subglotal. Entretanto, se ocorrem constrições significantes na cavidade oral, a pressão supraglotal será maior do que a pressão atmosférica, uma vez que o ar expelido dos pulmões não escapará livremente. A totalidade do ar ou parte dele permanecerá preso na cavidade supraglotal, mantendo ali a pressão e assim reduzindo a diferença de pressão abaixo e acima da glote. Isto é importante porque todas as outras coisas sendo iguais, esta diferença de pressão determina a velocidade na qual o ar escapará dos pulmões através da glote, e é esta velocidade que determina se a glote irá ou não vibrar (SPE: 300-1).

Os conceitos apresentados acima estão presentes nas definições de vários **traços distintivos**. Listamos a seguir as definições dos traços distintivos relevantes para a análise do português.

(2) **Traços distintivos**

Consonantal – um som é [+consonantal] quando é produzido com uma obstrução significativa na região médio-sagital do trato vocal. Um som é [-consonantal], quando é produzido sem tal obstrução.

Silábico – um som é [+silábico] quando constitui o núcleo de uma sílaba. Um som é [-silábico] quando não ocupa esta posição.

Soante – um som é [+soante] quando é produzido com a configuração do aparelho fonador de maneira que seja possível o vozeamento espontâneo. Um som é [-soante] quando o vozeamento espontâneo não é possível.

Contínuo – um som é [**+contínuo**] quando a constrição principal do trato vocal permite a passagem do ar durante todo o período de sua produção. Um som é [**-contínuo**] quando durante a sua produção ocorre o bloqueio da passagem da corrente de ar no trato vocal.

Soltura retardada – um som é [+soltura retardada] quando é produzido com uma obstrução no trato vocal bloqueando a passagem da corrente de ar seguida pelo escape desta corrente de ar provocando turbulência. Um som é [-soltura retardada] quando não ocorre este fenômeno.

Nasal – um som é [+nasal] quando é produzido com o abaixamento do véu palatino permitindo o escape do ar através do nariz. Um som é [-nasal] quando é produzido sem o abaixamento do véu palatino.

Lateral – um som é [+lateral] quando durante a sua produção o ar escapa lateralmente. Um som é [-lateral] quando o ar não escapa lateralmente.

194 Modelos fonológicos – A fonologia gerativa padrão

Anterior – um som é [+anterior] quando é produzido com uma obstrução localizada na parte anterior à região alveolopalatal. Um som é [-anterior] quando é produzido sem uma obstrução deste tipo.

Coronal – um som é [+coronal] quando é produzido com o levantamento da lâmina da língua a um ponto superior à posição neutra. Um som é [-coronal] quando a lâmina da língua permanece na posição neutra.

Alto – um som é **[+alto]** quando é produzido com o levantamento do corpo da língua a uma posição acima daquela verificada na posição neutra. Um som é **[-alto]** quando é produzido sem tal levantamento.

Recuado – um som é **[+recuado]** quando é produzido com a retração da língua da posição neutra. Um som é **[-recuado]** quando é produzido sem tal retração.

Arredondado – um som é [+arredondado] quando é produzido com uma aproximação do orifício labial. Um som é [-arredondado] quando é produzido sem tal aproximação.

Baixo – um som é **[+baixo]** quando é produzido com o abaixamento do corpo da língua a uma posição abaixo daquela verificada na posição neutra. Um som é **[-baixo]** quando é produzido sem este abaixamento.

Vozeado – um som é [+vozeado] quando durante a sua produção as cordas vocais permanecem vibrando. Um som é [-vozeado] quando não ocorre tal vibração.

Tenso – um som é **[+tenso]** quando é produzido com um gesto exato e preciso que envolve considerável esforço muscular. Um som é **[-tenso]** quando é produzido rápida e indistintamente.

A representação segmental é entendida como um conjunto de feixe de traços distintivos presentes para cada um dos segmentos da língua. O sistema de traços distintivos proposto por Chomsky e Halle (1968) mescla propriedades articulatórias, por exemplo [anterior], com propriedades acústicas, por exemplo [soltura retardada]. Propostas subsequentes vieram a refinar a definição dos traços distintivos e a inter-relação entre eles. Duas correntes principais são a teoria da subespecificação (*underspecification theory*) proposta por Archangeli (1985) e a geometria dos traços apresentada por Clements (1985).

Alternativamente, linguistas sugerem que os segmentos sejam constituídos de um conjunto de elementos. Elementos seriam interpretados de maneira análoga às ciências como química e física. Por exemplo, a água é constituída de H_2O – duas moléculas de hidrogênio e uma molécula de oxigênio. Um segmento como [e] por exemplo pode ser constituído dos elementos A e I. As principais propostas de interpretação segmental como um conjunto de elementos são a de Schane (1984); Kaye, Lowenstamm e Vergnaud (1985); e Van Der Huslt (1995).

A investigação da representação de segmentos nos levaria além da proposta intencionada nesta seção. Fica o convite para que o leitor explore as consequências teóricas e empíricas relacionadas a cada uma destas propostas. Do ponto de vista metodológico e de formalização, cada uma destas propostas contribui para com a discussão sobre o componente fonológico. Um trabalho de pesquisa que ainda deve ser realizado investigaria os méritos e desvantagens de assumir-se uma proposta de representação segmental com traços distintivos ou com elementos.

Retomemos os traços distintivos propostos por Chomsky e Halle (1968) cujas definições foram apresentadas em (2). A tabela seguinte ilustra uma matriz fonética do português especificada em termos de traços distintivos.

Modelos fonológicos – A fonologia gerativa padrão 195

(3) Matriz fonética

	p	b	t	d	k	g	tʃ	dʒ	f	v	s	z	ʃ	ʒ	h	m	n	ɲ	l	ʎ	ɾ	i	e	ɛ	a	ɔ	o	u	ɪ	ə	ʊ
consonantal	+	+	+	+	+	+	+	+	+	+	+	+	+	+	+	+	+	+	+	+	+	-	-	-	-	-	-	-	-	-	-
silábico	-	-	-	-	-	-	-	-	-	-	-	-	-	-	-	-	-	-	-	-	-	+	+	+	+	+	+	+	+	+	+
soante	-	-	-	-	-	-	-	-	-	-	-	-	-	-	-	+	+	+	+	+	+	+	+	+	+	+	+	+	+	+	+
contínuo	-	-	-	-	-	-	-	-	+	+	+	+	+	+	+	-	-	-	+	+	+	+	+	+	+	+	+	+	+	+	+
solt. retardada	-	-	-	-	-	-	+	+	-	-	-	-	-	-	-	-	-	-	-	-	-	-	-	-	-	-	-	-	-	-	-
nasal	-	-	-	-	-	-	-	-	-	-	-	-	-	-	-	+	+	+	-	-	-	-	-	-	-	-	-	-	-	-	-
lateral	-	-	-	-	-	-	-	-	-	-	-	-	-	-	-	-	-	-	+	+	-	-	-	-	-	-	-	-	-	-	-
anterior	+	+	+	+	-	-	-	-	+	+	+	+	+	-	-	+	+	-	+	-	+	-	-	-	-	-	-	-	-	-	-
coronal	-	-	+	+	-	-	-	-	-	-	+	+	+	+	-	-	+	+	+	+	+	-	-	-	-	-	-	-	-	-	-
alto	-	-	-	-	+	+	-	-	-	-	-	-	+	+	+	-	-	+	-	+	-	+	-	-	-	-	-	+	+	-	+
recuado	-	-	-	-	+	+	-	-	-	-	-	-	-	-	+	-	-	-	-	-	-	-	-	-	+	+	+	+	-	+	+
arredondado	-	-	-	-	-	-	-	-	-	-	-	-	-	-	-	-	-	-	-	-	-	-	-	-	-	+	+	+	-	-	+
baixo	-	-	-	-	-	-	-	-	-	-	-	-	-	-	-	-	-	-	-	-	-	-	-	+	+	+	-	-	-	-	-
vozeado	-	+	-	+	-	+	-	+	-	+	-	+	-	+	-	+	+	+	+	+	+	+	+	+	+	+	+	+	+	+	+
tenso	+	+	+	+	+	+	+	+	+	+	+	+	+	+	+	+	+	+	+	+	+	+	+	+	+	+	+	+	-	-	-

Tal matriz é entendida como um dispositivo de tradução das transcrições fonéticas. Assim, uma palavra qualquer é entendida como uma sequência de colunas de traços distintivos. Cada coluna especifica os valores de um determinado segmento (como positivo ou negativo). A sequência das colunas fornece a representação fonética da palavra em questão. Considerando os segmentos caracterizados na matriz fonética apresentada acima, podemos propor a seguinte representação fonética da palavra "vida" [ˈvidə].

(4) [[v] [i] [d] [ə]]

	v	i	d	ə
consonantal	+	-	+	-
silábico	-	+	-	+
soante	-	+	-	+
contínuo	+	+	-	+
solt. retardada	-	-	-	-
nasal	-	-	-	-
lateral	-	-	-	-
anterior	+	-	+	-
coronal	-	-	+	-
alto	-	+	-	-
recuado	-	-	-	+
arredondado	-	-	-	-
baixo	-	-	-	-
vozeado	+	+	+	+
tenso	+	+	+	-

196 Modelos fonológicos – A fonologia gerativa padrão

Para efeito de representação tipográfica, os trabalhos em fonologia gerativa fizeram uso de transcrições fonéticas segmentais – por exemplo ['vidə] – para representar os feixes de traços distintivos [como ilustrado em (4)]. As representações fonológicas abstratas – ou seja, **representações subjacentes** – relacionam-se às representações fonéticas por meio da aplicação de um conjunto de regras fonológicas potencialmente aplicáveis. Tais regras podem modificar um ou mais valores dos traços distintivos das representações fonológicas. Em (5), ilustramos as representações subjacentes das palavras "vida" e "pá". Indicamos a aplicação de regras fonológicas que alteram a **representação fonológica** de "vida". A representação fonológica de "pá" não sofre alterações por regras fonológicas. As representações subjacentes e fonéticas são portanto idênticas para "pá". Estes fatos podem ser observados em (5).

(5) **Representação fonológica** /'vida/ /'pa/

Regras fonológicas RF: Redução vocálica postônica ————

Representação fonética ['vidə] ['pa]

Na matriz fonética todos os segmentos são especificados em relação a todos os traços distintivos. Considerando-se as definições de cada traço do sistema apresentado em Chomsky e Halle (1968), verificamos que os valores de alguns traços podem ser previstos a partir de outros. Tais previsões podem ser estabelecidas a partir de regras de redundância segmental. Uma regra deste tipo é apresentada abaixo.

(6) [+**alto**]
↓
[-**baixo**]

A **regra de redundância segmental** ilustrada em (6) estabelece que todo o segmento que apresenta a propriedade do traço distintivo [+alto] deverá obrigatoriamentte apresentar o valor negativo para o traço [baixo], ou seja, terá a especificação [-baixo]. A restrição ilustrada em (6) é estabelecida a partir das definições dos traços em questão: alto/baixo. Ou seja, a língua não pode estar ao mesmo tempo acima e abaixo da posição neutra. Algumas das regras de redundância segmental são universais, como a apresentada em (6). Outras destas regras estabelecem restrições específicas a uma língua (ou grupo de línguas). Uma regra de redundância segmental que é específica do português (e do espanhol e italiano também) prevê que vogais anteriores são não arredondadas. No caso do português, definimos o subconjunto [i, e, ɛ]. Essa regra de redundância segmental pode ser formulada como:

(7) $\begin{bmatrix} +\textbf{silábico} \\ +\textbf{anterior} \end{bmatrix}$
↓
[-**arredondado**]

Tal regra de redundância segmental não se aplica ao francês e ao alemão, por exemplo. Tais línguas apresentam em seus inventários sonoros vogais anteriores que são arredondadas. Do ponto de vista formal, as regras de redundância segmental indicam os traços distintivos que podem ser ignorados na análise fonológica da língua em questão. Como consequência, temos que na matriz fonológica serão omitidos os traços distintivos previstos por regras de redundância segmental. Por exemplo, ao elaborarmos a matriz fonológica do português podemos omitir o valor do traço [arredondado] para as vogais que sejam [+silábica, +anterior]. Isto porque o valor especificado para este traço é previsível em português: [-arredondado]. Temos então que na matriz fonética todos os traços distintivos são especificados para cada segmento e que na matriz fonológica omite-se os traços distintivos previsíveis por regras de redundância segmental.

Há uma outra diferença entre as matrizes fonética e fonológica além desta relacionada à especificação dos traços distintivos. Esta segunda diferença relaciona-se aos segmentos apresentados em cada matriz. Uma matriz fonética apresenta as unidades fonéticas que consistem de todos os segmentos encontrados naquela língua (que correspondem aos fones). Já a matriz fonológica especifica apenas as unidades fonológicas (que correspondem aos fonemas).

Um outro tipo de regra previsto pelo modelo gerativo padrão refere-se à **regra de restrição sequencial**. Tais regras especificam as propriedades de sequências de segmentos possíveis na língua em questão. Ou seja, estas regras definem as relações entre os segmentos e a estrutura silábica em tal língua. Ilustramos abaixo uma regra de restrição sequencial que se aplica ao português. A regra estabelece que em início de palavra em português – definido como [-segmento] – podemos ter vogais ou qualquer uma das consoantes do português exceto [ʎ, ɲ, ɾ] (ou seja, ocorrem oclusivas, fricativas, africadas, nasais não palatais e a lateral não palatal).

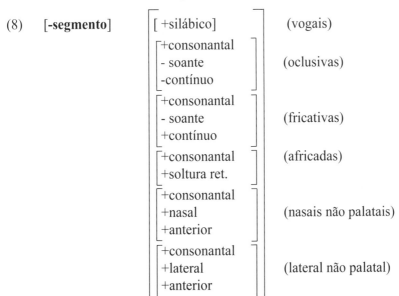

198 Modelos fonológicos – A fonologia gerativa padrão

Discutimos os princípios das regras de redundância segmental e das regras de redundância sequencial. Tais regras definem restrições impostas ao sistema fonológico. Apresentamos a seguir a noção de **classe natural** que contribui para com o formalismo das regras fonológicas previstas pela fonologia gerativa padrão [cf. Hyman (1975)].

Classe natural – Dizemos que dois segmentos constituem uma classe natural quando necessitamos de um número menor de traços para especificar a classe do que para especificar qualquer um dos membros da classe. [...] De um modo geral, pode-se dizer que dois segmentos constituem uma classe natural quando um ou mais dos seguintes critérios são obedecidos:

- os dois segmentos submetem-se juntos às regras fonológicas;

- os dois segmentos funcionam juntos nos ambientes das regras fonológicas;

- um segmento é convertido em outro segmento por uma **regra fonológica**;

- um segmento é derivado no ambiente de outro segmento (como nos casos de assimilação).

Hyman (1975) estabelece que

[...] as especificações dos traços são estabelecidas para fazerem afirmações específicas sobre as similaridades das classes de segmentos. Estas afirmações são confirmadas tanto por estudos fonéticos articulatórios e acústicos dos sons quanto pelos estudos fonológicos de línguas específicas.

As informações ora apresentadas fornecem o instrumental necessário para passarmos à formalização das regras fonológicas. Regras fonológicas expressam processos fonológicos e idealmente o fazem de maneira simples, econômica e em caráter generalizador. Representações fonológicas – ou representações subjacentes – são formas abstratas propostas pelo pesquisador para expressar a representação presente na competência do falante. As representações subjacentes são convertidas em representações fonéticas por meio das regras fonológicas. Tendo um caráter abstrato, o modelo gerativo padrão trabalha com **categorias vazias**. Tais categorias têm status teórico e podem ser inseridas ou canceladas nas representações fonológicas (com um caráter digamos de um fonema "vazio"). O caráter abstrato das representações fonológicas gerou discussões controvertidas na fonologia e contribuiu para a mudança de foco teórico e proposição de modelos subsequentes [cf. Kiparsky (1973)].

As regras fonológicas são principalmente de três tipos: transformam segmentos, cancelam segmentos e inserem segmentos. Apresentamos em (9) exemplos destes três tipos de regras, em português. Utilizamos segmentos para representar o conjunto de feixe de traços distintivos. Tal procedimento visa a fornecer uma visualização mais clara do processo.

Modelos fonológicos – A fonologia gerativa padrão **199**

(9) a. **Regra de transformação**
/l/ → [w] / ___$

Lê-se: O segmento /l/ transforma-se em [w] quando em posição final de sílaba.

Exemplos: /ˈsal/ → [ˈsaw] "sal" e /ˈsalta/ → [ˈsawtə] "salta"

b. **Regra de cancelamento**
/l/ → ø / ˈV___ + S

Lê-se: O segmento /l/ é cancelado quando precedido de vogal acentuada e seguido do morfema de plural S.

Exemplo: /ˈsal+S/ → /ˈsa+S/ "sais" (ver regra abaixo)
(Formas como "hábil/hábeis", etc. devem ser tratadas de maneira distinta)

c. **Regra de inserção**
ø → [ɪ] / ˈV ___ + S

Lê-se: Insere-se o segmento [ɪ] quando uma vogal acentuada é seguida do morfema de plural S.

Exemplo: /ˈsa+S/ → /ˈsaɪS/ "sais"

Dentre os **processos fonológicos** mais recorrentes nas línguas naturais temos: labialização ou arredondamento de consoante seguida de vogal arredondada; palatalização de consoante seguida de vogal anterior; assimilação de **sonoridade** em limite de sílaba; assimilação de lugar e modo de articulação; nasalização de vogais próximas a consoantes nasais. Dentre os trabalhos sobre a língua portuguesa que adotam a fonologia gerativa padrão podemos citar: Leite (1974); Mateus (1975); Beddor (1982); Lopez (1979); Shaw (1986). Publicações nos periódicos de linguística das décadas de 1970 e 1980 basicamente apresentam análises fonológicas de cunho gerativo padrão.

Por analogia ao modelo de análise gramatical desenvolvido por Chomsky [a partir de (1965)] a fonologia gerativa tem por objetivo descrever os princípios universais que regulam os sistemas sonoros em busca de compreender os mecanismos que regulam a **Gramática Universal** (GU). Dentre as principais críticas ao modelo gerativo padrão podemos citar: os recursos formais do modelo expressam mais do que é atestado nos sistemas fonológicos; o caráter abstrato das representações fonológicas; os problemas teóricos impostos pelo ordenamento das regras; a falta de status teórico da sílaba embora esta unidade seja presente nos contextos das regras fonológicas; ausência de inter-relação entre a fonologia-morfologia (como um nível morfofonêmico).

Chomsky e Halle (1968) reconhecem certos aspectos que enfraquecem a proposta teórica apresentada em *The Sound Pattern of English* (SPE). No capítulo 9 deste livro, os autores apresentam a **Teoria de Marcação** (*Markedness theory*). Esta nova proposta prevê que traços distintivos tenham valores "m" para marcado e "u" para não marcado (*unmarked*), no lugar dos [+] e [-] assumidos anteriormente. A Teoria de Marcação busca avaliar o conteúdo intrínseco dos traços distintivos. Em última

200 Modelos fonológicos – O modelo natural

instância, o objetivo da nova proposta é descrever e formalizar os parâmetros "mais naturais" dos sistemas fonológicos. Por exemplo, enquanto uma vogal pode ser [+nasal] ou [-nasal] a Teoria de Marcação prevê que vogais orais são não marcadas (e são na verdade recorrentes nos sistemas sonoros) e que vogais nasais são marcadas (e são de fato raras nos sistemas sonoros). Referências adicionais a esta proposta são Postal (1968, cap. 8) e Cairns (1969).

A **Teoria de Marcação** permite que o modelo de fonologia gerativa padrão possa formalizar não apenas a **naturalidade** dos segmentos e sistemas consonantais e vocálicos, mas também a postulação de regras fonológicas "naturais". Tais regras têm por objetivo distinguir generalizações linguisticamente significativas daquelas que são irrelevantes aos sistemas fonológicos. A primeira tentativa de formalização de "regras naturais" é apresentada nas "convenções de ligação" (*linking conventions*) previstas pelo SPE [Chomsky e Halle (1968)]. Modelos teóricos como a Fonologia Gerativa Natural e Fonologia Natural refletem a mudança de foco teórico em busca de um modelo mais "natural" para formalizar o comportamento linguístico dos sistemas sonoros.

4. O modelo natural

4.1. Fonologia Gerativa Natural

A **Fonologia Gerativa Natural** tem como postuladores Vennemann (1972a, 1972b, 1973) e Hooper (1972, 1976). Estes autores defendem que o componente fonológico deve ocupar-se com a transparência e com a **motivação fonética** e regular. Todas as outras regularidades devem ser tratadas com informação do componente morfológico, buscando-se a evitar soluções abstratas. Esta proposta define que as representações subjacentes são equivalentes às representações fonéticas. As regras fonológicas podem ser de dois tipos: regras motivadas foneticamente e regras não produtivas. Um exemplo de regra motivada foneticamente em português é a palatalização de oclusivas alveolares t/d quando seguidas da vogal [i] e variantes (nasal e glide). Regras que têm motivação fonética apresentam apenas informação fonética (quanto aos segmentos e à estrutura silábica). Tais regras são produtivas e não apresentam exceções. Todos as unidades presentes na representação subjacente nas regras motivadas foneticamente devem ter um correlato fonético. Ou seja, devem estar envolvidas com processos físicos de articulação. Excluem-se categorias vazias e as abstrações decorrentes das postulações destas entidades.

O segundo tipo de regras é não produtivo. Exemplo deste tipo de regra é a formação de plural em "ão" (cf. "capitão; nação; cidadão"). Não há regularidade nestas regras e propõe-se portanto que estas sejam tratadas de maneira distinta das regras motivadas foneticamente. Postula-se "via regras" (*via rules*) para a formalização de

Modelos fonológicos – O modelo natural 201

tais processos. "Via regra" refere-se às regras não gerativas, sem caráter transforma-cional que ligam as formas subjacentes às informações complementares (como, por exemplo, do componente morfológico). Informações provenientes do componente morfológico passam a ter status teórico dentro deste modelo (ao contrário do modelo gerativo padrão). Uma "via regra" não tem portanto caráter produtivo e sincrônico e deve ser marcada como individual uma vez que não permite expressar generaliza-ções. Tais regras, ao contrário das regras motivadas foneticamente, não fazem parte da competência linguística do falante. A fonologia gerativa natural busca definir os princípios que regulam as regras foneticamente motivadas das regras não produtivas.

Além de investigar como o léxico é estruturado, a fonologia gerativa natural investiga se as restrições sequenciais devem ser definidas em termos dos morfemas. Hooper eVennemann argumentam a favor de restrições impostas às estruturas silá-bicas. Enquanto para Chomsky e Halle (1968), a sílaba é uma unidade presente na especificação dos contextos das regras fonológicas, Vennemann e Hooper propõem que a sílaba seja incorporada à teoria fonológica. A aplicabilidade da fonologia gera-tiva natural para a língua portuguesa é demonstrada nos trabalhos de Gnerre (1983).

4.2. Fonologia Natural

Uma corrente alternativa denominada **Fonologia Natural** surge com a proposta de Stampe (1980). Tal proposta é uma crítica à Fonologia Gerativa Padrão e de certa maneira dá continuidade às perspectivas teóricas levantadas em Chomsky e Halle (1968) quanto à naturalidade das representações e processos fonológicos. Stampe (1980) propõe que na organização do componente fonológico temos processos e regras. Processos referem-se à capacidade inata do ser humano para aprender a linguagem. Regras regulam as propriedades específicas de línguas particulares. A Fonologia Natural busca explicar a natureza dos processos fonológicos e determinar as características das regras específicas das línguas naturais.

De maneira análoga à Fonologia Gerativa Natural, a proposta natural tem por objetivo caracterizar aspectos dos componentes sonoros das línguas naturais que sejam mais "naturais". A Fonologia Gerativa Natural e a Fonologia Natural surgem portanto como uma proposta alternativa à Fonologia Gerativa Padrão oferecendo reflexões de aspectos controvertidos na proposta de Chomsky e Halle (1968).

A diferença básica entre Fonologia Gerativa Natural (discutida na seção anterior) e fonologia natural é que o primeiro modelo busca a investigar a "naturalidade" das regras fonológicas, enquanto que o segundo modelo tem por objetivo caracterizar a "naturalidade" das representações e processos fonológicos. Contudo, mesmo após o surgimento da Fonologia Gerativa Natural e Fonologia Natural, inúmeros trabalhos de cunho gerativo padrão continuaram a ser publicados. Muitos destes trabalhos tentam refinar a proposta inicial da Fonologia Gerativa Padrão e até meados da década de 1980 os periódicos – e muitas teses de mestrado e doutorado – utilizam a proposta teórica iniciada com Chomsky e Halle (1968).

202 Modelos fonológicos – O modelo de sílaba na fonologia não linear

Nesta seção apresentamos os pontos principais adotados pelas propostas de Fonologia Gerativa Natural e Fonologia Natural. As referências bibliográficas apresentadas podem auxiliar o leitor a conduzir uma pesquisa aprofundada das correntes teóricas aqui discutidas. A mudança de foco teórico em fonologia ocorre sobretudo com a introdução de modelos que incorporam a sílaba à teoria fonológica. A sílaba passa não apenas a possuir status teórico mas constitui a parte central da análise do componente sonoro. Os modelos gerativo padrão, gerativo natural e natural são compreendidos como modelos lineares por analisarem segmentos em sequências lineares (uns após os outros). Modelos subsequentes são compreendidos como modelos fonológicos não lineares (ou multinivelares). Em tais modelos, há diferentes níveis de representação para os segmentos e para os **constituintes silábicos**. Os diferentes níveis de representação interagem entre si. Na próxima seção tratamos dos modelos não lineares apresentados por Clements e Keyser (1983), ou seja, a Fonologia CV e Goldsmith (1990), ou seja, a Fonologia Autossegmental.

5. O modelo de sílaba na fonologia não linear

5.1. Fonologia CV

O status da sílaba nas representações fonológicas já havia sido observada por autores de tendência estruturalista, mas se consolida na **Fonologia CV** [cf. Kuryłowicz (1948); Haugen (1956); Pike e Pike (1947); Pike (1947), Fudge (1969) e Clements e Keyser (1983)]. Na Fonologia Gerativa Padrão a proposta de formalização da sílaba é apresentada por Kahn (1976). Em tal proposta, o nódulo que representa a sílaba domina imediatamente seus constituintes, que são segmentos. Esta proposta é ilustrada abaixo na representação da palavra "vida".

(10)

$$\sigma$$
$$/\ |\ |\ \backslash$$
v i d a

Apesar da simplicidade do diagrama apresentado em (10), Kahn demonstra que várias generalizações podem ser expressas por incorporar-se a sílaba às representações fonológicas. As generalizações são decorrentes das referências dos contextos de aplicações de regras em termos de limites silábicos ao contrário de expressar ambientes de aplicação de regras em termos de segmentos ou limites *ad hocs*.

Clements e Keyser (1983) apresentam uma proposta teórica que designa um status fonológico à sílaba. Para estes autores, a relação entre a sílaba e os segmentos deve ser mediada por um nível CV (CV tier). Nesta proposta há portanto três níveis de representação: o segmental, o nível CV e o nível da sílaba que é representado por σ. Ilustramos a seguir a representação da palavra "vida".

(11)

De acordo com tal proposta, os traços distintivos [consonantal] e [silábico] são excluídos da representação segmental. Isto se dá devido à presença das categorias C (para consoantes) e V (para vogais). Os elementos C e V formam um conjunto de unidades temporais (*timing units*). Tais unidades possuem um status teórico semelhante a C e V em perspectivas estruturalistas uma vez que se permite categorizar sílabas em termos de suas sequências segmentais. Por exemplo, podemos referir a sílabas do tipo CV ou CVC. Clements e Keyser (1983) argumentam contra a concessão de subcategorias à estrutura silábica (como **Onset** ou **Rima**). Propostas teóricas posteriores sugerem os constituintes silábicos O (para onset) e R (para rima). Esta perspectiva será discutida na seção seguinte.

Clements e Keyser (1983) apresentam uma discussão extremamente interessante para a motivação de um nível para a sílaba nas representações fonológicas. Tal modelo tem por objetivo discutir a motivação para as formas subjacentes com argumentos mais sólidos do que aqueles propostos por modelos precedentes. O modelo CV propõe-se primordialmente às seguintes tarefas:

- especificar as expressões bem-formadas pela teoria.
- especificar os parâmetros em que línguas individuais variam em termos de escolha de seus inventários silábicos.
- caracterizar a classe de regras particulares de uma língua que modifiquem as representações subjacentes das sílabas (**regras de silabificação**) e definir como tais regras interagem com a organização geral do componente fonológico.

Note que tal modelo busca discutir a interação entre processos fonológicos e a estrutura silábica e também busca a definir uma tipologia para os inventários silábicos das línguas naturais. A grande maioria dos trabalhos que adotam esta teoria tem estes objetivos em prioridade. Em (12) ilustramos uma representação possível para a palavra "transporta" em português.

(12)

Assume-se portanto que sílabas do tipo CCVCC; CVC e CV são bem-formadas para o português. A discussão teórica iniciada por Clements e Keyser (1983) introduz conceitos e formalismos que posteriormente serão abordados em perspectivas alternativas de outros modelos. O status de sílabas leves e pesadas e um formalismo para representar tais sílabas é um destes aspectos. A noção de **extrassilabicidade** é outro conceito que será estendido a outros modelos fonológicos sugerindo a noção de **extrametricalidade** [cf. Roca (1992)].

Para efeito ilustrativo formulamos em (13) uma regra de redução vocálica para a vogal /a/ em português em posição postônica. Lê-se: a vogal /a/ é reduzida a [ə] em posição postônica.

(13) **Regra de redução vocálica:** $V \rightarrow [ə] / V_{[+acento]} \underline{\quad\quad}$
$$|$$
$$a$$

A aplicabilidade de tal regra é ilustrada abaixo para a palavra "transporta".

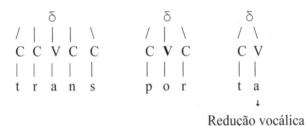

Redução vocálica

A aplicabilidade do modelo CV à análises do português é observada nos trabalhos de Bisol (1989, 1992a). Geralmente fonólogos utilizam o modelo de fonologia CV para caracterizar a estrutura silábica. A teoria de geometria dos traços é, às vezes, utilizada concomitantemente para discutir e descrever a representação interna dos segmentos. Aspectos da Fonologia Lexical (a ser apresentada nas próximas páginas) são também incorporados em algumas das análises que adotam a fonologia CV.

Dentre os trabalhos teóricos importantes que discutem a interação da sílaba com as representações fonológicas temos: Selkirk (1982); Harris (1983); Itô (1986). Esses trabalhos contribuíram significativamente para com o desenvolvimento dos modelos de análise fonológica não linear.

Uma das críticas principais ao modelo CV relaciona-se à estrutura interna da sílaba. Em outras palavras, o comportamento das sílabas nos sistemas sonoros das línguas naturais demonstra que segmentos pré-vocálicos comportam-se de maneira diferente de segmentos pós-vocálicos. Na seção seguinte apresentamos a proposta da teoria autossegmental para o tratamento da sílaba.

5.2. Fonologia Autossegmental

A **Fonologia Autossegmental** surge como uma proposta teórica de interpretação da sílaba que se iniciou com o estudo de aspectos suprassegmentais da fala, como tons e acento [cf. Leben (1973)]. Esta teoria avança a proposta da escola firthiniana de assumir-se domínios de representação de diferentes tipos [cf. Palmer (1970); Lass (1984)]. A

Modelos fonológicos – O modelo de sílaba na fonologia não linear 205

proposta a ser apresentada a seguir acompanha Goldsmith (1990). Os argumentos mais convincentes para esta proposta teórica são originários de fenômenos fonológicos que ocorrem em línguas tonais. Vamos nos deter aqui apenas nos aspectos da silabificação, pois este nos interessa diretamente na análise do português. Argumentos gerais e motivação da teoria podem ser encontrados em Goldsmith (1990). Neste trabalho, o autor aponta os progressos teóricos de propostas não lineares de análise do componente sonoro e sumariza os princípios e a organização das **representações fonológicas**. Apresentamos a seguir os principais pontos da teoria autossegmental [adotamos parcialmente Biondo (1993)]. A Fonologia Autossegmental postula:

- uma representação subjacente para cada forma a ser analisada.
- níveis organizados hierarquicamente.
- princípios gerais que atuam autonomamente em cada nível e regras particulares, selecionadas e ativadas diferentemente em cada língua.

A relação entre as representações subjacentes e as representações fonéticas se dá por meio de processos de derivação. Derivações devem seguir os princípios que atuam em cada nível para que as derivações finais sejam bem-formadas. Estes são definidos como **princípios de boa formação**. Violações de princípios geram estruturas malformadas. Consideramos a seguir os princípios relacionados a silabificação ao nível P da palavra. Tais princípios aplicam-se ao nível P gerando a silabificação primária. Princípios são estabelecidos a partir das evidências linguísticas e descrições estruturais das línguas naturais. A silabificação primária deve ter informações das regras particulares de cada língua derivando-se então uma representação superficial para cada palavra. A estrutura interna básica da sílaba é apresentada abaixo.

(14) **Estrutura interna da sílaba**

Cada um dos constituintes silábicos presentes na estrutura da sílaba – **onset**, **núcleo** e **coda** – associa-se a uma ou mais posições da camada CV. O onset (ou ataque) precede a rima e associa-se a unidades C. O núcleo é uma posição obrigatória na estrutura silábica e associa-se a unidades V. A rima segue o núcleo e associa-se a unidades C. Exemplificamos a seguir a representação da estrutura silábica da palavra "planaltos". Nesta representação os segmentos são associados a unidades C e V, que por sua vez associam-se aos constituintes O (onset), N (núcleo) e C (coda). Indicamos também o padrão silábico da língua portuguesa. Tal padrão deve ser levado em consideração durante o processo de derivação no nível P. Apresentamos também as representações subjacente e de superfície.

(15) **Padrão silábico:** (C) (C) V (C) (C)
Forma subjacente: p l a n a l t o s
Forma de superfície: pla'nawtʊs

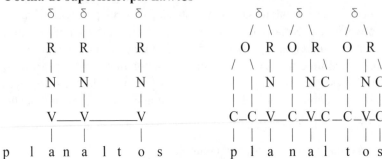

O primeiro procedimento da **silabificação** identifica as unidades V e as associa aos constituintes nucleares e às rimas correspondentes. Cada rima é associada a uma sílaba (esquema da esquerda). As consoantes C são associadas então aos constituintes restantes – onsets e coda – de acordo com o padrão silábico da língua em questão (esquema da direita). As posições C e V têm status de unidades de tempo (*timing units*). Kaye e Lowenstamm (1985) fornecem evidências para a utilização de posições puras representáveis por "x" (no lugar de C e V). Estes autores demonstram que as posições puras são um recurso descritivo necessário na formalização dos fenômenos fonológicos. Utilizar posições puras "x" para relacionar segmentos aos constituintes silábicos tem sido recorrente na fonologia não linear. A representação abaixo ilustra a silabificação de "planaltos" utilizando-se posições puras. O conjunto de **posições puras** – ou **posições esqueletais** – formam o **esqueleto** (*skeleton*) da estrutura silábica.

(16)

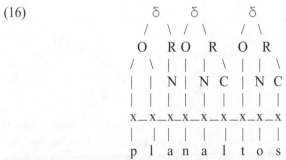

O número de segmentos que podem ser associados a um determinado constituinte, bem como a ordem que tais segmentos ocorrem, são definidos pelas restrições do **princípio de sonoridade** e as *condições de licenciamento silábico* de cada língua. O princípio de sonoridade pode ser entendido como uma gradação referente ao grau de abertura do trato vocal durante a produção dos sons e da quantidade de energia produzida durante a produção de um som. A **hierarquia de sonoridade** apresentada no diagrama abaixo prevê uma escala gradativa de sonoridade máxima (expressa por +) e de sonoridade mínima (expressa por -).

(17)

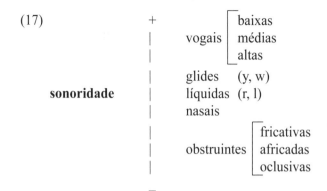

Esta escala permite a classificação dos segmentos em termos de sonoridade. Segmentos [+sonoros] podem ocupar uma posição nuclear e elementos [-sonoros] ocupam as posições periféricas (pré e pós-nucleares) na **escala de sonoridade**. Bloomfield (1933) lança a proposta inicial de classificar os segmentos de acordo com os seus graus de sonoridade para explicar a ordem segmental de consoantes em onsets e codas. Tal proposta assume que "as sílabas tendem a ser construídas a partir de um crescendo de sonoridade até alcançarem o pico sonoro e procederem, então, ao diminuendo de sonoridade" [Biondo (1993: 40)].

O procedimento de silabificação ilustrado em (15) adota a escala de sonoridade. Vogais associam-se a núcleos por apresentarem uma sonoridade alta. Os onsets e codas relacionam-se a consoantes que têm baixa sonoridade. O procedimento de silabificação apresentado em (15) ilustra uma das possibilidades de silabificação prevista pelo modelo autossegmental. Dois outros procedimentos de silabificação podem ser utilizados. Um deles é denominado "exploração linear" e o outro é denominado "enfoque de silabificação total". Nestes dois procedimentos, a silabificação está sujeita ao direcionamento (da esquerda para a direita ou da direita para a esquerda). O procedimento de "exploração linear" geralmente apresenta resultados equivalentes ao procedimento ilustrado em (15). O procedimento de "enfoque de silabificação total" prevê a ocorrência de categorias vazias para preencher uma posição obrigatória quando não houver material segmental disponível. O resultado da silabificação nesta proposta difere portanto das outras duas mencionadas anteriormente.

Um outro conceito importante na Fonologia Autossegmental é o de **licenciamento**. O licenciamento busca explicar e prever a diversidade de contrastes do onset e da coda nas línguas naturais. A motivação para o licenciamento vem dos estudos dos sistemas sonoros das línguas naturais. Por exemplo, onset-núcleo tendem a formar um único domínio que representa uma unidade de tempo (ou mora) em termos suprassegmentais (de acento ou tom). No domínio do onset-núcleo, um traço fonologicamente distintivo é especificado uma única vez. Há categorias licenciadoras e categorias licenciadas. Uma categoria licenciadora autoriza a ocorrência de uma categoria licenciada. A gramática designa o status de licenciadores os quais podem autorizar uma única posição licenciada.

A Fonologia Autossegmental explicita um dos princípios mais importantes para a análise fonológica: **Princípio de Contorno Obrigatório – PCO** (*obligatory contour* *principle* – OCP). Tal princípio foi formulado em Leben (1973) sobre a discussão de fenômenos tonais. Há uma vasta discussão na literatura quanto à melhor formulação deste princípio para expressar o comportamento fonológico e também quanto aos níveis e categorias em que tal princípio pode ser aplicado [cf. Kenstowicz (1972); Schein (1981); Lowenstamm e Prunet (1986); McCarthy (1979, 1986); Odden (1986) e Yip (1988)]. Formulamos a seguir uma versão geral de OCP:

(18) **Princípio do Contorno Obrigatório – PCO**
Sequências adjacentes de unidades idênticas são proibidas nas representações fonológicas.

PCO proíbe uma sequência idêntica de autossegmentos. Se tal sequência ocorre então ela será reduzida a uma unidade no processo derivacional: (aa) torna-se (a). A extensão da aplicação do PCO para outras categorias como segmentos e sílabas tem sido tópico de discussão na literatura. Para expressar representações de vogais longas e consoantes geminadas, que aparentemente violam PCO, temos que um único segmento associa-se a duas posições puras. Ilustramos então a representação da vogal longa [a:] e da consoante geminada [p]:

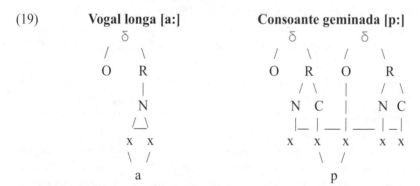

A Fonologia Autossegmental oferece um tratamento da sílaba mais refinado do que aquele assumido pela fonologia CV. Ao ampliar-se o recurso descritivo formal – por incorporar constituintes como O, N, R e C à estrutura silábica – oferece-se um mecanismo de análise que expressa os processos fonológicos com alto grau de generalização. Permite-se também a formulação de hipóteses ambiciosas em termos da definição das estruturas silábicas possíveis nas línguas naturais. Princípios universais e informações específicas de uma determinada língua definem as representações com boa formação que operam o sistema fonológico da língua em questão. A noção de licenciamento sofistica a inter-relação entre os constituintes das representações fonológicas. Goldsmith (1990) é o trabalho clássico de formulação da teoria autossegmental. Dentre os trabalhos que aplicam a teoria autossegmental ao português temos: Bisol (1989); Wetzels (1991, 1992); Biondo (1993); Alvarenga (1995). Na seção seguinte apresentamos a fonologia de dependência.

6. Fonologia de Dependência

As teses iniciais que geraram a formulação da **Fonologia de Dependência** surgiram na década de 1970 [cf. Anderson e Jones (1974)]. O primeiro trabalho de aplicação desta teoria é *Phonological Structure and the History of English* [Anderson e Jones (1977)]. Os principais aspectos da teoria podem ser consultados em Lass (1984); Anderson e Durand (1986); e Anderson e Ewen (1987). Coleções de artigos que discutem a aplicabilidade da Fonologia de Dependência são apresentadas em: Anderson e Durand (1987); Durand (1986a); Anderson e Ewen (1980). Desconheço trabalhos que apliquem a Fonologia de Dependência à análise do componente sonoro da língua portuguesa. Por esta razão, apresentamos a seguir apenas um breve resumo de tal teoria. As referências antes citadas remetem o leitor a um panorama detalhado deste modelo teórico.

As relações de dependência foram formuladas para expressar as noções de **líder** (*head*) e *subordinado*. Um *subordinado* pode ser um argumento ou um modificador na representação gramatical proposta em termos de governo (ou regência) na "teoria da regência e vinculação" proposta por Chomsky. Considere a representação de "muitas pessoas vão para Brasília", ilustrada abaixo.

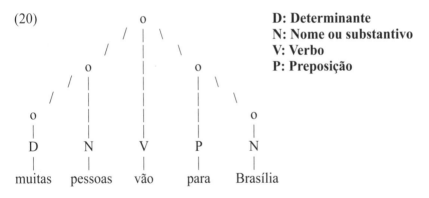

Assume-se que o verbo "vão" é o elemento pivô da sentença acima. Tal verbo relaciona "muitas pessoas" a "para Brasília". Preposições – por exemplo "para" – podem governar frases nominais. Tem-se a relação de governo-dependente entre "para Brasília". Determinantes podem ser dependentes dos nomes que os governam. Explica-se a relação governo-dependente entre "muitas pessoas". A relação de dependência é visualmente expressa no diagrama apresentado. Uma categoria será governada ou será dependente de uma outra categoria se, e somente se, um arco conecatá-las. Por exemplo, as categorias "muitas" e "pessoas" são conectadas no diagrama acima. Uma categoria que relaciona-se com um *líder* (*head*) por uma sequência descendente de arcos é denominada um *subordinado* – no diagrama citado tanto "muitas" quanto "pessoas" são subordinados a "vão". Para expressar a relação de precedência – por exemplo, que "muitas" precede "pessoas" – utiliza-se a ordenação da esquerda para direita no diagrama.

As representações sintáticas são transpostas para a fonologia. A Fonologia de Dependência assume que constituintes não são unidades primitivas, mas sim derivados das relações de dependência, precedência linear e regras de associação. Assume-se que a sílaba é presente nas representações fonológicas. As sílabas têm um *líder* (*head*) que na maioria das línguas é uma vogal. Tal *líder* é circundado de margens e segmentos são normalmente associados às margens de acordo com a hierarquia de sonoridade. Ilustramos em (21) a representação da palavra "cego", em inglês *blind* [ˈblaɪnd].

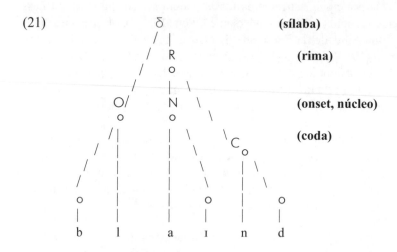

No diagrama acima, o núcleo /aɪ/ e a coda /nd/ são subunidades da rima. A coda consiste do líder /n/ e do dependente /d/ (que é menos sonoro). O núcleo consiste do líder /a/ e seu dependente /ɪ/. Observe que a coda e o núcleo são ambos associados à rima. O onset consiste das relações de dependência à esquerda que são o dependente /l/ e seu subordinado /b/.

Certos fenômenos fonológicos que ocorrem no nível métrico por exemplo são interpretados como reflexões de mapeamentos diferentes da *estrutura lexical* e da *estrutura de enunciado* (*utterance*) e não como mudanças estruturais em representações [cf. Anderson (1986b) e Anderson e Ewen (1987)]. Estes mapeamentos são expressos em termos de gráficos de dependência.

A relevância da Fonologia de Dependência para com as representações fonológicas e morfológicas pauta-se na proposta da "analogia estrutural" [cf. Anderson (1986, 1987)]. Tal proposta origina-se na "analogia do princípio estrutural", proposta por Hjelmslev (1948, 1953). Espera-se que as propriedades estruturais sejam recorrentes em níveis diferentes e que as propriedades individuais de um determinado nível tenham motivações fortes e convincentes. A proposta de analogia estrutural distingue a fonologia de dependência de outros modelos teóricos uma vez que a representação fonológica relaciona-se a aspectos de representação morfológico e sintático.

7. Fonologia de Governo

A **Fonologia de Governo** propõe um formalismo de silabificação, representação segmental, interação entre a fonologia e outros componentes da gramática e de organização do léxico. A proposta teórica geradora desta teoria é apresentada em Kaye e Lowenstamm (1981, 1984, 1985). Em Kaye, Lowenstamm e Vergnaud (1985), os princípios da teoria são formalmente apresentados. Desenvolvimentos teóricos são discutidos em Kaye, Lowenstamm e Vergnaud (1990); Charette (1991); Kaye, J. (1990b); Harris (1994); e Brockhaus (1995).

A Fonologia de Governo assume que as relações de governo estabelecidas no processo de silabificação são universais. As relações de governo são derivadas de princípios da gramática universal e juntamente com parâmetros específicos das línguas naturais definem os sistemas fonológicos. O governo é definido como uma relação binária e assimétrica estabelecida entre duas posições esqueletais adjacentes. Uma das posições é o *governante* [ou *líder* (*head*)] e a outra posição é o *governado* ou *complemento*. Condições formais e substantivas devem ser satisfeitas para que uma relação de governo seja estabelecida com sucesso. Condições formais estabelecem a localidade e **direcionalidade** estrita. A condição de localidade estrita requer que o governante e o complemento sejam adjacentes. A direcionalidade estrita define a direcionalidade em um domínio de governo. Em relações de governo em um mesmo constituinte, a direcionalidade é da esquerda para direita (líder ou governante à esquerda). Em relações de governo entre constituintes diferentes, a direcionalidade é da direita para esquerda (líder ou governante à direita). As representações (22a-c) ilustram relações de governo em um mesmo constituinte, denominado *governo constituinte*. A representação (22d) ilustra a relação de governo entre constituintes diferentes, denominado *governo transconstituinte* ou *interconstituinte*.

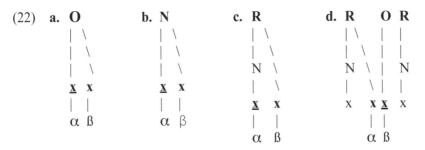

(22a) ilustra uma relação de governo em um onset ramificado; (22b) representa um núcleo ramificado; e (22c) relaciona-se a uma rima ramificada. O governo interconstituinte ilustrado em (22d) representa a relação entre um onset e a posição rimal que o precede. Estas são as representações possíveis de silabificação que são derivadas de princípios da gramática universal.

As propriedades que definem governantes e complementos foram formuladas em versões iniciais da teoria em uma propriedade denominada "charme" (termo com um caráter de polaridade físico). Pesquisa posterior formula as propriedades de governantes e complementos em termos de complexidade segmental e relação de liderança no domínio (*headship*). Para aspectos da representação segmental veja Harris (1994) e Harris e Lindsey (1995).

(23)

Posições nucleares são lexicalmente associadas a uma posição esqueletal que pode ser vazia ou pode ter conteúdo segmental. Posições nucleares vazias são sujeitas ao governo próprio [cf. Kaye (1990a) e Kaye, Lowenstamm Vergnaud (1990)]. Onsets podem ser ou não associados a uma posição esqueletal. Caso sejam associados a uma posição esqueletal, esta pode ter ou não conteúdo segmental.

Dois aspectos representacionais distinguem a Fonologia de Governo de outros modelos teóricos. O primeiro deles refere-se às condições de governo próprio definidas universalmente para regerem categorias vazias. Trabalhos bem interessantes têm explicado a ocorrência de encontros consonantais anômalos em várias línguas. Tais encontros consonantais são compreendidos como tendo núcleos vazios entre eles, sendo que estes núcleos são regidos por propriedades universais e não por especificidades de uma língua particular. Um trabalho excepcional sobre o português europeu é o de Cavaco (1993).

O segundo aspecto representacional que distingue a Fonologia de Governo de outras teorias é quanto ao **princípio de licenciamento da coda**. De acordo com tal princípio toda posição de "coda", ou seja, posição de rima, deve ser seguida por uma posição de onset que a governa. Evidências convincentes para assumir-se tal princípio são apresentadas em Kaye (1989b). A consequência maior deste princípio é que a representação de uma palavra que termine em consoante, por exemplo "mês", é entendida como tendo duas sequências de onset-rima conforme ilustrado em (24a). Uma representação do tipo (24b), adotada por outros modelos, é excluída da Fonologia de Governo.

(24) a. "mês" na Fonologia de Governo   b. "mês" em outros modelos

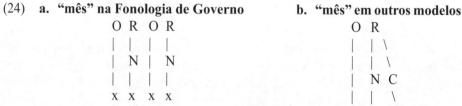

Modelos fonológicos – Fonologia de governo 213

O princípio de licenciamento da coda tem implicações teóricas importantes sobretudo quanto ao número de projeções nucleares presentes nas **representações lexicais**. Note que (24a) tem dois núcleos, enquanto que (24b) tem apenas um núcleo. As implicações teóricas decorrentes de tal princípio relacionam-se sobretudo à análise do componente acentual ou métrico. Isto porque o acento é assinalado a projeções nucleares.

Vale ressaltar que na Fonologia de Governo, ao contrário de outras teorias, a sílaba não é um constituinte. As sequências de onset-rima relacionam-se ao que se denomina "sílaba" na literatura. Esta particularidade teórica tem motivações e argumentos fortes e interessantes [cf. Kaye (1989a); Kaye, Lowenstamm e Vergnaud (1990)]. Do ponto de vista formal, a Fonologia de Governo é o primeiro modelo fonológico pós-estruturalista a não adotar regras para expressar processos que se aplicam no componente sonoro. Processos fonológicos são compreendidos como decorrentes de três fontes básicas: fortalecimento; enfraquecimento ou cancelamento segmental. Processos fonológicos aplicam-se sempre que as condições contextuais são encontradas (sem ordenação). A ressilabificação não é permitida uma vez que a integridade das representações fonológicas é preservada pelo *princípio de projeção*.

A grande contribuição da Fonologia de Governo quanto à mudança de foco teórico dá-se pelo caráter universal assumido pelo componente fonológico; a representação segmental com elementos e da ausência de regras fonológicas. Os fenômenos fonológicos são resultantes de princípios gerais que governam as representações fonológicas e um conjunto de parâmetros que caracterizam as particularidades individuais de cada língua. Sendo uma teoria de caráter restritivo, as hipóteses quanto ao comportamento do componente sonoro são audaciosas (uma vez que somente certas opções são disponíveis para explicar-se a organização do componente sonoro). Dentre os trabalhos que aplicam a Fonologia de Governo à língua portuguesa temos: Cristófaro Silva (1992, 1995, 1996a,b,c); Segundo (1993); Cavaco (1993); e Magalhães (1990, 1992, 1994).

8. Fonologia Lexical

Na **Fonologia Lexical** a interação entre os componentes fonológico e morfológico dá-se por meio da inter-relação das regras de diferentes domínios (fonológico e morfológico). Regras fonológicas aplicam-se à saída de toda regra morfológica, criando uma nova forma que é então submetida a uma outra regra morfológica. No processo de formação de palavras, aplicam-se no léxico as regras fonológicas (que podem ser aplicadas ciclicamente). A Fonologia Lexical propõe três níveis de representação: subjacente, lexical e fonética. As representações lexicais são derivadas a partir da aplicação de regras fonológicas e morfológicas nas representações subjacentes. As representações lexicais são inseridas na sintaxe e têm acesso às regras pós-lexicais gerando então as representações fonéticas. Temos as regras pós-lexicais – que aplicam-se fora do léxico (na sintaxe gerando a representação fonética) – e temos as regras

214 Modelos fonológicos – Fonologia lexical

lexicais que aplicam-se no léxico. Um resumo das características das regras lexicais e regras pós-lexicais é apresentado em (25), seguindo Lee (1996).

(25) **Características das regras lexicais e pós-lexicais**
   a. As regras lexicais podem referir-se à estrutura interna das palavras e as regras pós-lexicais não podem.
   b. As regras lexicais são cíclicas e as regras pós-lexicais não são.
   c. As regras lexicais submetem-se à Preservação da Estrutura e as regras pós-lexicais não se submetem.
   d. As regras lexicais devem preceder todas as aplicações de regras pós-lexicais e as regras pós-lexicais devem ser aplicadas após as regras lexicais.
   e. As regras lexicais podem ter exceções e as regras pós-lexicais não podem.
   f. As regras lexicais sujeitam-se à ordem disjuntiva e as regras pós-lexicais sujeitam-se à ordem conjuntiva.

No modelo da Fonologia Lexical, o componente fonológico tem acesso não apenas às formas superficiais da sintaxe (como previa o modelo gerativo Padrão) mas tem também um papel atuante no léxico. O léxico é compreendido como um conjunto de níveis ordenados. Estes níveis são domínios de algumas regras fonológicas. O componente fonológico opera não apenas na sintaxe mas também no léxico.

Lee (1996) apresenta os aspectos das seguintes propostas da Fonologia Lexical: modelo de Booij e Rubach (1987); modelo de Borowsky (1986, 1993); modelo de Fonologia Lexical prosódica. Este autor aponta ainda os príncipios da Fonologia Lexical listados em (26).

(26) **Princípios da Fonologia Lexical**
   Hipótese do domínio forte
   Preservação da estrutura
   Condições de ciclicidade estrita
   Hipótese de referência indireta

A discussão detalhada de cada um destes princípios é encontrada na literatura clássica sobre a Fonologia Lexical que é indicada a seguir. Vale ressaltar que embora haja discussão quanto a certos princípios da Fonologia Lexical, os fonólogos concordam que há regras lexicais e pós-lexicais; que os domínios fonológicos não coincidem necessariamente com limites morfológicos e métricos; e que as regras pós-lexicais não afetam a estrutura interna da palavra. O vínculo formal entre a fonologia-morfologia foi desconsiderado pela fonologia gerativa padrão e a grande contribuição da Fonologia Lexical é de formalmente incorporar o nível morfológico à análise do componente fonológico. A postulação de diferentes níveis de aplicação de regras e o caráter cíclico das regras lexicais geram questionamentos teóricos interessantes para a Fonologia Lexical em particular e para a organização da gramática como um todo.

Dentre os títulos mais importantes da Fonologia Lexical citamos: Kiparsky (1982); Mohanan (1982, 1986); Booij e Rubach (1984); Borowsky (1986); Pulleybank (1986); Inkelas (1989); Hargus e Kaisse (1993). Vários trabalhos assumem um determinado

Modelos fonológicos – Fonologia métrica 215

modelo de representação da estrutura silábica, por exemplo, a Fonologia Autossegmental, para formalizar as regras fonológicas. A aplicação das regras é então discutida em termos destas serem lexicais ou pós-lexicais de acordo com as propostas da Fonologia Lexical. A aplicação da Fonologia Lexical para a análise da língua portuguesa tem sido realizada por Lee (1992, 1994, 1995, 1996). Dentre outros trabalhos que consideram a Fonologia Lexical – geralmente conjugada com outras propostas teóricas – podemos citar Bisol (1993), e Wetzels (1995).

9. Fonologia Métrica

Os aspectos suprassegmentais da fala, como acento e tom, não tiveram um tratamento adequado na proposta da fonologia gerativa padrão. O formalismo proposto para as regras fonológicas não favorecia a expressão de fenômenos atestados em níveis não segmentais. Na fonologia gerativa padrão, uma vogal acentuada recebe o traço [+acento] e uma vogal não acentuada recebe o traço [-acento]. A especificação de uma vogal [-acento] como pretônica ou postônica impõe problemas de representação para a teoria. A relação existente entre a tonicidade e a estrutura silábica certamente levanta questionamentos quanto ao tratamento do acento e ritmo na fonologia gerativa padrão. Uma das consequências da inadequação da fonologia gerativa padrão em tratar aspectos suprassegmentais da fala é o surgimento da **Fonologia Métrica**. A Fonologia Métrica tem por objetivo descrever e formalizar os padrões acentuais e de ritmo da fala.

O trabalho clássico de Liberman e Prince (1977), intitulado *Sobre o acento e o ritmo linguístico* (*On Stress and Linguistic Rhythm*) introduz a semente teórica para a formulação de modelos que tenham por objetivo descrever e formalizar o comportamento do acento e da construção do ritmo da fala. Mencionamos a seguir teorias que consideram o ritmo da fala em línguas acentuais. Isto porque o português é uma língua acentual e nosso principal objetivo é fornecer informações relevantes ao tratamento fonológico da língua portuguesa. Línguas tonais foram tratadas de maneira exemplar pela Fonologia Autossegmental [para referências sobre línguas tonais, cf. Goldsmith (1990)]. Nesta seção mencionamos as principais linhas teóricas de trabalho e indicamos trabalhos que aplicam as teorias métricas à língua portuguesa. Uma discussão detalhada das propostas teóricas aqui mencionadas nos levaria além do propósito deste livro. Isto porque a discussão do acento, do ritmo e de fenômenos a eles relacionados é em si um tópico substancial para investigação.

O desenvolvimento da Fonologia Autossegmental veio contribuir também com as propostas teóricas de descrição e formalização do ritmo da fala. O modelo autossegmental expressa formalmente a relação entre constituintes silábicos e posições silábicas avaliando o comportamento de sílabas leves e sílabas pesadas em relação ao estabelecimento de padrões acentuais e da construção do ritmo da fala. **Sílabas leves** têm uma única posição esqueletal associada à rima (geralmente o núcleo). **Sílabas pesadas** têm duas ou mais posições associadas à rima. Ou o núcleo é ramificado (e temos ditongos ou vogais longas) ou o núcleo é seguido de consoante(s). Estudos mostram uma relação íntima entre a representação de sílabas leves e pesadas e a marcação do acento e a construção do ritmo da fala.

216 Modelos fonológicos – Fonologia métrica

Os dois modelos clássicos de tratamento do ritmo da fala são Halle e Vergnaud (1987) e Hayes (1991). Tais modelos têm inúmeros pontos em comum e diferem quanto a aspectos bastante específicos (por exemplo quanto, ao tratamento dado aos pés ternários).

Facó Soares (1994) apresenta uma discussão dos pontos congruentes e discordantes destes dois modelos. Em (27), ilustramos dois tipos de formalização lexical assumidos pela Fonologia Métrica. Em (27a), a palavra "borboleta" é representada em grade [Bisol (1994)] e em (27b) a mesma palavra é representada em *árvore* [Segundo (1993)].

(27)   **Formalização do acento e ritmo**

a.   **Representação em grade**

borbolet-a	Léxico
bor bo le ta	Silabificação
(*)	Formação de constituintes prosódicos
(*)	Regra final
[borbo'leta]	Saída

b. **Representação em árvore**

w		s		Nível da palavra
/	\	/	\	
s	w	s	w	Nível dos pés
|	|	|	|	
N	N	N	N	Nível da projeção nuclear
|	|	|	|	
O R	OR	OR	OR	Nível da silabificação
|/\	||	||	||	
x x x	x x	x x	x x	Nível esqueletal
|||	||	||	||	
b o r	b o	l e	t a	Nível segmental

As grades e árvores métricas ilustradas em (27) são construídas a partir de princípios universais e de parâmetros específicos. Os princípios são definidos para todas as línguas e os parâmetros são estabelecidos para cada língua em particular.

A aplicabilidade da Fonologia Métrica à língua portuguesa tem suscitado discussões teóricas interessantes. Dentre os trabalhos que buscam descrever o comportamento do acento primário (final, penúltimo e antepenúltimo) e trabalhos que lidam com o comportamento do acento secundário, podemos citar Abaurre e Cagliari (1986); D'Andrade (1989); D'Andrade e Laks (1991); Bisol (1992a, 1992b, 1994b); Collischonn (1994); Duarte (1987); Lee (1994, 1995); Major (1981,1985); Massini-Cagliari (1992, 1993); Segundo (1993). Para o português europeu, temos Mateus (1983) e Frota (1994). Dentre os estudos que investigam a interação entre o ritmo e a entoação, citamos Cagliari (1981, 1990, 1992); Lacerda (1941); e Reis (1993).

10. Teoria da Otimização

Em 1991, Prince e Smolensky apresentam o trabalho *Optimality* na Conferência de Fonologia da Universidade do Arizona, lançando uma nova proposta teórica de análise linguística, intitulada **Teoria da Otimização**. Em 1993, os mesmos autores publicam *Optimality Theory: Constraint Interaction in Generative Grammar*; e McCarthy e Prince apresentam *Prosodic Morphology I: Constraint Interaction and Satisfaction* [Prince e Smolensky (2004)]. A partir daí, inúmeros trabalhos – principalmente na área de fonologia – passaram a ser formulados utilizando a Teoria de

Otimização. Traduzi *Optimality Theory* para o português como Teoria da Otimização embora as traduções **Teoria da Otimidade** [Battisti (1998)] e **Teoria da Otimalidade** [cf. Lee (1999)] também sejam encontradas. Referência à teoria é geralmente feita como "TO". Nesta seção, apontamos os principais pontos da Teoria da Otimização baseando tal apresentação no trabalho de Archangeli e Langendoen (1997). Este trabalho deve ser consultado para uma visão completa e detalhada da proposta teórica explicitada pela Teoria de Otimização, bem como da aplicabilidade de tal proposta a línguas específicas. Consulte também Roca (1997); Kager (1999); Roca e Johnson (1999) para discussões sobre esta proposta teórica. Cagliari (1999) apresenta uma excelente descrição da TO escrita em língua portuguesa. Trabalhos que discutem aspectos da fonologia do português neste modelo são: Battisti (1998); Giangola (1999) e Lee (1999). Discutiremos alguns aspectos da análise de Lee (1999) ao final desta seção com o objetivo de ilustrar modificações no formalismo que foram introduzidas na TO.

A Teoria da Otimização propõe um programa que explicita um modelo de análise gramatical. A fonologia tem sido o foco de pesquisa nesta linha. Sugerimos Archangeli (1997) e Pulleyblank (1997) para uma discussão introdutória do modelo e sua aplicabilidade. Pesetsky (1997) e Speas (1997) discutem aspectos teóricos relacionados à aplicação da Teoria de Otimização ao componente sintático e avaliam tal proposta teórica em termos comparativos com a teoria sintática padrão de princípios e parâmetros formulada por Chomsky. Um trabalho que aborda aspectos morfológicos na Teoria de Otimização é aquele elaborado por Russel (1997). Trabalhos em elaboração podem ser consultados eletronicamente, via internet, no endereço http://ruccs.**rutgers**.edu/roa.html. Os dois objetivos centrais da pesquisa em linguística são resumidos por Archangeli (1997) como:

- determinar e caracterizar as propriedades universais da linguagem, as quais são compartilhadas por todas as línguas;
- determinar e caracterizar os limites possíveis de variação linguística entre as línguas naturais.

De acordo com a Teoria da Otimização, a gramática universal consiste "do conhecimento linguístico inato que é compartilhado por seres humanos normais, que caracteriza as propriedades universais da linguagem e a variação tolerada entre línguas específicas". Ao linguista, compete encontrar evidências para postular a existência de um determinado padrão a ser estudado e formular a natureza de tal padrão. Determina-se então uma caracterização formal para o padrão identificado e classificado.

Estudos de uma língua em particular fornecem informações quanto aos padrões definidos para tal língua. Já os estudos comparativos fornecem uma avaliação dos limites possíveis de variação das línguas naturais. Ao determinar-se as variações possíveis nas línguas naturais determina-se consequentemente as variações que são excluídas (que não ocorrem nas línguas). Assume-se que as propriedades e os padrões que são encontrados recorrentemente nas línguas são universais e portanto fazem parte do conhecimento linguístico inato. Contudo, nem todos os universais manifestam-se da mesma maneira em todas as línguas. Diz-se que uma determinada propriedade em uma língua é pouco marcada em termos de universalidade quando sua presença é

218 Modelos fonológicos – Teoria da otimização

significativa em tal língua. Uma propriedade de uma língua é dita altamente marcada em termos de universalidade quando esta não ocorre (ou tem ocorrência mínima). Estes aspectos são resumidos a seguir:

A Linguística procura...	para determinar...
a. **padrões**	suas existências e características
b. **variação**	diferenças entre os padrões de línguas diferentes
c. **universais**	as propriedades que são parte de nosso conhecimento inato
d. **marca**	o grau de atuação de uma propriedade em uma língua

Em termos de pesquisa, busca-se portanto determinar os padrões que ocorrem nas línguas naturais e formular uma maneira de caracterizá-los. Deve-se buscar a exclusão de padrões que não ocorrem (ou que se acredita serem impossíveis de ocorrer). Consideramos as tendências gerais das sílabas nas línguas naturais. A partir de tais tendências, avaliamos o comportamento da sílaba na língua Yawelmani.

(28) **Propriedades Típicas das Sílabas**
  a. Sílabas que começam com uma consoante — ONSET
  b. Sílabas têm uma vogal — PEAK
  c. Sílabas terminam com uma vogal — NOCODA
  d. Sílabas têm no máximo uma consoante nas margens — *COMPLEX
  e. Sílabas são compostas de consoantes e vogais — ONSET e PEAK

Essas afirmações definem tendências e não leis absolutas. Portanto, pode-se encontrar sílabas que violem estas propriedades. Este ponto é fundamental para a Teoria da Otimização. Listamos as propriedades das sílabas em Yawelmani:

(29) **Propriedades das sílabas em Yawelmani**

	Tendência geral	Yawelmani
a. PEAK	Sílabas têm uma vogal	sempre
b. ONSET	Sílabas começam com uma consoante	sempre
c. *Complex	Sílabas têm no máximo uma consoante nas margens	sempre
d. NOCODA	Sílabas terminam com uma vogal	às vezes

O quadro seguinte ilustra como as propriedades das sílabas em Yawelmani são expressas. Apenas a propriedade NOCODA é violável e as sílabas possíveis são: CV e CVC.

(30) Sílabas em Yawelmani

		PEAK	ONSET	NOCODA	*COMPLEX
CV	☞	OK	OK	OK	OK
CVC	☞	OK	OK	FALSO	OK
* CVCC		OK	OK	OK	FALSO
* CC		FALSO	OK	OK	OK

Consideremos o quadro de (30) de acordo com as propriedades das sílabas em Yawelmani listadas em (29). A propriedade de PEAK (sílabas têm uma vogal) é sempre presente [cf. (29)]. Portanto, sílabas do tipo CC (sem vogal) são excluídas. No quadro em (30), sombreamos a categoria CC (que deve ser excluída) e a caracterizamos como uma propriedade falsa. Coloca-se um asterisco nesta categoria para excluir tal sílaba: *CC. As demais sílabas são assinaladas como OK para PEAK. Em (29b), verificamos que a propriedade ONSET (sílabas começam com uma consoante) é sempre presente. Todas as sílabas do quadro ilustrado em (30) iniciam-se por consoantes. Portanto todas as sílabas são assinaladas OK. Em (29c), temos a propriedade *COMPLEX (sílabas têm no máximo uma consoante nas margens). Tal propriedade é sempre presente. Note que nas sílabas listadas no quadro em (30), devemos excluir a categoria CVCC pois esta apresenta duas sílabas na margem direita. Sombreamos tal categoria e marcamos tal propriedade como falsa. Coloca-se um asterisco para excluir tal sílaba: *CVCC. As demais sílabas são assinaladas OK para *COMPLEX. Resta-nos considerar a propriedade NOCODA.

Em (29d), verificamos que a propriedade NOCODA *às vezes* ocorre em Yawelmani. Isto significa que tal propriedade pode ser violável. A propriedade NOCODA requer que sílabas terminem com uma vogal. A primeira sílaba em (30), ou seja CV, termina em vogal. Define-se um *padrão ótimo* caracterizado pelo símbolo ☞. A segunda sílaba, ou seja CVC, termina em consoante e viola a propriedade NOCODA (que requer que sílabas terminem com uma vogal). Contudo, sílabas CVC *às vezes* ocorrem em Yawelmani. Portanto, deve-se definir o *padrão ótimo* para tal sílaba. Contudo, marca-se a propriedade NOCODA como falsa para a sílaba CVC. Queremos dizer com isto que o padrão CVC pode *às vezes* violar a propriedade (29d).

Observe que a propriedade (29a) exclui sempre o padrão CC (que é um padrão sem vogais). A propriedade (29b) é sempre satisfeita, pois todas as sílabas iniciam-se por consoantes. A propriedade (29c) exclui sempre o padrão CVCC (que tem duas consoantes na margem direita). A propriedade (29d) às vezes exclui o padrão CVC e às vezes o aceita. Conclui-se que o padrão CVC pode ocorrer embora este viole (29d). Línguas que não violam nenhuma das propriedades de (29) têm sempre sílabas do tipo CV.

As propriedades listadas em (29) são definidas em termos de restrições quanto a aspectos específicos das sílabas. Cada propriedade expressa uma tendência universal bastante significativa. Por exemplo, embora não seja o caso que todas as línguas tenham o requerimento de ONSET, sabemos que todas as línguas têm onsets e não há língua que exclua onsets de suas estruturas silábicas. A violação de restrições é

220 Modelos fonológicos – Teoria da otimização

associada aos padrões específicos das línguas e à variação entre diferentes línguas. Tem-se também que a noção de marca é incorporada ao modelo (por meio da violação de restrições). Algumas alterações podem ser observadas no formalismo adotado atualmente na Teoria da Otimização. Lee (1999) apresenta o quadro (ou tableau) abaixo para discutir o formalismo atual:

/Entrada/	Restrição 1	Restrição 2
☞ candidato 1		*
candidato 2	*!	

O tableau acima demonstra como escolher o candidato ótimo. Há conflito entre as duas restrições sendo que a primeira restrição domina a segunda. Sendo assim a restrição 1 deve ocorrer no tableau antes da restrição 2. O candidato 1 viola uma vez a restrição 2. A violação é marcada pelo asterisco (*) no tableau. O candidato 2 viola uma restrição mais importante do que aquela violada pelo candidato 1. Isto porque a restrição 1 domina (e portanto é mais importante do que) a restrição 2. O candidato 1 é escolhido como a forma de saída (ou output) e é marcado por (☞) no tableau. O candidato 1 é ótimo, e portanto escolhido, porque a restrição por ele violada é menos importante do que a restrição violada pelo candidato 2. Observe que o candidato 2 não apenas viola uma restrição mais importante do que a violada pelo candidato 1, mas a violação é fatal (ou também denominada "violação crucial"). A violação fatal é marcada no tableau por uma exclamação (!). A violação fatal explicita o fato de que tal restrição foi responsável pela eliminação do candidato. O sombreamento demonstra que após a violação fatal passa a ser irrelevante a escolha do candidato ótimo. Ou seja, mesmo que o candidato 1 viole mais de uma vez a restrição 2 ainda assim ele será o candidato ótimo a ser selecionado.

O tableau abaixo mostra dois candidatos e duas restrições de maneira análoga no tableau anterior. O tableau anterior e o tableau abaixo diferenciam-se apenas quanto a hierarquização das restrições. No tableau abaixo a restrição 2 domina a restrição 1 (o contrário do que acontece no quadro anterior).

/Entrada/	Restrição 1	Restrição 2
candidato 1	*	
☞ candidato 2		*!

O candidato 1 viola a restrição 2 enquanto que o candidato 2 não viola esta mesma restrição. Sendo que no quadro acima a restrição 2 domina a restrição 1 deve-se selecionar o candidato 2 (que não viola a restrição 2). O candidato 2 é portanto o candidato ótimo selecionado para a saída.

O contraste entre os dois quadros acima mostra que a variação na gramática de uma língua e entre línguas distintas pode ser explicada pela hierarquização (ou relação de "dominância") diferente das restrições. O quadro abaixo, apresentado em Lee (1999), discute a seleção do candidato ótimo na silabificação da palavra "aro"em português: /aro/.

/aro/	Onset	NoCoda
☞ a. .a.ro.	*	
b. .ar.o.	*!*	*

As restrições acima são: (Onset: Toda sílaba deve ter onset) e (NoCoda: Codas são proibidas). O candidato (a) viola a restrição de (Onset) porque a primeira sílaba não tem onset (ou seja, não tem consoante antes da vogal). O asterisco mostra que (a) viola a restrição de (Onset). O candidato (b) viola a restrição da (Onset) duas vezes pois nenhuma das duas sílabas em (b) é precedida de consoante e portanto faltam nelas o onset. A violação de (Onset) é fatal em (b). A violação fatal é marcada pela exclamação. Quanto a restrição (NoCoda) o candidato (a) não a viola pois não há em (a) nenhuma consoante pós-vocálica. Já o candidato (b) viola a restrição (NoCoda) pois a primeira sílaba tem uma consoante pós-vocálica. As restrições (Onset) e (NoCoda) estão em conflito. Para se obter (a) como candidato ótimo a restrição (Onset) deve dominar a restrição (NoCoda). Esta hierarquização é expressa por: Onset >>NoCoda.

O exemplo discutido acima é ilustrativo e Lee (1999) apresenta outras restrições importantes impostas à silabificação do português brasileiro. Por exemplo, a restrição (Coda-Condition: a Coda pode ter somente: [-vocálico, +soante] ou [-soante, +coronal]), prevê que somente as consoantes /l, R, N, S/ ocorrem em posição pós-vocálica. A restrição (NoCoda) deve portanto ser hierarquizada em relação a (Coda-Condition).

As gramáticas são construídas a partir de restrições (e violação de restrições). Todas as gramáticas possuem todas as restrições. As restrições podem ser violadas, mas a violação é geralmente mínima. Certas restrições podem entrar em conflito. À gramática cabe o papel de resolver os conflitos gerados pelas restrições. A satisfação de restrições entre as restrições conflituosas é determinada por uma hierarquia de domínio estrito (*strict dominance hierarchy*) das restrições. As línguas diferem quanto à maneira por meio da qual elas resolvem os conflitos em termos das restrições. Archangeli (1997) propõe o seguinte esquema para a Teoria da Otimização:

(31) **Esquema da Teoria da Otimização**

GEN: para um dado input, o **gerador GEN** cria um conjunto de candidatos potenciais para a saída (output).
EVAL: para cada um dos candidatos, o **avaliador EVAL** seleciona a melhor (ótimo) saída (output) para a entrada (input) dada.

222 Modelos fonológicos – Teoria da otimização

CON: EVAL usa a hierarquia das restrições particulares da língua a partir do **Conjunto universal de restrições**.

O esquema de (31) ilustra a representação lexical (ou forma de entrada) da palavra do espanhol /absorb-to/. Tal representação tem acesso ao GEN (gerador) que oferece uma série de candidatos potenciais para a saída. O avaliador EVAL seleciona o melhor candidato: (ótimo). Tal seleção é baseada nas restrições particulares da língua CON. As restrições particulares da língua são definidas a partir do "conjunto de restrições universais". Um resumo ilustrando como opera a Teoria da Otimização é apresentado em (32).

(32) **Como opera a Teoria de Otimização:**
1. A gramática universal inclui:
   a. um alfabeto linguístico
   b. um conjunto de restrições CON
   c. Duas teclas de função GEN (gerador) e EVAL (avaliador)
2. A gramática de uma língua particular inclui:
   a. as formas básicas dos morfemas [que são utilizadas na construção de entradas (inputs)]
   b. uma hierarquia de restrições em CON
3. Para cada entrada (input):
   a. GEN cria um conjunto de candidatos potenciais de saídas (outputs)
   b. EVAL seleciona o candidato ótimo de tal conjunto

Um aspecto importante da Teoria da Otimização diz respeito ao formalismo assumido. Assume-se que a forma superficial de uma forma lexical é escolhida com base na condição de satisfazer restrições gerais sobre as representações de saída (output). Regras fonológicas são ausentes no formalismo deste modelo. A Teoria da Otimização consiste de um programa de pesquisa de cunho gerativo que propõe metas para a linguística geral. Estas metas devem ser alcançadas para todos os níveis da gramática. A Teoria da Otimização, ao propor uma abordagem do componente linguístico como uma unidade em si, sugere um modelo alternativo de gramática. A grande contribuição da Teoria de Otimização é a apresentação de uma proposta formal alternativa de análise da gramática e da interação entre seus diversos componentes.

11. Fonologia de Uso

Os modelos fonológicos apresentados nas seções precedentes têm como objetivo central expressar formalmente a organização dos sistemas fonológicos. O pressuposto básico de tais modelos é de que existem pelo menos dois níveis de análise do componente sonoro: o fonético e o fonológico. O nível fonológico trata das generalizações observadas na estrutura sonora e expressa formalmente o conhecimento abstrato dos falantes *(representação fonêmica, forma subjacente, representação lexical)*. O nível fonético é visto como a saída do componente gramatical no qual o **detalhe fonético** é observado *(representação fonética)*.

A relação entre a fonética e a fonologia é um dos grandes temas de discussão entre as duas disciplinas – inclusive por questionar se é adequado postular duas disciplinas distintas! Outro aspecto polêmico é a interação entre o componente fonológico e morfológico. Isso porque vários processos fonológicos são sensíveis à estrutura morfológica. A Fonologia Lexical (cf. seção 8) oferece algumas contribuições sobre a interação entre a Fonologia e a Morfologia. As relações entre fonética-fonologia e fonologia-morfologia são, portanto, um ponto teórico central tratado nos modelos fonológicos.

A Fonologia de Uso tem contribuições em relação a esses dois pontos de debate. Para o primeiro ponto, a relação entre fonética-fonologia, a **Fonologia de Uso** sugere que os níveis fonético e fonológico são analisados conjuntamente [Demolin (2005); Cristófaro-Silva (2006)]. Informações empíricas – tradicionalmente reservadas ao domínio da Fonética – oferecem evidências para a organização abstrata do componente fonológico. A informação sonora redundante e previsível – tradicionalmente descartada – é essencial para o mapeamento fonológico [Cristófaro-Silva (2003)]. Portanto, a Fonologia de Uso **não** postula dois níveis de representação: fonética e fonologia, mas sim a interação entre parâmetros acústicos e articulatórios e o mapeamento abstrato do conhecimento gramatical. A **Teoria de Exemplares** é o modelo representacional adotado pela Fonologia de Uso e será tratada na próxima seção [Johnson (1997, 2006, 2007); Pierrehumbert (2001); Foulkes; Docherty (2006); Ernestus; Baayen (2011)].

Para o segundo ponto, a relação entre fonologia-morfologia, a Fonologia de Uso sugere que esquemas abstratos expressem as generalizações gramaticais [cf. capítulo 5, Bybee (2001)]. A figura que segue ilustra um **esquema representacional** para as formas de diminutivo.

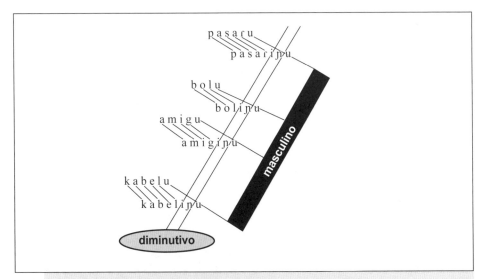

Figura 1: *Esquema representacional para as formas de diminutivo*

224 Modelos fonológicos – Fonologia de uso

A figura 1 ilustra o esquema das palavras *pássaro, bolo, amigo* e *cabelo* e suas respectivas formas de diminutivo. O esquema identifica o sufixo de diminutivo *-iɲ* e o sufixo de gênero masculino *-u*. As generalizações apresentadas no esquema da figura 1 podem ser aplicadas a novos itens lexicais. Note que palavras como *carinho* ou *ninho,* que apresentam a sequência segmental [iɲu], não fazem parte do esquema morfológico de diminutivo e gênero masculino, embora tenham relação com o esquema que agrega a sequência segmental [iɲu].

A Fonologia de Uso assume que as representações fonológicas expressam generalizações que falantes depreendem a partir da experiência com o uso da língua. O foco de atenção é de como as representações fonológicas são mapeadas a partir do uso da linguagem e da relação entre a produção e a percepção na organização dos sistemas sonoros. O termo **representações mentais** é utilizado nesse modelo para expressar os esquemas abstratos que expressam as generalizações depreendidas a partir do uso.

Na Fonologia de Uso a **frequência** desempenha um papel primordial na implementação de mudanças sonoras e na configuração do componente fonológico [cf. Bybee (2001a: 6)]. **Frequência de tipo** *(type frequency)* e **frequência de ocorrência** *(token frequency)* são examinadas. Frequência de tipo corresponde à frequência de um padrão específico no léxico – ou dicionário. Por exemplo, o português apresenta quatro tipos para a terminação de verbos no infinitivo: -ar, -er, -ir e -or. O tipo -ar é o que apresenta maior número de verbos e tem, portanto, a mais **alta frequência** de tipo dentre as terminações verbais de infinitivo. A frequência de ocorrência, por outro lado, corresponde ao número de vezes que um determinado tipo ocorre em um determinado corpus. Se quisermos saber a frequência de ocorrência do tipo de terminação de verbos no infinitivo -ar devemos pesquisar quantos verbos associados com a terminação de infinitivo -ar ocorrem em um corpus (contando inclusive instâncias repetidas dos verbos). Hipóteses de trabalho referentes ao papel de frequência de tipo e frequência de token são exploradas em Bybee (2001a). Os pressupostos teóricos da Fonologia de Uso são listados a seguir (Bybee, 2001a: 6).

- Experiência afeta representações.
- Representações mentais de objetos linguísticos têm as mesmas propriedades de representações mentais de outros objetos.
- Categorização é baseada em identidade e em similaridade.
- Generalizações em relação às formas não são separadas de representações *(stored representations)*, e sim emergem a partir das formas.
- A organização lexical oferece generalizações e segmentações em vários níveis de abstração e generalização.
- O conhecimento gramatical tem caráter de procedimento *(procedural knowledge).*

A Fonologia de Uso oferece uma proposta de relacionar aspectos sincrônicos e diacrônicos na análise do componente sonoro. Bybee (2001a: 194) sugere que mecanismos que regem as mudanças sonoras e os fatores envolvidos em ativá-los definem os universais da linguagem. A autora argumenta que os mecanismos universais que criam a linguagem são ativados a partir de procedimentos contínuos *(on-line)* no uso da língua por seus falantes. Note que essa proposta incorpora uma dimensão social às mudanças sonoras. De maneira

Modelos fonológicos – Fonologia de uso 225

similar à Teoria da Otimização, a Fonologia de Uso explora os padrões diversos atestados nas línguas naturais (*cross-linguistic patterns*). Contudo, ao contrário da Teoria da Otimização os padrões atestados nas línguas naturais são compreendidos como emergentes que se relacionam com capacidades cognitivas mais gerais – a capacidade de articular, perceber, armazenar e analisar o material linguístico – e estão diretamente relacionados à experiência linguística do falante.

Dentre os aspectos teóricos a serem desenvolvidos nessa teoria podemos citar: o papel de esquemas (*schemas*) na organização do componente sonoro, a relação entre produção-percepção e as representações mentais, o papel da frequência na implementação de mudanças sonoras e a especificação de percursos universais (*universal paths*) das mudanças sonoras. Alguns trabalhos do português que adotam a Fonologia de Uso são: Cristófaro-Silva e Gomes (2007), Martins e Oliveira-Guimarães (2010), Haupt (2011), Miranda e Oliveira-Guimarães (2013), Gomes et al. (2015).

12. Teoria de Exemplares

A **Teoria de Exemplares** é um modelo representacional que foi inspirado em ideias da Psicologia [Nosofsky (1986); Hintzman (1986)]. É um modelo que agrega a percepção e produção para explicar a natureza das representações mentais e, em particular, das representações fonológicas. Johnson (1997), Bybee (2001a) e Pierrehumbert (2001) são autores que contribuíram para introduzir essa perspectiva teórica em fonologia. Cristófaro-Silva e Gomes (2017) discutem a evolução da Teoria de Exemplares. Oliveira-Guimarães (2004) sistematiza aspectos de modelos tradicionais e da Teoria de Exemplares no quadro que é reproduzido a seguir.

PROPOSTA TRADICIONAL	MODELO DE EXEMPLARES
Representação mental minimalista	Representação mental detalhada
Separação entre fonética e fonologia	Inter-relação da fonética e da fonologia
Visão da fonologia como uma gramática formal, com a utilização de variáveis abstratas	Consideração de que a fonologia da língua envolve a distribuição probabilística de variáveis
Efeitos da frequência refletidos na produção em curso e não armazenados na memória de longa duração	Efeitos da frequência armazenados na memória de longa duração
Julgamento fonotático categórico: uma sequência ou é considerada bem formada ou é impossível de ocorrer na língua	Efeitos gradientes nos julgamentos fonotáticos.
Léxico separado da gramática fonológica.	Palavra como lócus da categorização.

Comparação entre a proposta tradicional e o Modelo de Exemplares [Oliveira-Guimarães (2004: 40)]

A Teoria de Exemplares apresenta novas perspectivas de investigação que são compatíveis com a natureza inter, trans e multidisciplinar da linguagem, além de permitir incorporar um aspecto inerente a toda e qualquer língua: a mudança linguística

226 Modelos fonológicos – Fonologia de uso

[(Walsh et al (2010); Kirchner (2012)]. Dentre os principais aspectos da Teoria de Exemplares, apresentamos a seguir: detalhe fonético, **efeito de frequência**, **recência**, representações múltiplas (esquemas).

O **detalhe fonético** é compreendido como parte das representações fonológicas. Dessa maneira, fenômenos tradicionalmente denominados como assimilação, inserção e cancelamento segmental devem ser compreendidos como mudanças gradientes entre categorias. Vieira e Cristófaro-Silva (2015) analisaram dados de Santana do Livramento, no Rio Grande do Sul, para casos em que a vogal postônica final segue a seguinte trajetória: [e] > [i] > Ø, em exemplos como "peixe" ou "time". Tanto o que é tradicionalmente conhecido como alçamento – [e] > [i] – quanto o cancelamento – [i] > Ø – podem ser interpretados como estágios gradientes de evolução do sistema fonológico. Assim, casos como assimilação, inserção e cancelamento são compreendidos a partir da análise do detalhe fonético. A variação e **mudança sonora** foneticamente motivadas afetam inicialmente as palavras mais frequentes da língua e têm implementação fonética e lexicalmente gradual (Bybee, 2011).

Há, contudo, casos em que mudanças sonoras são abruptas. Estes casos estão relacionados com a natureza analógica do fenômeno. Por exemplo, o português brasileiro tem vogais médias abertas e fechadas em contraste: s[e]de x s[ɛ]de ou f[o]rma x f[ɔ]rma. Em alguns casos de formação de plural no português ocorre a abertura da vogal tônica: [o]vo > [ɔ]vos. Uma vez que o português tem contrastivamente as vogais médias abertas e fechadas, a mudança entre [o] e [ɔ] é abrupta, porque as categorias são estáveis e funcionalmente ativas em português. Portanto, esse não é um caso de harmonia vocálica, e sim de generalização analógica em que os itens lexicais envolvidos fazem parte do léxico mental, como previsto pela Teoria de Exemplares. Note que em palavras frequentes, como [o]vo > [ɔ]vos, falantes apresentam a abertura da vogal. A sistematicidade da alternância [o] e [ɔ] entre singular e plural pode ser atribuída ao fato das palavras *ovo/ovos* serem muito frequentes no português. Por outro lado, em palavras pouco frequentes, como, por exemplo, *corvo*, falantes apresentam variação entre a vogal aberta e fechada: *c[ɔ]rvos* ou *c[o]rvos* [(Tomaz (2006)]. Esse resultado é compatível com a proposta de Phillips (1984, 2001) de que casos de variação e mudança analógica afetam inicialmente as palavras menos frequentes. No caso em discussão, a palavra *corvo,* que é pouco frequente, apresenta variação, enquanto que a palavra *ovo,* que é muito frequente, tem a pronúncia preservada. Os **efeitos de frequência** podem ser sumarizados como:

Alta frequência: exemplares de alta frequência de ocorrência são afetados inicialmente quando há motivação fonética. É o uso da linguagem e a prática dos gestos articulatórios que consolidam o exemplar inovador. Eventualmente, todos os itens lexicais podem ser afetados, de maneira que a mudança adquire caráter regular.

Baixa frequência: exemplares de baixa frequência de ocorrência são afetados inicialmente em casos de mudança analógica. É a ausência do uso de palavras pouco frequentes que faz com que o exemplar tenha representação pouco robusta. Esse efeito permite explicar, por exemplo, porque verbos muito frequentes são irregulares. Verbos muito frequentes não se regularizam uma vez que têm representação robusta decorrente do uso frequente.

O detalhe fonético e os efeitos de frequência estão relacionados com a **recência**. A recência diz respeito à quão recente um exemplar é. Exemplares recentes têm maior influência na produção do que exemplares antigos, raros e pouco usados. Esse efeito decorre do uso efetivo dos exemplares. Assim, pelo efeito de recência, os exemplares podem ser menos ou mais robustos [Goldinger (1996)].

Finalmente, é importante considerar a natureza de esquemas representacionais na Teoria de Exemplares. Esse é o grande desafio imposto à Teoria de Exemplares. No momento, temos propostas de esquemas [Cantoni (2013: 78)] ou feixes de exemplares [Rennicke (2015: 259)].

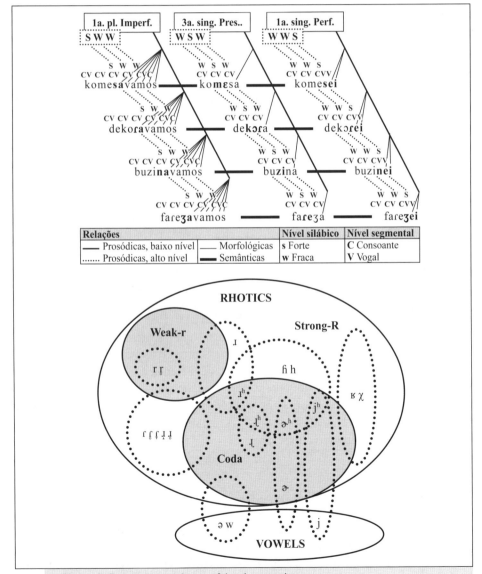

Figura 2: *Esquema em rede e em feixe de exemplares*

228 Modelos fonológicos – Fonologia de uso

A parte superior da Figura 2 apresenta um esquema para os padrões acentuais dos verbos no português (Cantoni, 2013: 78). Na parte inferior a Figura 2 apresenta diagramas de feixe de exemplares para os róticos no português (Rennicke, 2015: 259). Como discute Port (2007), as representações linguísticas têm grande influência da escrita alfabética. Para nos desvencilharmos dessa perspectiva, temos de buscar novas metodologias e novos modelos teóricos. As abordagens em Fonologia de Laboratório, a serem discutidas na próxima seção, oferecem alternativas promissoras para a natureza representacional na Teoria de Exemplares. Além dos trabalhos citados nas páginas precedentes que discutem a Teoria de Exemplares, sugerimos adicionalmente: Gahl e Yu (2006), More e Maier (2006), Port (2007), Ernestus e Baayen (2011), Cole e Hualde (2011), Kramer (2012), Cristófaro-Silva e Gomes (2017).

13. Interface Fonologia-Sintaxe

Até meados da década de 1960, a descrição e formalização dos sistemas sonoros tinham um papel central e de destaque nos estudos linguísticos. Após a proposta de Chomsky (1965) – *Aspectos da teoria sintática* –, o foco da análise linguística passa a ser a organização do componente sintático. A descrição dos sistemas sonoros passa a fazer parte do componente fonológico que atua após os mecanismos sintáticos terem sido concluídos. Em outras palavras, a fonologia interpreta os dados oriundos da sintaxe e gera as formas fonéticas. O principal componente da análise linguística é portanto o sintático.

A relação fonologia-sintaxe é compreendida na teoria gerativa clássica desta maneira. Uma consequência natural de tal proposta teórica é quanto ao questionamento da interação entre os componentes fonológico e sintático. Surge então uma proposta de **Interface Fonologia-Sintaxe**. Selkirk (1984) formula uma proposta de interação entre os componentes fonológico e sintático. Tal proposta discute sobretudo aspectos prosódicos como o acento, ritmo e entoação. A Interface Fonologia-Sintaxe pode ser pesquisada principalmente nos trabalhos de Selkirk (1980, 1984, 1986); Pullum e Wicky (1984); Nespor e Vogel (1986); Inkelas e Zec (1990). Dentre os trabalhos em português que discutem a Interface Fonologia-Sintaxe temos: Abaurre (1996); Abaurre, Galves e Scarpa (1999); e Scarpa (1999).

Certamente ainda temos muito trabalho pela frente. Contudo, parece que as propostas teóricas de análise linguística têm evidenciado a necessidade de buscarmos uma relação explícita entre componentes linguísticos. Os falantes certamente efetivam a relação entre os componentes da gramática. Resta à linguística encontrar formalismos que explicitem tal relação.

14. Fonologia de Laboratório

A **Fonologia de Laboratório** é uma abordagem metodológica que pode ser aplicada em qualquer teoria e que tem como princípio básico o método experimental: resultados empíricos corroboram hipóteses específicas. O método experimental deve permitir que experimentos sejam replicados e devem ter o rigor metodológico para esse fim. O caráter

Modelos fonológicos – Fonologia de uso **229**

quantitativo e qualitativo da investigação concilia técnicas instrumentais – como acústica, ultrassonografia, eletroglotografia, etc. – e análise de corpora para que seja possível avaliar efeitos de frequência.

Aspectos conceituais, teóricos e metodológicos da Fonologia de Laboratório são apresentados em Pierrehumbert, Beckman e Ladd (2000); Albano (2017). Uma série de volumes instituiu a abordagem em Fonologia de Laboratório: Kingston e Beckman (1990); Docherty e Ladd (1992); Keating (1994); Connell e Arvaniti (1996); Broe e Pierrehumbert (2000); Gussenhoven e Warner (2002); Local, Ogden e Temple (2004); Goldstein, Whalen e Best (2006); Cole e Hualde (2007); Fougeron, Kuehnert, Imperio e Vallee (2010). A partir da consolidação da Fonologia de Laboratório, foi criado o periódico intitulado ***Laboratory Phonology***.

Para critérios éticos na pesquisa experimental em linguística, consulte Abreu (2014). Para aspectos técnicos da pesquisa experimental, consulte Oliveira Jr. (2014). Para aspectos instrumentais da pesquisa experimental, consulte Cristófaro-Silva et al (2011).

Geralmente, resultados de pesquisas experimentais convergem para que sejam compreendidos aspectos da gramática fonológica. Um exemplo de pesquisas baseadas em princípios da Fonologia de Laboratório no português brasileiro é o estudo da redução da vogal átona alta, sobretudo a vogal [i] em casos como *peix[i], ant[i]s* ou a vogal [u] em casos como *c[u]stou* ou *camp[u]s*. Vários estudos evidenciaram que as vogais altas [i] e [u] são sujeitas à redução gradiente que pode levar ao seu apagamento [Napoleão (2010); Menezes (2012); Dias e Seara (2013), Faria (2013), Vieira e Cristófaro-Silva (2015)]. Assim, há um continuum entre uma vogal plena e a ausência de vogal em itens lexicais como: *pei[ʃi] ~ pei[ʃ] peixe, an[tʃi]s ~ an[t]s antes* ou *[ku]stou ~ [k]stou custou.* Uma das consequências da redução e apagamento vocálico de vogais altas átonas é que haverá alteração de padrão acentual. Palavras que tradicionalmente eram paroxítonas, como *pei[ʃi] peixe*, passam a ser oxítonas: *pei[ʃ].* Cantoni (2013) mostra que está em curso no português brasileiro uma tendência à mudança de padrões acentuais: proparoxítono > paroxítono e paroxítono > oxítono. A autora argumenta que essa tendência tem sido implementada gradualmente no léxico.

Outra questão relevante para a Fonologia de Laboratório é quanto ao elemento primário da representação fonológica. Há duas tendências principais. A primeira é a da **Fonologia Gestual**, que argumenta que o gesto é a unidade mínima de representação. A segunda é a Teoria de Exemplares, que argumenta que o item léxico (ou uma construção) é a unidade mínima representacional. Há, portanto, um intenso debate sobre a natureza representacional da linguagem. Como apontado anteriormente, por muitos anos a linguística espelhou-se na representação alfabética para lançar hipóteses representacionais da linguagem. Estudos que conciliam aspectos neurofisiológicos da produção e percepção da fala possivelmente lançarão luzes a esse debate.

15. Tópicos para pesquisa

Nas seções precedentes apresentamos os principais aspectos de teorias fonológicas pós-estruturalistas. Espera-se que as referências teóricas e de aplicação ao português contribuam para que o leitor inicie a pesquisa bibliográfica que lhe seja de interesse. Nesta seção

230 Modelos fonológicos – Tópicos para pesquisa

indicamos alguns tópicos para pesquisa que possam vir a interessar ao leitor. Dividimos tais tópicos em dois grupos. Um grupo de *pesquisa teórica* e um grupo de *pesquisa aplicada ao português*. Apresentamos também uma lista de *pesquisa em áreas afins*.

Gostaria de ressaltar dois pontos. O primeiro deles é que a escolha de um tópico de pesquisa deve sobretudo se dar por "amor". Minha experiência prática com alunos tem demonstrado isso. Sem "amor" pelo tema escolhido não se vai adiante na busca de respostas para as inúmeras perguntas que vão surgindo. Fazer pesquisa é altamente gratificante pois a cada descoberta, faz-se novas perguntas e busca-se encontrar sempre mais expandindo-se horizontes. Contudo, fazer pesquisa pode ser altamente frustante pois muitas vezes não encontramos respostas às perguntas formuladas ou as respostas são insatisfatórias e geram um certo desânimo para com o trabalho. Creio que somente com "amor" supera-se o desencanto da frustração e celebra-se plenamente as alegrias das descobertas.

O segundo ponto que gostaria de ressaltar diz respeito à escolha do modelo teórico. Toda e qualquer teoria é um recurso formal que nos permite descrever e formalizar os fatos observados. Idealmente, encontraremos uma resposta *porque* os fenômenos descritos operam daquela maneira e não de outra. Temos então uma sequência *observar-descrever/formalizar-explicar*. Portanto, ao iniciar-se um projeto de pesquisa o primeiro passo é *observar* os fenômenos a serem descritos. Define-se assim o *corpus* a ser analisado. A análise consiste da *descrição* e *formalização* dos fenômenos observados. A descrição e formalização devem seguir os pressupostos teóricos e metodológicos assumidos pela teoria escolhida. Finalmente, na medida do possível, deve-se *explicar* porque os fatos analisados ocorrem daquela maneira e não de outra.

Discussões de cunho teórico têm certamente um caráter distinto da aplicabilidade de um modelo. Uma discussão teórica visa a discutir se um formalismo adequa-se à proposta formulada. Trabalhos teóricos são fundamentais para o progresso da ciência. Trabalhos de aplicação prática são fundamentais para corroborar propostas teóricas. Não há maior ou menor mérito na escolha entre trabalhos teóricos ou práticos.

Finalizando, gostaria de dizer que a escolha de qualquer tópico é relevante. O importante é avaliarmos os dados que possuímos e buscarmos uma descrição adequada para os mesmos.

Tal descrição deve seguir os pressupostos teóricos e metodológicos da teoria escolhida e idealmente formular questões que venham a contribuir para com o progresso da ciência. Ao concluir-se uma pesquisa cria-se a possibilidade de iniciar-se outra.

Os tópicos para pesquisa sugeridos a seguir podem gerar trabalhos de monografia, dissertações de mestrado ou teses de doutorado. Depende-se do grau de profundidade do tratamento a ser dado a um determinado tópico. Em princípio, qualquer um dos tópicos listados pode tornar-se um excelente trabalho. Não há precedência ou relevância de uns sobre outros. A ordem apresentada na lista não expressa portanto prioridade ou relevância. A lista tem caráter ilustrativo e não pretende ser exaustiva. Pretende-se lançar uma semente para que trabalhos em fonologia – teórica e do português – passem a surgir com mais frequência e idealmente com excelente qualidade.

15.1. Pesquisa teórica

- Comparar modelos teóricos evidenciando seus méritos e aspectos polêmicos. Idealmente apontar alternativas teóricas potenciais para investigação (ou investigá-las).

Modelos fonológicos – Tópicos para pesquisa 231

- Discutir o status teórico de modelos fonológicos que não assumem regras fonológicas e aqueles que assumem regras fonológicas em seu formalismo (Fonologia de Governo, Teoria da Otimização e Teoria de Exemplares *versus* os demais modelos). Indicar aspectos específicos que sugerem tratamentos mais adequados em uma ou outra proposta.
- Avaliar os formalismos de representação segmental: traços, elementos, gestos ou esquemas?
- Discutir aspectos fonológicos que sejam universais e aspectos fonológicos que sejam específicos de línguas particulares. Avaliar a classificação destas duas categorias.
- Considerar o papel da fonologia em termos da proposta de construção de um modelo de gramática universal.
- Avaliar o papel da morfologia na estrutura e organização do léxico. Considerar diferentes modelos de análise fonológica.
- Considerar a Interação Fonologia-Sintaxe.
- Comparar o papel de restrições (*constraints*) em diferentes modelos teóricos. Avaliar o papel de restrições no formalismo dos modelos.
- Investigar a relação entre a estrutura silábica assumida e a definição de padrões acentuais em diferentes modelos teóricos.
- Criticar um determinado modelo explicitando os aspectos teóricos que contribuíram para a elaboração de uma proposta teórica subsequente.

15.2. Pesquisas aplicadas ao português

Os tópicos de pesquisa apresentados podem ser realizados em dialetos específicos do português. Há uma grande necessidade de caracterização dialetal das inúmeras variedades do português.

- Descrever o sistema consonantal de uma determinada variedade linguística. Idealmente deve-se considerar parâmetros sociolinguísticos que indiquem as mudanças em progresso.
- Descrever o sistema vocálico oral pretônico e postônico final e medial em uma determinada variedade linguística. Avaliar a interação das vogais médias com a vogal tônica e considerar a interferência da morfologia na organização do sistema vocálico.
- Caracterizar o sistema de consoantes pós-vocálicas em uma determinada variedade linguística.
- Avaliar os processos fonológicos relacionados com as consoantes pós-vocálicas.
- Descrever as variedades do R-forte e r-fraco em relação à estrutura silábica em um determinado dialeto.
- Descrever os processos de nasalidade em uma determinada variedade do português.
- Formular uma interpretação fonológica para as vogais nasais (ou discutir a melhor interpretação em termos comparativos: fonemas ou /VN/?).
- Considerar em detalhes os ambientes em que as consoantes palatais ocorrem em português e explicar porque em certos ambientes consoantes palatais são excluídas enquanto consoantes não palatais são permitidas.

232 Modelos fonológicos – Conclusão

- Descrever as alternâncias entre vogal alta-glide; somente ocorrência de glide e somente ocorrência de vogal alta em uma variedade dialetal (ou comparar o comportamento de vogais altas/glides em duas variedades).
- Comparar variedades linguísticas evidenciando seus pontos congruentes e distantes (por exemplo, entre variedades do português brasileiro e europeu).

16. Conclusão

Note que por princípio uma análise já é superada ao ser concluída. Isto porque sendo a língua parte do universo dinâmico ela é potencialmente mutável. Os fatos descritos na análise podem não refletir o estágio atual de desenvolvimento do objeto de estudo: da variedade linguística estudada. Contudo, a relevância de uma análise linguística está na contribuição para as formulações teóricas da linguística e no fornecimento de informações que permitam uma análise diacrônica futura. Tal análise diacrônica terá por objetivo explicar os mecanismos que regem as mudanças nas línguas naturais e mais especificamente na língua considerada. Ainda há muito trabalho pela frente para que possamos compreender os mecanismos que regem os sistemas sonoros. Minha visão é que tal trabalho é extremamente gratificante e que vale a pena empreendê-lo.

Respostas dos exercícios*

Fonética

Exercícios complementares 1

1. Partes do aparelho fonador

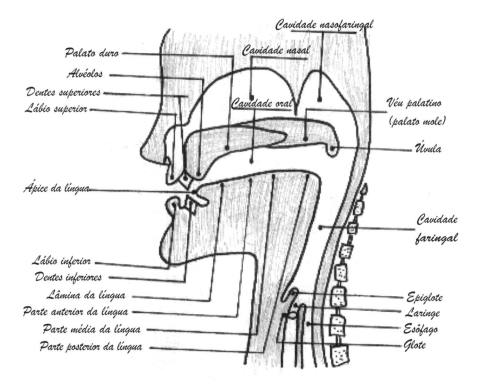

* Por permitirem alternativas variadas, omitimos as respostas dos exercícios propostos na Introdução.

234 Respostas dos exercícios

2. Articuladores ativos e passivos na produção de cada lugar de articulação

Lugar de articulação	Articulador ativo	Articulador passivo
Bilabial	lábio inferior	lábio superior
Labiodental	lábio inferior	dentes incisivos superiores
Dental	ápice ou lâmina da língua	dentes incisivos superiores
Alveolar	ápice ou lâmina da língua	alvéolos
Alveolopalatal	parte anterior da língua	parte medial do palato duro
Palatal	parte média da língua	parte final do palato duro
Velar	parte posterior da língua	véu palatino ou palato mole

3. Articuladores ativos e passivos

Articuladores ativos	Articuladores passivos
lábio inferior, a língua, o palato mole (véu palatino) e cordas vocais	lábio superior, dentes superiores, céu da boca: alvéolos, palato duro, palato mole (véu palatino), úvula

4. Aparelho fonador: classificação de consoantes quanto ao modo de articulação, a partir dos parâmetros dados.

[l] lateral   [m] nasal

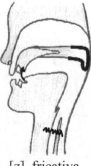

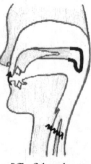

[z] fricativa   [ʃ] fricativa

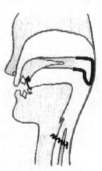

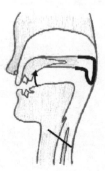

Respostas dos exercícios 235

[k] oclusiva   [n] nasal

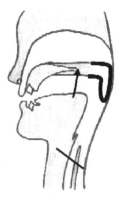   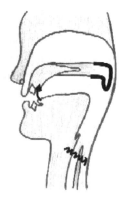

[p] oclusiva   [ɾ] tepe

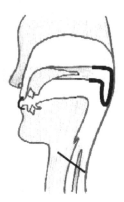   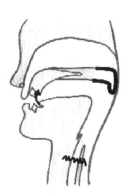

5. Segmentos consonantais quanto ao modo de articulação

Segmento consonantal	Modo de articulação
p, b, t, d, k, g	*Oclusivas*
tʃ, dʒ	*Africadas*
f, v, s, z, ʃ, ʒ, x, ɣ, h, ɦ	*Fricativas*
m, n, ɲ	*Nasais*
ɾ	*Tepe*
ř	*Vibrante*
ɻ	*Retroflexa*
l, lʲ, ʎ, ɫ	*Laterais*

236 Respostas dos exercícios

6. Segmentos consonantais: modo + lugar de articulação + vozeamento + articulação secundária

Símbolo	Categoria do segmento
[p]	*Oclusiva bilabial desvozeada*
[m]	*Nasal bilabial vozeada*
[ʃ]	*Fricativa alveolopalatal desvozeada*
[ʎ]	*Lateral palatal vozeada*
[v]	*Fricativa labiodental vozeada*
[ɾ]	*Tepe alveolar (ou dental) vozeado*
[ɲ]	*Nasal palatal vozeada*
[s]	*Fricativa alveolar (ou dental) desvozeada*
[ʒ]	*Fricativa alveolopalatal vozeada*
[f]	*Fricativa labiodental desvozeada*
[g]	*Oclusiva velar vozeada*
[n]	*Nasal alveolar (ou dental) vozeada*
[k]	*Oclusiva velar desvozeada*
[dʒ]	*Africada alveolopalatal vozeada*
[z]	*Fricativa alveolar vozeada*

7. Classificação dos segmentos consonantais

Símbolo do segmento	Q3 Voz/Desv	Q4 Oral/Nasal	Q5 Articulador ativo	Q6 Articulador passivo	Q7 Estritura
[p]	*desvozeado*	*oral*	*lábio inferior*	*lábio superior*	*oclusiva*
[b]	*vozeado*	*oral*	*lábio inferior*	*lábio superior*	*oclusiva*
[t]	*desvozeado*	*oral*	*ápice ou lâmina da língua*	*dentes superiores ou alvéolos*	*oclusiva*
[d]	*vozeado*	*oral*	*ápice ou lâmina da língua*	*dentes superiores ou alvéolos*	*oclusiva*
[k]	*desvozeado*	*oral*	*parte posterior da língua*	*palato mole (véu palatino)*	*oclusiva*
[g]	*vozeado*	*oral*	*parte posterior da língua*	*palato mole (véu palatino)*	*oclusiva*
[tʃ]	*desvozeado*	*oral*	*parte anterior da língua*	*palato duro*	*africada*
[dʒ]	*vozeado*	*oral*	*parte anterior da língua*	*palato duro*	*africada*
[f]	*desvozeado*	*oral*	*lábio inferior*	*dentes incisivos superiores*	*fricativa*
[v]	*vozeado*	*oral*	*lábio inferior*	*dentes incisivos superiores*	*fricativa*

Respostas dos exercícios 237

[s]	desvozeado	oral	ápice ou lâmina da língua	dentes superiores ou alvéolos	fricativa
[z]	vozeado	oral	ápice ou lâmina da língua	dentes superiores ou alvéolos	fricativa
[ʃ]	desvozeado	oral	parte anterior da língua	palato duro	fricativa
[ʒ]	vozeado	oral	parte anterior da língua	palato duro	fricativa
[x]	desvozeado	oral	parte posterior da língua	palato mole (véu palatino)	fricativa
[h]	desvozeado	oral	músculos da glote	músculos da glote	fricativa
[m]	vozeado	nasal	lábio inferior	lábio superior	nasal
[n]	vozeado	nasal	ápice ou lâmina da língua	dentes superiores ou alvéolos	nasal
[ɲ]	vozeado	nasal	parte média da língua	palato duro	nasal
[ɾ]	vozeado	oral	ápice ou lâmina da língua	dentes superiores ou alvéolos	tepe
[r̃]	vozeado	oral	ápice ou lâmina da língua	dentes superiores ou alvéolos	vibrante
[ɹ]	vozeado	oral	ápice ou lâmina da língua	palato duro	retroflexa
[l]	vozeado	oral	ápice ou lâmina da língua	dentes superiores ou alvéolos	lateral
[ʎ]	vozeado	oral	parte média da língua	palato duro	lateral

8. Símbolo fonético correspondente ao segmento consonantal

1. [b] Oclusiva bilabial vozeada
2. [ɲ] Nasal palatal vozeada
3. [s] Fricativa alveolar desvozeada
4. [dʒ] Africada alveolopalatal vozeada
5. [ʎ] Lateral palatal vozeada

6. [ɾ] Tepe alveolar vozeado
7. [h] Fricativa glotal desvozeada
8. [g] Oclusiva velar vozeada
9. [n] Nasal alveolar vozeada
10. [f] Fricativa labiodental desvozeada

O sistema consonantal do português brasileiro*

Grupo 1

arara [aˈɾaɾa]	**marajá** [maɾaˈʒa]	**prata** [ˈpɾata]	**graxa** [ˈgɾaʃa]
brava [ˈbɾava]	**cara** [ˈkaɾa]	**barata** [baˈɾata]	**parada** [paˈɾada]

*As respostas apresentadas tendem a ser demonstrativas e não esgotam todas as possibilidades.

238 Respostas dos exercícios

Grupo 2

marra	[ˈmaxa], [ˈmaha] [ˈmařa]	barraca	[baˈxaka], [baˈhaka], [baˈřaka]
jarra	[ˈʒaxa], [ˈʒaha], [ˈʒařa]	farra	[ˈfaxa], [ˈfaha], [ˈfařa]
rata	[ˈxata], [ˈhata], [ˈřata]	rapaz	[xaˈpas], [haˈpas], [řaˈpas]
rama	[ˈxama], [ˈhama], [ˈřama]	rala	[ˈxala], [ˈhala], [ˈřala]

Grupo 3

mar	[ˈmax], [ˈmah], [ˈmaɹ], [ˈmaɾ]
bar	[ˈbax], [ˈbah], [ˈbaɹ], [ˈbaɾ]
harpa	[ˈaxpa], [ˈahpa], [ˈaɹpa], [ˈaɾpa]
carta	[ˈkaxta], [ˈkahta], [ˈkaɹta], [ˈkaɾta]
farsa	[ˈfaxsa], [ˈfahsa], [ˈfaɹsa], [ˈfaɾsa]
lar	[ˈlax], [ˈlah], [ˈlaɹ], [ˈlaɾ]
dar	[ˈdax], [ˈdah], [ˈdaɹ], [ˈdaɾ]
marcha	[ˈmaxʃa], [ˈmahʃa], [ˈmaɹʃa], [ˈmaɾʃa]

Grupo 4

a. farsa	[ˈfaxsa], [ˈfahsa]		carta	[ˈkaxta], [ˈkahta]
harpa	[ˈaxpa], [ˈahpa]		marcha	[ˈmaxʃa], [ˈmahʃa]
b. carga	[ˈkaɣga], [ˈkaɦga]		larva	[ˈlaɣva], [ˈlaɦva]
arma	[ˈaɣma], [ˈaɦma]		farda	[ˈfaɣda], [ˈfaɦda]

Grupo 5

paz	[ˈpas], [ˈpa̯s], [ˈpaʃ], [ˈpa̯ʃ], [ˈpaz]
rapaz	[xaˈpas], [xaˈpa̯s], [xaˈpaʃ], [xaˈpa̯ʃ], [xaˈpaz]
gás	[ˈgas], [ˈga̯s], [ˈgaʃ], [ˈga̯ʃ], [ˈgaz]
ás	[ˈas], [ˈa̯s], [ˈaʃ], [ˈa̯ʃ], [ˈaz]
favas	[ˈfavas], [ˈfavaʃ], [ˈfavaz]
sapas	[ˈsapas], [ˈsapaʃ], [ˈsapaz]

Grupo 6

a. casca	[ˈkaska], [ˈkaʃka]	aspas	[ˈaspas], [ˈaʃpaʃ]
pasta	[ˈpasta], [ˈpaʃta]		
b. rasga	[ˈxazga], [ˈxaʒga], [ˈhazga], [ˈhaʒga]	asma	[ˈazma], [ˈaʒma]
gasbrás	[gazˈbɾas], [gaʒˈbɾaʃ]		

Grupo 7

pasta	[ˈpasta], [ˈpaʃta]	desde	[ˈdezdʒɪ], [ˈdeʒdʒɪ]
asno	[ˈaznʊ], [ˈaʒnʊ]	islã	[izˈlã], [iʒˈlã]

Grupo 8

a. sala	[ˈsala]	zapata	[zaˈpata]	chá	[ˈʃa]	já	[ˈʒa]
b. assa	[ˈasa]	asa	[ˈaza]	acha	[ˈaʃa]	haja	[ˈaʒa]

c. farsa	[ˈfaxsa], [ˈfahsa], [ˈfaɹsa], [ˈfaɾsa]
cerzir	[seɣˈzɪx], [seɦˈzɪh], [seɹˈzɪɹ], [seɾˈzɪɾ]
marcha	[ˈmaxʃa], [ˈmahʃa], [ˈmaɹʃa], [ˈmaɾʃa]
argila	[aɣˈʒila], [aɦˈʒila], [aɹˈʒila], [aɾˈʒila]

Respostas dos exercícios 239

Grupo 9

a. jazz, vacas *[s] em final de sílaba e palavra (dependendo do dialeto pode ser [ʃ])*

b. casca, aspa *[s] em final de sílaba seguido de C desvozeada (dependendo do dialeto pode ser [ʃ])*

c. rasga, asma *[z] em final de sílaba seguido de C vozeada (dependendo do dialeto pode ser [ʒ])*

d. pasta, desde, asno, islã *[s] ou [z] em final de sílaba seguido de C alveolar (dependendo do dialeto pode ser [ʃ,ʒ])*

e. sala, zapata, chá, já [s,z,ʃ,ʒ] respectivamente, início de sílaba e palavra

f. assa, asa, acha, haja [s,z,ʃ,ʒ] respectivamente, posição intervocálica

g. farsa, cerzir, marcha, argila [s,z,ʃ,ʒ] respectivamente, início de sílaba depois de consoante

Grupo 10

arfar [ˈaxfax], [ˈahfah], [ˈaɾfaɾ], [ˈaɹfaɹ]			safada [saˈfada]		
fraca [ˈfɾaka]	fava [ˈfava]	vala [ˈvala]	savana [saˈvana]		
lavra [ˈlavra]	parva [ˈpaɣva], [ˈpafiva], [ˈpaɾva], [ˈpaɹva]				

Grupo 11

pá [ˈpa]	tapa [ˈtapa]	cá [ˈka]	gata [ˈgata]
ataca [aˈtaka]	dá [ˈda]	bata [ˈbata]	aba [ˈaba]
brava [ˈbɾava]	praga [ˈpɾaga]	clava [ˈklava]	ladra [ˈladɾa]
graxa [ˈgɾaʃa]	Atlas [ˈatlas], [ˈatlaʃ]		
barba [ˈbaɣba], [ˈbafiba], [ˈbaɾba], [ˈbaɹba]			
harpa [ˈaxpa], [ˈahpa], [ˈaɾpa], [ˈaɹpa]			
lasca [ˈlaska], [ˈlaʃka]	farda [ˈfaɣda], [ˈfafida], [ˈfaɾda], [ˈfaɹda]		
farda [ˈfaɣda], [ˈfafida], [ˈfaɾda], [ˈfaɹda]			
rasga [ˈxazga], [ˈxaʒga], [ˈhazga], [ˈhaʒga], [ˈřaʒga]			
gasta [ˈgasta], [ˈgaʃta]			

Grupo 12

dia [ˈdʒia]	tia [ˈtʃia]	vadia [vaˈdʒia]	ártica [ˈaxtʃika]
típica [ˈtʃipika]	dica [ˈdʒika]	tipiti [tʃipiˈtʃi]	mártir [ˈmaxtʃix]
arde [ˈaɣdʒi]	bate [ˈbatʃi]	abade [abaˈdʒi]	arte [ˈaxtʃi]

Grupo 13

triste [ˈtristʃi], [ˈtriʃtʃi]		vestido [vesˈtʃidu], [veʃˈtʃidu]	
haste [ˈastʃi], [ˈaʃtʃi]		lástima [ˈlastʃima], [ˈlaʃtʃima]	
poste [ˈpostʃi], [ˈpoʃtʃi]		estilo [esˈtʃilu], [eʃˈtʃilu]	

Grupo 14

	Belo Horizonte	Cuiabá
chá	[ˈʃa]	[ˈtʃa]
acha	[ˈaʃa]	[ˈatʃa]
já	[ˈʒa]	[ˈdʒa]
haja	[ˈaʒa]	[ˈadʒa]
chia	[ˈʃia]	[ˈtʃia]
gia	[ˈʒia]	[ˈdʒia]
tia	[ˈtʃia]	[ˈtia]
dia	[ˈdʒia]	[ˈdia]

240 Respostas dos exercícios

Grupo 15

a. mala   [ˈmala]
b. mamá   [maˈma]
c. carma [ˈkaɣma], [ˈkafima]
d. amada [aˈmada]

e. nata   [ˈnata]
f. ananás [anaˈnas], [anaˈnaʃ]
g. sarna [ˈsaɣna], [ˈsafina]
h. sanada [saˈnada]

Grupo 16

lata [ˈlata]	lar [ˈlax], [ˈlah], [ˈlaɹ], [ˈlaɾ]	lava [ˈlava]
placa [ˈplaka]	atlas [ˈatlas], [ˈatlaʃ]	clava [ˈklava]
ala [ˈala]	sala [ˈsala]	calada [kaˈlada]

Grupo 17

sal   [ˈsaw], [ˈsaɫ]
tal   [ˈtaw], [ˈtaɫ]
malvada [mawˈvada], [maɫˈvada]

matagal [mataˈgaw], [mataˈgaɫ]
salta   [ˈsawta], [ˈsaɫta]
calva   [ˈkawva], [ˈkaɫva]

Grupo 18

palha   [ˈpaʎa], [ˈpalʲa], [ˈpaya]
palhaçada [paʎaˈsada], [palʲaˈsada], [payaˈsada]
canalha   [kaˈnaʎa], [kaˈnalʲa], [kaˈnaya]
malha   [ˈmaʎa], [ˈmalʲa], [ˈmaya]
malhada   [maˈʎada], [maˈlʲada], [maˈyada]
talhada   [taˈʎada], [taˈlʲada], [taˈyada]

A descrição dos segmentos vocálicos

Exercício 1

1. alta: i   baixa: a.
2. alta: ê   baixa: a.
3. alta: ê   baixa: é.
4. (nível 1: alta) i   (nível 2: média-alta) ê   (nível 3: média-baixa) é   (nível 4: baixa) a.
5. alta: ô   baixa: ó.
6. (nível 1: alta) u   (nível 2: média-alta) ô   (nível 3: média-baixa) ó   (nível 4: baixa) a.
7. (nível 2: média-alta) ê, ô (nível 3: média-baixa) é, ó.
8. alta: i, u   média-alta: ê, ô   média-baixa: é, ó   baixa: a.

Exercício 2

1. anterior: i e posterior: u.
2. anterior: ê e posterior: ô.
3. anterior: é e posterior: ó.
4. anterior: i, ê, é   central: a   posterior: ó, ô, u.

Exercício 3

1. arredondadas: ó, ô, u e não arredondadas: i, ê, é, a.

Respostas dos exercícios **241**

Exercício 4

3. [e] vogal média-alta anterior não arredondada
4. [ẽ] vogal média anterior não arredondada nasal
5. [ɛ] vogal média-baixa anterior não arredondada
6. [a] vogal central baixa não arredondada
7. [ã] vogal central baixa não arredondada nasal

8. [ɔ] vogal média-baixa posterior arredondada
9. [o] vogal média-alta posterior arredondada
10. [õ] vogal média posterior arredondada nasal
11. [u] vogal alta posterior arredondada
12. [ũ] vogal alta posterior arredondada nasal

Exercício 5

1. [ĩ] vogal alta anterior não arredondada nasal
2. [ũ] vogal alta posterior arredondada nasal
3. [a] vogal baixa central não arredondada
4. [ɛ] vogal média-baixa anterior não arredondada
5. [e] vogal média-alta anterior não arredondada

6. [ɔ] vogal média-baixa posterior arredondada
7. [o] vogal média-alta posterior arredondada
8. [i] vogal alta anterior não arredondada
9. [ã] vogal baixa central não arredondada nasal
10. [u] vogal alta posterior arredondada

Exercício 6

1. D	5. C	9. D	13. C
2. C	6. D	10. D	14. D
3. C	7. C	11. D	15. D
4. C	8. D	12. C	16. D

O sistema vocálico do português brasileiro*

Grupo 1

[i]	vi	[ˈvi]	saci	[saˈsi]	aqui	[aˈki]
[e]	lê	[ˈle]	cadê	[kaˈde]	ipê	[iˈpe]
[ɛ]	fé	[ˈfɛ]	chalé	[ʃaˈlɛ]	acarajé	[akaɾaˈʒɛ]
[a]	pá	[ˈpa]	mamá	[maˈma]	cajá	[kaˈʒa]
[ɔ]	avó	[aˈvɔ]	xodó	[ʃoˈdɔ]	pó	[ˈpɔ]
[o]	avô	[aˈvo]	alô	[aˈlo]	agogô	[agoˈgo]
[u]	anú	[aˈnu]	cajú	[kaˈʒu]	urubú	[uɾuˈbu]

Grupo 2

final	[fiˈnaw]	pirar	[piˈɾah]
legal	[leˈgaw], [lɛˈgaw]	serrar	[seˈxax], [sɛˈxax]
parar	[paˈɾax]	sabiá	[sabiˈa]
remoçar	[xemoˈsax], [hɛmɔˈsax]	povar	[povoˈax], [pɔvɔˈax]
Aracaju	[aɾakaˈʒu]	tutor	[tuˈtox]

Grupo 3

terreno	[teˈxẽnu], [tɛˈxẽnu]	terrinha	[tɛˈxĩɲə]
beleza	[beˈlezə], [bɛˈlezə]	belíssimo	[bɛˈlisimu]
seriedade	[seɾieˈdadʒɪ], [sɛɾiɛˈdadʒɪ]	seriamente	[sɛɾɪaˈmẽtʃɪ]
pedal	[peˈdaw], [pɛˈdaw]	pezinho	[pɛˈzĩɲu]
moleza	[moˈleza], [mɔˈleza]	molinho	[moˈliɲu]

---

* As respostas apresentadas tendem a ser demonstrativas e não exaustivas. Pode-se portanto encontrar outras além destas. Na transcrição fonética procurou-se marcar algumas das possíveis variantes para vogais. Adotou-se uma única representação para as consoantes, ou seja, não se marca variação de consoantes.

242 Respostas dos exercícios

sobriedade	[soˈbrɪ̯eˈdadʒi], [sobrɪ̯ɛˈdadi]	**sobriamente**	[sobrɪ̯aˈmẽtʃɪ]
bolada	[boˈladə], [bɔˈladə]	**bolinha**	[boˈliɲə]
poeira	[poˈeɪ̯rə], [pɔˈeɪ̯rə]	**pozinho**	[poˈziɲu]

Grupo 4

severa	[seˈvɛrə], [sɛˈvɛrə]	**peteca**	[peˈtɛkə], [pɛˈtɛkə]
bolota	[boˈlotə], [bɔˈlotə]	**porosa**	[poˈrozə], [pɔˈrozə]
devota	[deˈvotə], [dɛˈvotə]	**soletra**	[soˈlɛtrə], [sɔˈlɛtrə]

Grupo 5

safari	[saˈfarɪ], [saˈfari]	**foto**	[ˈfotu], [ˈfoto]
doce	[ˈdosɪ], [ˈdose]	**vela**	[ˈvɛlə], [ˈvɛla]
bola	[ˈbolə], [ˈbola]	**mole**	[ˈmolɪ], [ˈmole]
pulo	[ˈpulʊ], [ˈpulo]	**álibi**	[ˈalɪbɪ], [ˈalibi]

Grupo 6 Vogal tônica oral

Vogal tônica	e	o
i	[ˈmizerə]	[ˈikonɪ]
e	[ˈpesegu]	[ˈezodu]
ɛ	[ˈsɛlebrɪ]	[ˈɛpokə]
a	[ˈtrafegu]	[ˈatomu]
ɔ	[ˈɔpera]	[ˈkɔkɔrəs]
o	[ˈsofregu]	
ʊ	[ˈuterʊ]	[ˈbusolə]

Grupo 7

	Vogal tônica nasal	
ĩ	[ˈsĩtezɪ]	[ˈsĩkopɪ]
ẽ	[paˈrẽtezɪs]	[ˈtẽporas]
ã	[krɪˈzãtemʊ]	[ˈkãfora]
õ	[awˈmõdegas]	[ˈgõdoləs]
ũ		

Grupo 8

	Vogal tônica anasalada	
ĩ	[ˈĩnegə]	[ˈsĩnodu]
ẽ	[eˈfẽmerʊ]	[aˈnẽmonə]
ã	[ˈkãmerə]	[ˈkãnonɪ]
õ	[ˈõmegə]	[ˈkõmodu]
ũ	[ˈnũmerʊ]	

Respostas dos exercícios 243

Grupo 9

[ˈsifilɪs]   [ˈsilabə]   [sẽˈtɾifugə]

[ˈezɪtʊ]   [ˈpezamɪs]   [ˈsestuplʊ]

[ˈsɛtʃikʊ]   [ˈdɛkadə]   [ˈsɛdulə]

[ˈtɾafɪkʊ]   [ˈlabaɾʊ]   [ˈdɾakulə]

[ˈkɔlɪkə]   [awˈkɔlatɾə]   [ˈxɔtulə]

[ˈsudʒɪtʊ]   [ˈbuwgaɾə]   [ˈuvulə]

Grupo 10

sim   [ˈsĩ]   janta [ˈʒãtə]   rã   [ˈxã]   tonta [ˈtõtə]   som   [ˈsõ]

mundo   [ˈmũdʊ]   atum [aˈtũ]   ginga [ˈʒĩgə]   vento [ˈvẽtʊ]

Grupo 11

cama   [ˈkãmə], [ˈkəmə]

camada   [kaˈmadə], [kãˈmadə], [kəˈmadə]

senha   [ˈsẽɲə]

cana   [ˈkãnə], [ˈkanə], [ˈkənə]

pano   [ˈpãnʊ], [ˈpanʊ], [ˈpənʊ]

tônico   [ˈtõnɪkʊ], [ˈtonɪkʊ]

vinho   [ˈvĩɲʊ], [ˈvɪɲʊ]

banha   [ˈbãɲə], [ˈbaɲə], [ˈbəɲə]

banheira   [bãˈneɪ̯ɾə], [baˈneɪ̯ɾə]

tâmara   [ˈtãmaɾə], [ˈtamaɾə], [ˈtəmaɾə]

sonho   [ˈsõɲʊ], [ˈsoɲʊ]

Bruno   [ˈbɾũnʊ], [ˈbɾunʊ]

manhã   [maˈɲã], [mãˈɲã]

cênico   [ˈsẽnɪkʊ], [ˈsɛnɪkʊ]

punho   [ˈpũɲʊ], [ˈpuɲʊ]

fome   [ˈfomɪ], [ˈfɔmɪ]

manha   [ˈmãɲə], [ˈmaɲə], [ˈməɲə]

cúmulo   [ˈkũmulʊ], [ˈkumulʊ]

cânhamo   [ˈkãɲəmʊ], [ˈkaɲəmʊ], [ˈkəɲəmʊ]

Sena   [ˈsẽnə], [ˈsɛnə]

canavial   [kanaviˈaw], [kãnaviˈaw], [kənaviˈaw]

cínica   [ˈsĩnɪkə], [ˈsinɪkə]

canhoto   [kaˈɲotʊ], [kãˈɲotʊ]

244 Respostas dos exercícios

Exercícios complementares 2

1. Vogal tônica: média-alta e média-baixa

1. [ˈfɛsta] festa
2. [ˈkoɦvu] corvo
3. [ˈpezu] peso
4. [ˈsolə] sola
5. [ˈsɛta] seta
6. [ˈbolu] bolo
7. [ˈovu] ovo
8. [ˈkɔlə] cola
9. [ˈtɾevu] trevo
10. [ˈbexsu] berço
11. [ˈtɛtu] teto
12. [ʒaˈnɛlə] janela
13. [ˈpelu] pelo
14. [sɛˈvɛɾə] severa
15. [ˈsɛlə] cela
16. [ˈkɔpu] copo
17. [ˈsɔlidə] sólida
18. [ˈmɔlɪ] mole
19. [aˈvo] avô
20. [aˈvɔ] avó

21. [ˈtɾoku] troco
22. [ˈsɛxtu] certo
23. [plaˈnetə] planeta
24. [ˈmezə] mesa
25. [ˈkɔfɾɪ] cofre
26. [ˈvɛʎə] velha
27. [ˈpovu] povo
28. [ˈmedu] medo
29. [ˈteʎə] telha
30. [ˈvespə] vespa
31. [ˈelɪ] ele
32. [ˈʃɛfɪ] chefe
33. [ˈsɛlebɾɪ] célebre
34. [ˈfɾevu] frevo
35. [ˈsoku] soco
36. [ˈseɾə] cera
37. [aˈhotu] arroto
38. [ˈbɾotu] broto
39. [ˈpesegu] pêssego
40. [ˈgɾɔtə] grota

2. • os substantivos e adjetivos da primeira coluna têm como vogal acentuada [o] ou [e]
   • as formas verbais da segunda coluna têm como vogal acentuada [ɔ] ou [ɛ] Exercício 2

[ˈu ˈtɾoku]	[ˈeu̯ ˈtɾɔku]
[ˈu ˈʒogu]	[ˈeu̯ ˈʒɔgu]
[ˈu ˈbolu]	[ˈeu̯ ˈbɔlu]
[ˈu ˈsoku]	[ˈeu̯ ˈsɔku]
[ˈu ˈʃoku]	[ˈeu̯ ˈʃɔku]
[ˈu ˈdedu]	[ˈeu̯ ˈdɛdu]
[ˈu ˈʒelu]	[ˈeu̯ ˈʒɛlu]
[ˈu aˈpelu]	[ˈeu̯ aˈpɛlu]
[ˈu aˈzedu]	[ˈeu̯ aˈzɛdu]
[ˈu koˈmesu]	[ˈeu̯ koˈmɛsu]

Respostas dos exercícios 245

3. • Os exemplos da primeira coluna apresentam sempre uma vogal tônica média-baixa (aberta): [ɛ,ɔ]
   • Nos exemplos da segunda coluna as vogais pretônicas podem ser média-baixa [ɛ,ɔ] ou média-alta [e,o]. Por exemplo: "m[e]tr[o]p[o]litano" ou "m[ɛ]tr[ɔ]p[ɔ]litano".

[meˈtɾopolɪ]	[metɾopolɪˈtãnʊ]
[eˈɾoɪ]	[eɾoˈinə]
[ˈkɔlə]	[koˈlaʒẽɪ̯]
[ˈkɔpʊ]	[koˈpeɪ̯ɾʊ]
[kaˈpotə]	[kapoˈtaʒẽɪ]
[paˈgodʒɪ]	[pagɔˈdeɪ̯ɾʊ]
[poˈɛtə]	[poeˈtʃizə]
[kaˈfɛ]	[kafeˈzaw]
[kaˈpɛlə]	[kapeˈlãʊ̯]
[piˈvɛtʃɪ]	[piveˈtadə]
[ʒaˈnɛlə]	[ʒaneˈleɪ̯ɾʊ]
[paˈnɛlə]	[paneˈladə]

4. • As vogais tônicas dos exemplos da primeira coluna são: de (1-4) a vogal é [ɛ]; de (5-8) a vogal é [ɔ], de (9-12) a vogal é [e] e de (13-16) a vogal é [o].
   • As vogais pretônicas dos exemplos da segunda coluna podem corresponder a uma das vogais: [ɛ,ɔ,e,o]. Por exemplo, podemos ter "v[e]lar" ou "v[ɛ]lar". Podemos ter também "apr[o]var" ou "apr[ɔ]var".
   • As vogais tônicas que ocorrem nas formas verbais da terceira coluna são sempre vogais média-baixa (aberta): [ɛ,ɔ].

[ˈa ˈvɛlə]	[vɛˈlax]	[ˈeʊ̯ vɛlu]
[ˈa ɪˈvɛʒə]	[ĩvɛˈʒah]	[ˈeʊ̯ ĩˈvɛʒʊ]
[ˈa ˈpɛlɪ]	[peˈlah]	[ˈeʊ̯ ˈpɛlu]
[ˈa ˈtɛxa]	[ateˈxah]	[ˈeʊ̯ aˈtɛxʊ]
[ˈa ˈpɾovə]	[apɾoˈvah]	[ˈeʊ̯ aˈpɾovʊ]
[ˈa ˈkɔlə]	[koˈlax]	[ˈeʊ̯ ˈkɔlʊ]
[ˈa ˈsolə]	[soˈlax]	[ˈeʊ̯ ˈsolʊ]
[ˈa ˈtokə]	[ĩtoˈkah]	[ˈeʊ̯ ĩˈtɔkʊ]
[ˈu ˈzelʊ]	[zeˈlah]	[ˈeʊ̯ ˈzɛlʊ]
[ˈu ˈatehʊ]	[ateˈhah]	[ˈeʊ̯ ˈatɛhʊ]
[ˈu ˈapelʊ]	[apeˈlax]	[ˈeʊ̯ ˈapɛlʊ]
[ˈu kaˈbelʊ]	[deskabeˈlah]	[ˈeʊ̯ deskaˈbɛlʊ]
[ˈu ˈsokʊ]	[soˈkax]	[ˈeʊ̯ ˈsokʊ]
[ˈu ˈʒogʊ]	[ʒoˈgah]	[ˈeʊ̯ ˈʒɔgʊ]
[ˈu ˈmofʊ]	[moˈfah]	[ˈeʊ̯ ˈmofʊ]
[ˈu ˈnoʒʊ]	[inoˈʒah]	[ˈeʊ̯ iˈnɔʒʊ]

246 Respostas dos exercícios

5. Observação: As vogais átonas finais de cada palavra são listadas. Cada falante pode ter uma ou mais das vogais átonas listadas.

[ˈmɔlɪ], [ˈmɔli], [ˈmɔle] mole

[saleə], [sala] sala

[ˈtodu], [ˈtodo] todo

[ˈpulu], [ˈpulo] pulo

[ˈkalɪdu], [ˈkalɪdo] cálido

[ˈtõnɪkə], [ˈtõnɪka] tônica

[ˈsēnɪku], [ˈsēnɪko] cênico

[ˈaɣvorɪ], [ˈaɣvori], [ˈaɣvore] árvore

[ˈmezə], [ˈmeza] mesa

[ˈbexsu], [ˈbexso] berço

[ˈpohtə], [ˈpohta] porta

[ʒaˈnɛlə], [ʒaˈnɛla] janela

[ˈkʷahtu], [ˈkʷahto] quarto

[seˈvɛɾə], [seˈvɛɾa] severa

[ˈluə], [ˈlua] lua

[ˈvidɾu], [ˈvidɾo] vidro

[ˈsolɪdə], [ˈsolida] sólida

[puˈdʒikə], [puˈdʒika] pudica

[ˈfotu], [ˈfoto] foto

[ˈkɾuə], [ˈkɾua] crua

[ˈtribu], [ˈtribo] tribo

[saˈfaɾɪ], [saˈfaɾi] safari

[kaxˈteɹɾu], [kaxˈteɹɾo] carteiro

[livɾaˈɾiə], [livɾaˈria] livraria

[ˈkɔfɾɪ], [ˈkɔfɾe] cofre

[ˈvɛlə], [ˈvɛla] vela

[ˈtʃipiku], [ˈtʃipiko] típico

[ˈmeɹu], [ˈmeɹo] meio

[ˈteʎə], [ˈteʎa] telha

[ˈbãɲu], [ˈbãɲo] banho

[eleˈfãtʃɪ], [eleˈfãti], [eleˈfãte] elefante

[ˈʃɛfɪ], [ˈʃɛfi], [ˈʃɛfe] chefe

[ˈsɛlebɾɪ], [ˈsɛlebɾi], [ˈsɛlebɾe] célebre

[ˈfɾeɹɾə], [ˈfɾeɹɾa] freira

[fedoˈɾētu], [fedoˈɾēto] fedorento

[ˈʒuɾɪ], [ˈʒuɾi], [ˈʒuɾe] juri

[ˈpadɾɪ], [ˈpadɾi], [ˈpadɾe] padre

[ˈbeɹʒu], [ˈbeɹʒo] beijo

[ˈpesegu], [ˈpesego] pêssego

[ˈuxsu], [ˈuxso] urso

---

6. Observação: As vogais postônicas mediais dos exemplos que se seguem são listadas. Cada falante pode ter uma ou mais das vogais postônicas mediais listadas.

[ˈkalɪdu], [ˈkalidu] cálido

[ˈkãfuɾə], [ˈkãfoɾə], [ˈkãfoɾə] cânfora

[ˈtɛtrɪku], [ˈtɛtɾiko] tétrico

[ˈnumeɾu], [ˈnumɛɾu], [ˈnumiɾu] número

[ˈalɪbɪ], [ˈalibɪ] álibi

[ˈtõnɪkə], [ˈtõnikə] tônica

[ˈsɛlebɾɪ], [ˈsɛlɛbɾɪ], [ˈsɛlibɾɪ], [ˈsɛlɪbɾɪ] célebre

[ˈaɣvuɾɪ], [ˈaɣvore], [ˈaɣvoɾɪ] árvore

[ˈopeɾə], [ˈopɛɾə], [ˈopiɾə] ópera

[ˈatũmu], [ˈatõmu], [ˈatomu] átomo

[ˈsɪlabə], [ˈsɪləbə] sílaba

[ˈkɾapula], [ˈkɾapulə] crápula

[maˈmifeɾu], [maˈmifɛɾu], [maˈmifiɾu] mamífero

[auˈtɔkɪtunɪ], [auˈtɔkɪtonɪ], [auˈtɔkɪtonɪ] autóctone

[ˈdɾakulə], [ˈdɾakulə] drácula

[ˈglɔbulu], [ˈglɔbulu] glóbulo

[poˈligēmu], [poˈligamo] polígamo

[ˈpesegu], [ˈpesɛgu], [ˈpesigu] pêssego

[moˈnɔtunu], [moˈnɔtonu], [moˈnɔtono] monótono

Respostas dos exercícios 247

7. Observação: A vogal nasal ou vogal nasal seguida de elemento nasal dos exemplos que se seguem são listadas. Cada falante pode ter a vogal nasal e/ou a vogal nasal seguida de um elemento nasal.

[baˈtõ] batom	[ˈlẽta] lenta	[ˈãtʃɪs] antes
[ˈkãforə] cânfora	[aˈsũtu] assunto	[aˈsĩ] assim
[ˈsẽtu] cento	[aˈkãpə] acampa	[iɣˈmã] irmã
[ˈsĩtu] cinto	[aˈsẽtə] assenta	[dʒiskoɣˈdãsɪa]
[ˈhũ] rum	[koˈrĩtu] Corinto	discordância
[ˈʒũtu] junto	[preˈzẽtʃɪ] presente	[ˈĩkobrɪ] encobre
[ˈlã] lã	[ˈkãdʒida] Cândida	[ˈkõdʒi] conde
[ˈsĩ] sim	[ˈtrãzɪtu] trânsito	[freˈkʷẽsɪa] frequência
[ˈsõ] som	[ˈkãʒa] canja	[koˈmũ] comum
[aˈtũ] atum	[aˈsẽtu] acento	[ʒazˈmĩ] jasmim
[ˈtʃĩpanu] tímpano	[ˈsĩplɪs] simples	[ˈãbas] ambas
[ˈtẽporə] têmpora	[ˈĩterĩ] ínterim	[ˈtãtu] tanto
[ˈlãgidu] lânguido	[ˈõbru] ombro	[ˈprĩsɪpɪ] príncipe
[ˈsãta] santa	[ˈkõpres] compras	

8. Observação: Nesses exemplos a vogal/ditongo nasalizado ou vogal/ditongo oral são em todos os casos seguidos de uma das consoantes nasais [m, n, ɲ, ỹ]. A vogal a ser nasalizada ou pronunciada como vogal oral encontra-se em negrito.

cama[ˈkãmə], [ˈkəmə]
bacana[baˈkãnə], [baˈkənə]
façanha[faˈsãɲa], [faˈsəɲa], [faˈsãɪ̯ɲa]
camada[kãˈmadə], [kaˈma ˀɪ̯, ɪkəˈmadə]
anáfora[ãˈnaforə],[aˈnaforə], [əˈnaforə]
cânhamo[ˈkãɲamu], [ˈkəɲamu], [ˈkaɪ̯ɲamu]
amada[ãˈmadə], [aˈmadə], [əˈmadə]
tâmara[ˈtãmarə], [ˈtəmarə]
banhada[bãˈɲadə], [bəˈɲadə], [bãɪ̯ˈɲadə]
manhosa[mãˈɲozə], [maˈɲozə], [məˈɲozə], [mãɪ̯ˈɲozə]
senha[ˈsẽɲə] [ˈsẽɪ̯ɲə]
senhor[sẽɪ̯ˈɲox], [sẽˈɲox], [sɛˈɲox]
senado[sẽˈnadu], [seˈnadu]
Iracema[iɾaˈsẽmə], [iɾaˈsẽɪ̯mə]
vinho[ˈvĩɲu], [ˈviɲu]
conhaque[kõˈɲakɪ], [koˈɲakɪ], [kõɪ̯ˈɲakɪ], [koɪ̯ˈɲakɪ]
tônico[ˈtõnɪku]
atômico[aˈtõmɪku]
punho[ˈpũɲu], [ˈpũɪ̯ɲu]
sumiço[sũˈmɪsu], [suˈmisu]
rainha[xaˈĩɲə], [xaˈiɲa]
Jaime[ˈʒãɪmɪ], [ˈʒaɪ̯mɪ], [ˈʒəɪ̯mɪ]
reino[ˈxeɪ̯nu], [ˈxẽɪ̯nu]
boina[ˈbõɪ̯nə], [ˈbɔɪ̯nə]
arruinar[axuɪ̯ˈnax], [axu̯iˈnax]
medonha[meˈdõɲə], [meˈdõɪ̯ɲə]
Aimorés[ãɪ̯moˈrɛs], [aɪ̯moˈrɛs], [əɪ̯moˈrɛs]
cênica[ˈsẽnɪkə], [ˈsẽɪ̯nɪkə]
Janaína[ʒanaˈĩnə], [ʒanaˈinə]
queima[ˈkẽmə], [ˈkẽɪ̯mə]

248 Respostas dos exercícios

9. Oservação: As respostas pretendem ilustrar algumas das possibilidades de variação das vogais orais e nasais. Adotou-se uma única forma de registro para as consoantes. Há portanto a possibilidade de registros diferentes.

pelé[pe'lɛ], [pɛ'lɛ]
bocó[bo'kɔ], [bɔ'kɔ]
jacu[ʒa'ku]
ali[a'li]
abará[aba'ɾa]
agogô[ago'go]
pererê[peɾe'ɾe], [pɛɾe'ɾe]
iansã[iã'sã]
manta['mãtə]
maçã[ma'sã]
janta['ʒãtə]
vento['vẽtu]
tonta['tõtə]
tom['tõ]

jejum[ʒe'ʒũ]
untar[ũ'tax]
ginga['ʒĩgə]
enfim[ẽ'fĩ], [ẽɪ̯'fĩ], [ĩ'fĩ]
terrestre[te'xɛstɾɪ], [tɛ'xɛstɾɪ]
terráqueo[te'xakɪ̯u], [tɛ'xakɪ̯u]
terreno[te'xẽnu], [tɛ'xẽnu], [tɛ'xɛnu]
colegial[koleʒɪ'aw], [kɔleʒɪ'aw], [kuliʒɪ'aw]
colégio[ko'lɛʒɪ̯u], [kɔ'lɛʒɪ̯u], [ko'lɛʒu]
coleguinha[kole'gĩɲə], [kɔlɛ'gĩɲə]
pedrinha[pɛ'dɾĩɲə]
pedregulho[pedɾe'guʎu], [pɛdɾɛ'guʎu]
corajosa[koɾa'ʒozə], [kɔɾa'ʒozə]

10. Observação: As respostas pretendem ilustrar algumas das possibilidades de variação dos ditongos orais e nasais. Registrou-se apenas os ditongos. Adotou-se uma única forma de registro para as consoantes. Há portanto a possibilidade de registros diferentes.

etérea[e'tɛɾɪ̯ə], [e'tɛɾia]
nódoa['nɔdʊ̯ə], ['nɔdua]
ódio['ɔdʒɪ̯u], ['ɔdʒɪ̯o]
cárie['kaɾɪ̯e], ['kaɾɪ̯ɪ], ['kaɾɪ]
tênue['tẽnʊ̯ɪ], ['tẽnʊ̯e]
sábia['sabɪ̯ə], ['sabɪ̯a]
Mário['maɾɪ̯u], ['maɾɪ̯o]
amém[a'mẽɪ̯]
anão[a'nãʊ̯]
câimbra['kãɪ̯bɾə]
ruim['xũɪ̯]

repõe[xe'põɪ̯]
capitães[kapi'tãɪ̯s]
nacional[nasɪ̯o'naw], [nasɪ̯u'naw]
gaitista[gaɪ̯'tʃistə]
ajeitado[aʒeɪ̯'tadu]
cuidado[kuɪ̯'dadu]
Moscou[mos'koʊ̯]
judeu[ʒu'deʊ̯]
aurora[aʊ̯'ɾoɾa]
coitada[koɪ̯'tadə]

11. Os exemplos são ortográficos e o estudante deve transcrevê-los foneticamente, buscando ainda seus próprios exemplos.

[i] - [sa'si] saci
[e] - [dẽ'de]dendê
[ɛ] - [ʃu'lɛ]chulé
[a] - ['ʒakə]jaca
[ɔ] - ['gɔlə]gola
[o] - ['bolʊ] bolo
[u] - [a'ʒudə]ajuda
[ĩ] - [max'fĩ]marfim
[ẽ] - ['lẽtə]lenta
[ã] - [ma'sã]maçã

[õ] - ['kõdʒɪ]conde
[ũ] - ['mũdu]mundo
[aɪ] - ['paɪ̯]pai
[eɪ̯] - [kõ'fɾeɪ̯]confrei
[ɛɪ̯] - [a'nɛɪ̯s]anéis
[oɪ̯] - ['oɪ̯tu]oito
[ɔɪ̯] - [ɛ'ɾɔɪ̯]herói
[uɪ̯] - ['kuɪ̯də]cuida
[aʊ̯] - ['kaʊ̯də]cauda
[eʊ̯] - [eʊ̯ɾo'peʊ̯]europeu

[ɛʊ̯] - [ʃa'pɛʊ̯]chapéu
[oʊ̯] - [mos'koʊ̯]Moscou
[iʊ̯] - [xu'ʒɪʊ̯]rugiu
[ãɪ̯] - [kapɪ'tãɪ̯s]capitães
[õɪ̯] - [a'sõɪ̯s]ações
[ũɪ̯] - ['mũɪ̯tu]muito
[ẽɪ̯] - [a'lẽɪ̯]além
[ãʊ̯] - [na'sãʊ̯]nação

Respostas dos exercícios 249

12. Observação: Apresentamos algumas transcrições possíveis para o texto. Transcrições adicionais podem ser atestadas.

Minas Gerais
[kõklu'imʊza'ki 'uzezex'sisɹʊsxeferẽtʃɪz 'aᶷsegi'mẽtʊzvo'kalikʊs 'dupoxtu'ges bɾazi'leɹɾʊ// 'a 'pɾɔsɪmə se'sãᶷ 'ε dedʒi'kadə 'a dʒisku'sãᶷ da natu'rezə 'das tɾãskɾi'sõɹs fo'nεtʃikəs

São Paulo
[kõklu'imʊza'ki 'uzezeɾ'sisɹʊsxeferẽtɪz 'aᶷsegi'mẽtʊzvo'kalikʊs 'dupoɾtu'gez bɾazi'leɹɾʊ// 'a 'pɾɔsɪmə se'sãᶷ 'ε dedi'kadə 'a disku'sãᶷ da natu'rezə 'das tɾãskɾi'sõɹs fo'nεtikəs]

Rio de Janeiro
[kõklu'imʊz a'ki'ʊz ezex'sisiᶷʃ xefe'ɾẽtʃz 'aᶷʃ segɪ'mẽtʊʒ vo'kalikʊʒ 'du poxtu'geɹʒ bɾazi'leɾʊ // 'a 'pɾɔsimə se'sãᶷ 'ε dedʒi'kadə 'a dʒiʃkusãᶷ 'da natu'rezə 'daʃ tɾãʃkɾi'sõɹʃ fo'nεtʃikəʃ]

Sul de Minas Gerais
[kõklu'imʊza'ki'uzeze'sisiᶷs xefe'ɾẽtʃz 'aᶷsegɪ'mẽtʊzvo'kalikʊz 'dupoɹtu'ges bɾazi'leɹɾʊ // 'a 'pɾɔsimə se'sãᶷ 'ε dedʒi'kadə 'a dʒiskusãᶷ 'da natu'rezə 'das tɾãskɾi'sõɹs fo'nεtʃikəs]

Portugal
[kõklu'imʊz ə'ki'uz ɪziɾ'sisiᶷʃ 'řɨf'rẽtz 'aᶷʃ sɨg'mẽtʊʒ vu'kalikʊʒ 'ðupuɾtᶷ geɹs bɾazi'leɹɾʊ // 'a 'pɾɔsimə sɨ'sãᶷ 'ε ðiði'kaðə 'a dʒiʃku'sãᶷ 'da natu'rezə 'ðaʃ tɾãʃkɾi'sõɹʃ fu'nεtɪkəʃ]

Paraná
[kõklu'imʊz a'ki'uz ezeɾ'sisiᶷs hefe'ɾẽtʃɪz 'aᶷs segɪ'mẽtʊz vo'kalikʊz 'du puɾtu'geɹs bɾazi'leɹɾʊ // 'a 'pɾɔsimə se'sãᶷ 'ε dedʒi'kadə 'a dʒiskusãᶷ 'da natu'rezə 'das tɾãskɾi'sõɹs fo'nεtikəs]

Exercícios complementares 3: transcrições fonéticas

3.1 - Sequências de consoante lateral-glide em posição intervocálica

Grupo 1: o dígrafo "lh" pode ser pronunciado como um dos segmentos [ʎ, lʲ, y] nas palavras "cartilha, velha, julho".

Grupo 2: a sequência ortográfica "li" pode ser pronunciada como [li] ou como [lʲi] nas palavras "família, camélia, Júlio".

Observação: caso você pronuncie o dígrafo "lh" como [lʲ] e a sequência ortográfica "li" como [lʲi] a parte final das palavras do grupo 1 e do grupo 2 são homófonas para você.

Grupo 3: o dígrafo "lh" pode ser pronunciado como um dos segmentos [ʎ, lʲ, y] nas palavras "palhaçada, telhado, bagulhada".

250 Respostas dos exercícios

3.2 Sequência de vogal em posição final de sílaba

dialeto sem vocalização do l	dialeto com vocalização do l
[muˈzeu̯]	[muˈzeu̯]
[eu̯ˈɾopə]	[eu̯ˈɾopə]
[bɾaˈzɪɫ]	[bɾaˈzɪw]
[ˈsiɫvə]	[ˈsɪwvə]

3.3 Os exemplos enfatizam a transcrição de (oclusiva velar (k,g) + glide (ou vogal) +vogal)

mágoa[ˈmagu̯ə], [ˈmagua]
magoado[maˈgu̯adu], [maguˈadu]
míngua[ˈmĩgʷə]
minguado[mĩˈgʷadu]
cueca[ˈku̯ɛkə], [kuˈɛkə]
sequela[seˈkʷɛlə]

quadrado[kʷaˈdɾadu]
tranquilo[tɾãˈkʷilu]
quase[ˈkʷazɪ]
aquarela[akʷaˈɾɛlə]
linguiça[lĩˈgʷisə]
Guarapari[gʷaɾapaˈɾi]

3.4 Os exemplos enfatizam a transcrição dos glides intervocálicos

teia[ˈteɪ̯ə]
maia[ˈmaɪ̯ə]
apoio[aˈpoɪ̯u]
saiote[saˈɪ̯otʃɪ], [saɪ̯ˈotʃɪ]
cuia[ˈkuɪ̯ə]
boiada[boˈɪ̯adə], [boɪ̯ˈadə]

areial[aɾeɪ̯ˈaw], [aɾeˈɪ̯aw]
feioso[feɪ̯ˈozu], [feˈɪ̯ozu]
Cauê[kau̯ˈe], [kaˈu̯e]
Piauí[pɪ̯au̯ˈi], [piau̯ˈi], [pɪ̯aˈu̯i]
Ananindeua[ananĩˈdeu̯ə]
Cuiabá[ku̯iaˈba], [kuɪ̯aˈba]

Exercício final

Apresentamos algumas respostas possíveis. O estudante deverá fazer a transcrição cuidadosamente observando as particularidades de sua fala individual.

Minas Gerais

[ˈuz ˈoɦgãu̯s ˈki utʃiliˈzãmuz ˈna pɾoduˈsãu̯ ˈda ˈfalə ˈnãu̯ ˈteɪ̯ ˈkomu fũˈsãu̯ pɾiˈmaɾɪ̯ə ˈa axtʃikulasãu̯ ˈdus ˈsõs// ˈna veɦdadʒɪ/ ˈnãu̯ iˈziʃtʃɪnĩ ˈŷũmə ˈpahtʃɪ ˈdu ˈkohpu uˈmãnu ˈkuʒə ˈunikə fũˈsau̯ is ˈteʒə aˈpẽnəs helasɪ̯o nadə ˈkõ aˈfalə// ˈas ˈpaɹtʃz ˈdu ˈkohpu uˈmãnu ˈkɪ utʃiliˈzãmuz ˈna pɾoduˈsãu̯ ˈda ˈfalə ˈteɪ̯ ˈkomu fũˈsãu̯ pɾiˈmaɾɪ̯ə ˈou̯təz atʃiviˈdadz dʒifeɾẽtʃz ˈda ˈfalə ˈkõmu/ poɾeˈzẽplu maʃtʃiˈgah/ ĩguˈlɪh/ hespiˈɾah ou̯ ˈʃeɪ̯ˈɾah//ẽtɾeˈtãtu/ ˈpaɾə pɾoduˈziɦmus kʷawˈkɛh ˈsõ ˈdʒɪ kʷaˈkɛɦ ˈlĩgʷə faˈzẽmuz ˈuzu ˈdʒɪ ˈũmə ˈpahtʃɪ espeˈsifika ˈdu ˈkohpu uˈmãnu ˈki denoˈminə ˈɾẽmuz ˈdʒɪ apaˈɾelʲu fonaˈdoh]

Respostas dos exercícios 251

São Paulo

[ˈuz ˈɔɾɡãʊ̯s ˈkiutiliˈzãmuz ˈnapɾoduˈsãʊ̯ ˈda ˈfalə ˈnãʊ̯ ˈtẽɾ ˈkomu fũˈsãʊ̯pɾiˈmaɾɪ̯ə
ˈa aɾtikulaˈsãʊ̯ ˈdus ˈsõs// ˈna veɾdadɪ/ ˈnãʊ̯ iˈzistɪ nĩˈỹũmə ˈpaɾtɪ ˈdu ˈkoɾpu
uˈmãnu ˈkuʒə ˈunikə fũˈsãʊ̯ isˈteʒə aˈpẽnas helasɪ̯oˈnadə ˈkõ ˈa ˈfalə// ˈas ˈpaɾtɪz
ˈdu ˈkoɾpu uˈmãnu ˈkɪutiliˈzãmuz ˈnapɾoduˈsãʊ̯ ˈda ˈfalə ˈtẽɾ ˈkomu fũˈsãʊ̯pɾiˈmaɾɪ̯ə
ˈoʊ̯tɾəz ativiˈdads/ difeˈɾẽtɪz ˈda ˈfalə ˈkõmu/ poɾeˈzẽplu mastiˈɡaɾ/ ĩɡoˈlɪɾ/
xespiˈrahoʊ̯ʃeɾˈrah//ẽtreˈtãtu/ ˈpaɾəpɾoduˈziɾmuskʷawˈkɛɾ ˈsõ ˈdɪkʷaˈkɛɾ ˈlĩɡʷə
faˈzemuz ˈuzu ˈdɪ ˈũmə ˈpaɾtɪ ispeˈsifikə ˈdu ˈkoɾpu uˈmãnu ˈki denoˈminəˈremuz
ˈdɪ apaˈrelʲu fonaˈdoɾ]

Rio de Janeiro

[ˈuz ˈɔɣɡãʊ̯ʃ ˈkiutʃiliˈzãmuʒ ˈna pɾoduˈsãʊ̯ ˈda ˈfalə ˈnãʊ̯ ˈtẽɾ ˈkõmu fũˈsãʊ̯
pɾiˈmaɾɪ̯ə ˈə axtʃikulaˈsãʊ̯ ˈdʒi ˈsõɪ̯ʃ/ ˈna veɣˈdadʒɪ ˈnãʊ̯ iˈzisʃtʃi nẽˈỹũmə
paxtʃɪ ˈdu ˈkoxpu uˈmãnu ˈkuʒə ˈũnikə fũˈsãʊ̯ iʃˈteʒə aˈpenəʃ xelasɪ̯oˈnadə ˈkõ
ˈa ˈfalə/ ˈaʃ ˈpaxtʃʒ ˈdukoxpuˈmãnu ˈkiutʃiliˈzãmuʒ ˈnapɾoduˈsãʊ̯ ˈda ˈfalə
ˈtẽɾ ˈkomu fũˈsãʊ̯pɾiˈmaɾɪ̯ə ˈoʊ̯tɾəz atʃiviˈdadʒɪʒ dʒifeˈɾẽtʃɪʒ ˈda ˈfalə
ˈkõmu ˈpuɾ eˈzẽplu maʃtʃiˈɡax ẽɡoˈlix/xeʃpiˈrax ˈoʊ̯ʃeɾˈrax/ ẽtreˈtãtu/ˈpaɾə
pɾoduˈziɣmuʃ kʷawˈkɛx ˈsõ ˈdʒika kʷˈkɛɣ ˈlĩɡ ʷa faˈzemuz ˈuzu ˈdʒi ˈumə ˈpaxtʃɪ
iʃpeˈsifikə ˈdu ˈkoxpu uˈmãnu ˈki denominaˈrẽmuʒ ˈdʒi apaˈrelʲu fonaˈdox]

Sul de Minas Gerais

[ˈuz ˈɔɹɡãʊ̯s ˈkiutʃiliˈzamuz ˈnapɾoduˈsãʊ̯ ˈda ˈfalə ˈnãʊ̯ ˈtẽɾ ˈkomu fũˈsãʊ̯
pɾiˈmaɾɪ̯ə ə aɹtʃikulaˈsãʊ̯ ˈdʒi ˈsõs/ ˈna veɹˈdadʒ ˈnãʊ̯ eˈzisʃtʃi nẽɾ̯ˈỹumə
paɹtʃɪ ˈdu ˈkoɹpu uˈmãnu ˈkuʒə ˈũnikə fũˈsãʊ̯ isˈteʒə əˈpenəs xelasɪ̯oˈnadə ˈkõ ˈa
ˈfalə/ ˈas ˈpaɹtz ˈdukoɹpu uˈmanu ˈkiutʃiliˈzãmuz ˈnapɾoduˈsãʊ̯ ˈda ˈfalə ˈtẽɾ
ˈkõmu fũˈsãʊ̯pɾiˈmaɾɪ̯ə ˈoʊ̯tɾəz atʃiviˈdadz dʒifeˈɾẽtz ˈda ˈfalə ˈkomu ˈpoɾ
eˈzẽplu maʃtʃiɡaɹ ẽɡoˈliɹ xespiˈra ˈoʊ̯ʃeɾˈraɹ/ ẽtreˈtãtu ˈpaɾəpɾoduˈzimus
kʷawˈkɛɹ ˈsõ ˈdʒi kʷawˈkɛɹ ˈlĩɡ ʷa faˈzemuz ˈuzu ˈdʒi ˈumə ˈpaɹtʃɪ ispeˈsifikə
ˈdu ˈkoɹpuˈmãnu ˈki denominaˈremus dʒɪ apaˈrelʲu fõnaˈdoɹ]

Portugal

[ˈuz ˈɔɾɡãʊ̯ʃ ˈkiutiliˈzamuʒ ˈnə pɾuðusãʊ̯ ˈða ˈfalə ˈnãʊ̯ ˈteẽɾ ˈkomu fũˈsãʊ̯
pɾiˈmaɾɪ̯ə ə aɾtikulaˈsãʊ̯ ˈð sõʃ/ ˈnə vɨɾðad ˈnãʊ̯ ɨˈziʃt niˈɲumə paɾt ˈdu ˈkoɾpu
uˈmanu ˈkuʒə ˈunikə fũˈsãʊ̯ iʃˈteʒə eˈpenəʃ xɨlasɪ̯oˈnaðə ˈkõ ˈa ˈfalə/ ˈəʃ
ˈpaɾtsʒ ˈdukoɾpu uˈmanu ˈkiutiliˈzamuʒ ˈnapɾuðuˈsãʊ̯ ˈða ˈfalə ˈtẽɾ ˈkomu
fũˈsãʊ̯pɾiˈmaɾɪ̯ə ˈotɾəz ativi ˈðaðɪs difeˈɾẽtz ˈdə ˈfalə ˈkomu ˈpuɾ eˈzẽplu
maʃtiɡəɾ ẽɾɡuˈliɾ xspiˈraɾ o ˈʃeɾˈraɾ/ ẽɾtriˈtãtu ˈpaɾə pɾuðuˈziɾmuʃ kʷałˈkɛɾ
ˈsõ ˈðɪ kʷałˈkɛɾ ˈlĩɡ ʷa faˈzemuz ˈuzu ˈði ˈumə ˈpaɾt spɨˈsifkə ˈðu ˈkoɾpɨ
uˈmanu ˈkɨ dɨnominəˈremuz ˈðɨ əpəˈreʎu funəˈðoɾ]

252 Respostas dos exercícios

Paraná

[ˈuz ˈɔɾgãŭs ˈki utʃiliˈzãmʊzˈna pɾoduˈsãŭ ˈda ˈfalə ˈnãŭ ˈtẽɪ̯ ˈkomʊ fũˈsãŭ
pɾiˈmaɾɪ̯ə ˈa aɾtʃikulaˈsãŭ ˈdus ˈsõs/ ˈna veɹˈdadʒɪ ˈnũ iˈzisʃtʃi niˈỹumə
paɹtʃɪ ˈdu ˈkoɹpu ˈmãnʊ ˈkuʒə ˈunikə fũˈsãŭ isˈteʒəˈpenəs helasɪ̯oˈnadə ˈkõ ˈa
ˈfalə/ ˈas ˈpaɾtʃiz ˈdukoɾpuˈmanu ˈki utʃiliˈzãmuz ˈna pɾoduˈsãŭ ˈda ˈfalə
ˈtẽɪ̯ ˈkomʊ fũˈsãŭ pɾiˈmaɾɪ̯ə ˈoŭtɾaz atʃiviˈdadʒɪs dʒifeˈrẽtʃɪs ˈda ˈfalə ˈkomu
ˈpor eˈzẽplumaʃtʃigaɾ ẽɪguˈliɾ hespiˈraɾ ˈoŭ ʃeɪ̯ˈrah / ẽɪtreˈtãtu ˈpaɾə
pɾoduˈziɾmus kʷawˈkɛɾ ˈsõ ˈdʒi kʷawˈkɛɾ ˈlĩg ʷa faˈzẽmuz ˈuzu ˈdʒi ˈumə ˈpaɾtʃɪ
ispeˈsifikə ˈdu ˈkoɹpuˈmãnu ˈki denominəˈremus apaˈrelʲu fonaˈdoh]

Fonêmica

Exercício 1
Ênfase é dada ao registro do "s" ortográfico em limite de sílaba.

a.	cuspe	[ˈkuspɪ], [ˈkuʃpɪ]	b. esbarro	[izˈbaxʊ], [iʒˈbaxʊ]
c.	festa	[ˈfɛstə], [ˈfɛʃtə]	d. desdém	[dezˈdẽɪ̯], [deʒˈdẽɪ̯]
e.	casca	[ˈkaskə], [ˈkaʃkə]	f. vesga	[ˈvezgə], [ˈveʒgə]
g.	esforço	[isˈfoxsʊ], [iʃˈfoxsʊ]	h. desvio	[dezˈviʊ], [deʒˈviʊ]

Exercício 2
a. k - g **SIM**, temos um som desvozeado e seu correspondente vozeado.

b. a - ɛ **NÃO**, distinguem-se por mais de uma propriedade: central/anterior e média-baixa/baixa (cf. 5i).

c. l - ɾ **SIM**, as laterais, vibrantes e o tepe (cf. 5g).

d. t - l **NÃO**, oclusivas e laterais não têm similaridade fonética.

e. u - i **NÃO**, distinguem-se por mais de uma propriedade: anterior/posterior e arredondado/Não arredondado (cf. 5i).

f. tʃ - dʒ **SIM**, um som vozeado e seu correspondente desvozeado (cf. 5a).

g. m - n **SIM**, as nasais entre si (cf. 5d).

h. o - u **SIM**, distinguem-se quanto a alta/média-alta (cf. 5i).

i. p - b **SIM**, um som vozeado e seu correspondente desvozeado (cf. 5a).

j. s - z **SIM**, um som vozeado e seu correspondente desvozeado (cf. 5a).

k. ɲ- n **SIM**, as nasais entre si (cf. 5d).

l. ʃ - v **NÃO**, embora as duas consoantes sejam fricativas, o ponto de articulação de uma para outra não é próximo (cf 5c).

Exercício 3

a.	trote	[ˈtrɔtʃi]	e.	careta	[kaˈretə]	i.	pista	[ˈpistə]
b.	tupã	[tuˈpã]	f.	tio	[ˈtʃiʊ]	j.	útil	[ˈutʃiw].
c.	tinta	[ˈtʃĩtə]	g.	intriga	[ĩˈtrigə]	k.	toca	[ˈtɔkə]
d.	tango	[ˈtãgʊ]	h.	antigo	[ãˈtʃigʊ]	l.	tribo	[ˈtribʊ]

Respostas dos exercícios 253

Exercício 4

Ênfase é dada ao registro do "t" ortográfico

troca	[ˈtrɔkə]	/ˈtrɔka/		pata	[ˈpatə]	/ˈpata/
tipo	[ˈtʃĩpʊ]	/ˈtipo/		ateu	[aˈteʊ]	/aˈteu/
frita	[ˈfritə]	/ˈfrita/		tigre	[ˈtʃĩgɾɪ]	/ˈtigre/
tigela	[tʃĩˈʒɛlə]	/tiˈʒela/		luta	[ˈlutə]	/ˈluta/
pote	[ˈpɔtʃĩ]	/ˈpɔte/		pátio	[ˈpatʃĩʊ]	/ˈpatio/

Exercício 5

- A formalização de (11) em termos de processo deve ser idêntica àquela apresentada em (9).
- Compare (8-9) com (10-11). Lembre-se que (9) descreve o **processo** de palatalização de "t" para casos que apresentam ou não a dentalização. Já a notação por arranjo deverá ser diferente [cf. (8) e (11)]. A descrição por arranjo trabalha com itens em caráter individual. A descrição em termos de processo permite expressar generalizações em caráter abrangente.

O SISTEMA CONSONANTAL DO PORTUGUÊS

Exercício 1: Você deve selecionar todos e apenas os segmentos que foram registrados em sua tabela fonética destacável. Portanto, se a vibrante [ř] não ocorre em seu idioleto este segmento não deve constar dos pares. Espera-se que leitores apresentem respostas diferentes ao exercício. Isto porque o inventário fonético geralmente varia de falante para falante.

Exercício 2: Veja os exemplos listados em (2). Procure encontrar seus próprios exemplos. Você deverá encontrar pares mínimos apenas para aqueles pares de sons que você selecionou no exercício 1.

Exercício 3: O estudante deve avaliar a sua representação fonética. A representação fonêmica é dada abaixo.

a. cara   /kaˈra/   e. arara /aˈraɾa/   i. cabra   /ˈkabɾa/

b. rasa   /ˈR̄aza/   f. garça /ˈgaRsa/   j. barraca   /baˈR̄aka/

c. prata   /ˈprata/   g. sarna /ˈsaRna/

d. carma /ˈkaRma/   h. azar   /aˈzaR/

Exercício 4: O estudante deve avaliar a sua representação fonética. A representação fonêmica é dada abaixo.

a. cajá   /kaˈʒa/   e. abastada /abaSˈtada/   i. chata /ˈʃata/

b. asma   /ˈaSma/   f. gasta   /ˈgaSta/   j. jarra /ˈʒaR̄a/

c. caçada   /kaˈsada/   g. marcha /ˈmaRʃa/

d. azar   /aˈzaR/   h. salada   /saˈlada/

254 Respostas dos exercícios

Exercício 5: O estudante deve avaliar a sua representação fonética. A representação fonêmica é dada abaixo.

a. ditado /diˈtado/
b. tarde /ˈtaRde/
c. teatro /tɛˈatɾo/
d. ardido /aRˈdido/
e. fonética /foˈnɛtika/
f. triste /ˈtɾiSte/
g. atirado /atiˈrado/
h. castigo /kaSˈtigo/
i. disco /ˈdiSko/
j. cordialidade /koRdialiˈdade/

Exercício 6: O estudante deve avaliar a sua representação fonética. A representação fonêmica é dada abaixo.

bagulho /baˈguʎo/
palhoça /paˈʎɔsa/
velho /ˈvɛʎo/
galho /ˈgaʎo/
pilha /ˈpiʎa/
bilhete /biˈʎete/
abelhudo /abɛˈʎudo/
malharia /maʎaˈria/
bedelho /bɛˈdeʎo/
baralho /baˈraʎo/

Exercício 7: O estudante deve avaliar a sua representação fonética. A representação fonêmica é dada abaixo.

a. cultural /kultuˈral/
b. almejado /almɛˈʒado/
c. capital /kapiˈtal/
d. gol /ˈgol/
e. atol /aˈtɔl/
f. azul /aˈzul/
g. canil /kaˈnil/
h. ultraje /ulˈtɾaʒe/

A estrutura silábica

Exercício 1: O estudante deve avaliar a sua representação fonética. A representação fonêmica é dada abaixo.

fugaz /fuˈgaS/
arroz /aˈR̄oS/
atroz /aˈtrɔS/
luz /ˈluS/
susto /ˈsuSto/
vespa /ˈveSpa/
lesma /ˈleSma/
vesga /ˈveSga/
mês /ˈmeS/
mês passado /meSpaˈsado/
mês bonito /meSboˈnito/
mês alegre /meSaˈlɛgɾe/

Exercício 2: O estudante deve avaliar a sua representação fonética. A representação fonêmica é dada abaixo.

era /ˈɛɾa/
guri /guˈri/
arara /aˈraɾa/
cravo /ˈkravo/
primo /ˈpɾimo/
aprova /aˈpɾɔva/
reto /ˈR̄ɛto/
rapaz /R̄aˈpaS/
cerrado /seˈR̄ado/
israelita /iSR̄aɛˈlita/
amor /aˈmoR/
certo /ˈsɛRto/
forte /ˈfɔRte/

Exercício 3: O estudante deve avaliar a sua representação fonética. A representação fonêmica é dada abaixo.

a. papel /paˈpɛl/
b. selva /ˈsɛlva/
c. sol /ˈsɔl/
d. solstício /sɔlSˈtisio/
e. cachecol /kaʃɛˈkɔl/
f. sul /ˈsul/
g. vulto /ˈvulto/
h. marechal /maɾɛˈʃal/
i. colcha /ˈkolʃa/
j. Brasil /braˈzil/

Respostas dos exercícios **255**

Exercício 4: O estudante deve avaliar a sua representação fonética. A representação fonêmica é dada abaixo.

Vogais Nasais

a. conde — /ˈkoNde/
b. manto — /ˈmaNto/
c. cantiga — /kaNˈtiga/
d. centavo — /seNˈtavo/
e. anzol — /aNˈzɔl/
f. anjo — /ˈaNʒo/
g. ângulo — /ˈaNgulo/
h. gente — /ˈʒeNte/
i. tinta — /ˈtiNta/
j. onde — /ˈoNde/

Vogais Nasalizadas

a. cama — /ˈkama/
b. sanar — /saˈnaR/
c. banho — /ˈbaɲo/
d. camada — /kaˈmada/
e. panela — /paˈnɛla/
f. cena — /ˈsɛna/
g. remo — /ˈR̄ɛmo/
h. fome — /ˈfɔme/
i. sonata — /sɔˈnata/
j. sonho — /ˈsɔɲo/

O sistema vocálico oral

Exercício 1

a. i/e — p[i]ra, p[e]ra
b. e/ɛ — s[e]de, s[ɛ]de
c. ɔ/o — f[ɔ]rma, f[o]rma
d. o/u — m[o]rro, m[u]rro
e. a/ɔ — não há
f. i/ɪ — não há
g. u/ʊ — não há

Exercício 2: Alofonia de /i/ - O leitor deverá selecionar um subgrupo dos segmentos vocálicos [i,ĩ,ɪ] (ou todos estes segmentos) como alofones do fonema /i/.

Exercício 3: O estudante deve avaliar a sua representação fonética. A representação fonêmica é dada abaixo.

aqui	/ˈaki/	pairar	/paiˈraR/	sina	/ˈsina/
titia	/tiˈtia/	pátria	/ˈpatria/	sinal	/siˈnal/
safari	/saˈfaɾi/	prima	/ˈprima/	linha	/ˈliɲa/
pálida	/ˈpalida/	primata	/pɾiˈmata/	alinhar	/aliˈɲaR/

Exercício 4: Alofonia de /e/ - O leitor deverá selecionar um subgrupo dos segmentos vocálicos [e,i,ɪ,i] (ou todos estes segmentos) como alofones do fonema /e/.

Exercício 5: O estudante deve avaliar a sua representação fonética. A representação fonêmica é dada abaixo.

viver /viˈveR/   pererê /pereˈre/   limite /liˈmite/   pêssego /ˈpesego/

256 Respostas dos exercícios

Exercício 6: Alofonia de /ɛ/ - O leitor deverá selecionar um subgrupo dos segmentos vocálicos [ɛ,e,ẽ,ɪ,i] (ou todos estes segmentos) como alofones do fonema /ɛ/.

Exercício 7: O estudante deve avaliar a sua representação fonética. A representação fonêmica é dada abaixo.

serelepe /sɛrɛˈlɛpe/	líder /ˈlidɛR/	acenar /asɛˈnaR/
ópera /ˈɔpɛra/	leme /ˈlɛme/	senha /ˈsɛɲa/
cátedra /ˈkatɛdra/	temer /tɛˈmeR/	penhasco /pɛˈɲaSko/
fúnebre /ˈfunɛbre/	sirene /siˈrɛne/	

Exercício 8: Alofonia de /a/ - O leitor deverá selecionar um subgrupo dos segmentos vocálicos [a,ã,ə] (ou todos estes segmentos) como alofones do fonema /a/.

Exercício 9: O estudante deve avaliar a sua representação fonética. A representação fonêmica é dada abaixo.

pirata /piˈrata/	lama /ˈlama/	ganha /ˈgaɲa/
cachaça /kaˈʃasa/	lamaçal /lamaˈsal/	ganhador /gaɲaˈdoR/
sala /ˈsala/	banana /baˈnana/	
câmara /ˈkamara/	ananás /anaˈnaS/	

Exercício 10: Alofonia de /ɔ/ - O leitor deverá selecionar um subgrupo dos segmentos vocálicos [ɔ,o,õ,u] (ou todos estes segmentos) como alofones do fonema /ɔ/.

Exercício 11: O estudante deve avaliar a sua representação fonética. A representação fonêmica é dada abaixo.

cipó	/siˈpɔ/	cômodo	/ˈkɔmɔdo/
pororoca	/pɔrɔˈrɔka/	Antônio	/aNˈtɔnio/
colega	/kɔˈlɛga/	comadre	/kɔˈmadre/
átomo	/ˈatɔmo/	Antonieta	/aNtɔniˈeta/
jogando	/ʒɔˈgaNdo/	conhaque	/kɔˈɲake/
docente	/dɔˈseNte/		

Exercício 12: Alofonia de /o/ - O leitor deverá selecionar um subgrupo dos segmentos vocálicos [o,u,ʊ] (ou todos estes segmentos) como alofones do fonema /o/.

Exercício 13: O estudante deve avaliar a sua representação fonética. A representação fonêmica é dada abaixo.

pivô /piˈvo/   sorriso /soˈR̄izo/   pato /ˈpato/   sínodo /ˈsinɔdo/

Exercício 14: Alofonia de /u/ - O leitor deverá selecionar um subgrupo dos segmentos vocálicos [u,ũ,ʊ] (ou todos estes segmentos) como alofones do fonema /u/.

Respostas dos exercícios **257**

Exercício 15: O estudante deve avaliar a sua representação fonética. A representação fonêmica é dada abaixo.

angu /aNˈgu/

curió /kuɾiˈɔ/

mulher /muˈʎɛR/

cédula /ˈsɛdula/

uivar /uiˈvaR/

árduo /ˈaRduo/

úmido /ˈumido/

zunir /zuˈniR/

cunho /ˈkuɲo/

umidade /umiˈdade/

zunido /zuˈnido/

cunhado /kuˈɲado/

Exercício 16: O estudante deve avaliar a sua representação fonética. A representação fonêmica é dada abaixo.

mole	/ˈmɔle/	algébrico	/alˈʒɛbriko/	penedo	/peˈnedo/
salada	/saˈlada/	pároco	/ˈpaɾɔko/	namorado	/namɔˈrado/
código	/ˈkɔdigo/	fôlego	/ˈfolego/	sonoplastia	/sɔnɔplaSˈtia/
ótimo	/ˈɔtimo/	utilidade	/utiliˈdade/	punir	/puˈniR/
equívoco	/ɛˈkivɔko/	colorido	/kɔlɔˈɾido/	sequela	/sɛˈkʷɛla/
bêbada	/ˈbebada/	purificado	/puɾifiˈkado/	linguarudo	/liNgʷaˈɾudo/
século	/ˈsɛkulo/	acúmulo	/aˈkumulo/	dentuça	/deNˈtusa/
safari	/saˈfaɾi/	mineirice	/mineiˈɾise/	sentada	/seNˈtada/

Exercício final

O estudante deve avaliar a sua representação fonética. A representação fonêmica é dada abaixo.

/ˈu iSˈtudo ˈdaS ˈliNgʷaS natuˈraiS ɛSˈpɾɛsa ˈa R̄ɛaliˈdade ˈkoN ˈke koNviˈvɛmoS // ˈuN ˈkaoS apaˈɾeNte ˈke ˈna vɛRˈdade ˈɛ R̄igɔɾɔzaˈmeNte ɔRganiˈzado // ˈao ɛStudiˈozo koNˈpɛte dɛSveNˈdaR ˈoS miSˈtɛɾioS ˈdeSte ˈkaoS // ˈuN ˈkaoS ˈeN mɔviˈmeNto koNSˈtaNte ˈke ˈa ˈtodo mɔˈmeNto dezaˈfia ˈaS aˈnalizeS // ˈuN ˈgɾaNde dɛzaˈfio ˈke sɛRtaˈmeNte ˈvale eNpreeNˈdeR /

O acento

Exercício 1: O estudante deve avaliar a sua representação fonética. A representação fonêmica é dada abaixo.

sílaba	/ˈsilaba/	ópera	/ˈɔpɛɾa/	médica	/ˈmɛdika/
dissílaba	/diˈsilaba/	opera	/ɔˈpɛɾa/	medica	/mɛˈdika/
silabar	/silaˈbaR/	operado	/ɔpɛˈɾado/	medicado	/mɛdiˈkado/
silabado	/silaˈbado/	operador	/ɔpɛɾaˈdoR/	medicamento	/mɛdikaˈmeNto/

Exercício 2

a. celebridade

```
c   e   l   e   b   r   i   d   a   d   e
|   |           |       |   |       |
1   1           1       3       0
```

b. célebre idade

```
c   e   l   e   b   r   i   d   a   d   e
|   |           |       |   |       |
2   0           1       3       0
```

c. parasitar

```
p   a   r   a   s   i   t   a   r
|       |       |   |
1       1       1   3
```

d. para citar

```
p   a   r   a   c   i   t   a   r
|       |       |   |
2       0       1   3
```

e. paparicado

```
p   a   p   a   r   i   c   a   d   o
|       |       |       |       |
1       1       1       3       0
```

f. técnica

```
t   e   [k  i  ]  n   i   c   a
|   |           |       |
3   0           0       0
```

g. ar roxo

```
a   r   r   o   x   o
|           |   |
2           3   0
```

h. arrocho

```
a   r   r   o   ch  o
|           |       |
1           3       0
```

Índice remissivo

A

Acento 71, 77, 182

Acento primário 41, 77, 78, 113, 115, 152, 216

Acento secundário 41, 77, 216

Acústica 23, 26, 90, 194, 198

Africada 33, 37, 38, 57, 137

Alçamento vocálico 81

Alofone 126, 135, 136, 137

Alofonia 133, 140, 150, 173

Alta frequência 224, 226

+ Alto 194, 196

- Alto 194

Altura 66

Alveolar 32, 37, 41

Alvéolos 30, 31, 32, 35, 62, 65

Alveolopalatal 32, 37, 38, 40, 42, 47, 53, 58, 194

Ambiente 35, 119, 133, 134
análogo 126, 127
idêntico 126, 127

Aparelho fonador 23, 24, 25, 30, 33, 115, 193

Ápice da língua 30

Área vocálica 73, 75

Arquifonema 145, 157, 158, 159, 160, 161
nasal 163, 165, 166, 168, 172

Arredondamento dos lábios 34, 68, 69, 100, 122, 192

Articulações secundárias 34, 35, 36, 70

Articulador ativo 26, 29, 31, 32, 33, 34, 35, 36, 42, 43, 46

Articulador passivo 26, 29, 31, 32, 33, 34, 35, 36, 42, 43, 46

Assimetria 122

Assimilação 50, 52, 120, 121, 126, 198, 199
de nasalidade 121

Associação Internacional de Fonética 40, 41, 69

B

Baixa frequência 226

+ Baixo 194

- Baixo 194, 196

Bardi (Austrália) 122

Belém (PA) 62, 150

Belo Horizonte (MG) 12, 32, 38, 39, 51, 52, 53, 56, 57, 58, 59, 100, 121, 129, 140, 143, 144, 160, 161

Boa formação 186, 205

Boa Vista (RR) 100

C

Caipira 34, 39, 51, 98, 143

Categoria vazia 198, 200, 207, 212

Cavidade bucal 35, 66, 67, 91

Cavidade faríngea 71

Cavidade nasal 29, 30, 71, 91

Cavidade nasofaringal 30

Cavidade oral 30, 33, 61, 193

Círculo linguístico de Praga 188, 189

Classe natural 198

Coda 205, 206, 207, 210, 212, 213, 221

Competência 17

Componente fonológico 118, 190, 191, 194, 200, 201, 203, 213, 214, 223

Componente morfológico 168, 200, 201

Componente sintático 190, 217, 228

Componente sonoro 20, 108, 186, 187, 188, 190, 191, 202, 205, 209, 213

Comunidade de fala 12, 16

Consoante 25, 26
africada 33, 58
fricativa 33, 144, 160
lateral 34, 35, 40, 43, 63, 64, 65, 106, 108, 109, 110, 114, 149, 162, 163
nasal 37, 39, 60, 61, 62, 81, 89, 92, 94, 121, 166, 173, 192
oclusiva 33, 127, 152
vibrante 33, 34
oral 89, 174, 175, 176, 177, 178, 179

Consoante complexa 95, 100, 112, 152

Constituinte 17, 202

Constituintes prosódicos 216

Constituintes silábicos 202, 203, 205, 206, 215

Contexto 14, 119, 133
intervocálico 49, 120

260 Índice remissivo

+ Contínuo 193, 197
- Contínuo 193, 197
Contraste 126, 127
  em ambiente análogo
    126, 127
  em ambiente idêntico
    126, 127
Cordas vocais 24, 26, 30,
  46, 71, 192, 193, 194
Coronal 194, 195, 221
Corrente de ar 24, 26, 27,
  28, 33, 34, 41, 46, 61,
  62, 65, 66, 73, 76, 193
Crioulo 19
Cuiabá (MT) 34, 54, 59,
  114, 131, 140, 151, 186
Curitiba (PR) 57, 58

D

Dental 32, 37, 41
Dentalização 35, 36
Dentes superiores 30, 31,
  32, 46
Descrição estrutural 191
Desempenho 17, 114, 190
Desvozeado 27, 36, 128,
  189
Detalhe fonético 223, 226,
  227
Diacrítico 35, 36, 41, 70,
  71, 75, 78
Direcionalidade 211
Distribuição complementar
  129, 131, 132, 134,
  135, 136, 137, 138,
  140, 144, 147, 150, 188
Ditongo 73
  crescente 75, 95, 96,
    97, 107, 154, 174,
    179
  decrescente 75, 95, 99,
    100, 107, 154, 174
  nasal 99, 168, 169
  oral 95
Duração 70
  breve (vogal breve) 71
  longa (vogal longa) 71

E

Efeitos de frequência 226,
  227, 229
Encontro consonantal 125,
  130, 156, 157
  tautossilábico 130, 156
Entoação 14, 78, 79, 114
Escala de sonoridade 207
Esqueleto 206
Esquema representacional
  223
Estritura 26, 33, 36, 46,
  47
Estrutura das línguas 11,
  16, 118
Estrutura fonotática da
  língua 124
Estrutura silábica 19, 61,
  76, 106, 152, 200,
  203, 215
Estruturalismo 187
Estruturalista 16, 118, 187
Extrametricalidade 204
Extrassilabicidade 204

F

Fala 16
Falante nativo 11, 14, 17
Fone 127, 135, 197
Fonema 126, 135, 136
Fonêmica 117, 118, 188
Fonética 19, 23
  articulatória 19, 23
Fonologia Autossegmental
  187, 202, 204, 207,
  208, 215
Fonologia CV 187, 202,
  204, 208
Fonologia de Dependência
  187, 209, 210
Fonologia de Governo 187,
  211
Fonologia de Laboratório
  187, 228

Fonologia de Uso 187,
  222, 223, 224, 225
Fonologia Gerativa 187,
  188, 189, 190, 191,
  196, 198, 199, 200,
  201, 202, 214, 215
  natural 187, 200,
    201, 202
  padrão 187, 190, 200,
    214, 215
Fonologia Gestual 229
Fonologia Lexical 187,
  204, 213, 214, 215
Fonologia Métrica 187,
  215, 216
Fonologia Natural 187,
  200, 201, 202
Fontes (fonéticas) 40
Frequência 224, 225
  de tipo 224
  de ocorrência 224
Fricativa 33, 37, 38, 52,
  137

G

Glide 26, 73
Glide-vogal 75, 95, 96
Glote 24, 25, 26, 27, 28,
  30, 32, 36, 46, 192, 193
Gramática 15
  descritiva 15, 16
  gerativa 16
  normativa 15
  prescritiva 15, 16
  universal 199, 211, 217,
    222, 231

H

Hiato 74, 95, 166
Hierarquia de sonoridade
  206, 210
Homófono 106, 107, 108,
  109, 124

Índice remissivo 261

I

Idioleto 13, 14, 19

Inglês 19, 27, 71, 74, 127, 129, 210

Interface 187, 222, 223
Fonologia-Sintaxe 187, 228

J

Japonês 14, 78, 122

K

Krenak (MG) 123, 124

L

L ortográfico 63, 64

Lábio 25, 30

Labiodental 32

Laboratory Phonology 229

Lâmina da língua 30, 31, 32, 35, 193, 194

Lateral 31, 34, 37, 39, 63, 137, 193

Lexicalização 12, 13

Léxico 12

Libras 22

Licenciamento 207, 208, 212

Líder (head) 209, 210, 211

Língua 11, 16, 132
artificial 18
estrangeira 21
materna 11, 20, 25

Línguas naturais 18, 25, 40, 91, 119, 187

Línguas primitivas 18

Línguas românicas 18

Línguas tonais 77, 205, 215

Linguagem 11

Linguística diacrônica 16

Linguística sincrônica 16

Lugar de articulação 31, 32, 33, 34, 36, 42, 45, 92

M

Maneira de articulação 33, 36

Marca 38, 218

Marcação 199, 200, 215

Modelo fonológico 108, 213

Modo de articulação 32, 33, 34, 43, 45, 199

Monotongo 74

Morfologia 20, 186

Morfológico 168, 186, 200, 201, 210, 213, 214, 217

Motivação fonética 200, 226

Mudança linguística 133, 225

Mudança sonora 226

Mudança estrutural 191

N

Nasal 26, 33, 37, 39, 59, 137, 193
bilabial 39, 59, 60

Nasalidade 34, 91, 93

Nasalização 62, 71

Naturalidade 200

Neutralização 146

Níveis de representação 119, 132, 202, 213

Nordeste 38, 53, 87, 121

Núcleo 74, 77, 152, 154, 155, 164, 171, 193, 205, 207, 210, 212, 213, 215

O

Oclusiva 33, 37, 57, 137
bilabial 34, 37, 46, 47

Onset 203, 205, 206, 207, 210, 212, 213, 218, 219, 221

Otimalidade, 217

Otimidade, 217

Otimização, 187, 217, 218, 219, 221, 222, 225, 231

Oxítono, 117, 182

P

Padrão acentual 78, 95, 113, 173, 182, 184, 186, 229

Padrão entoacional 78

Palatal 32, 37

Palatalização
de oclusivas alveolares 57

Palato duro 30, 31, 32, 34, 35, 46, 61, 65

Palato mole 28, 30, 31, 32, 46

Par suspeito 128, 129, 135

Pará de Minas (MG) 160, 161

Parâmetros 12, 213

Par mínimo 126, 127, 135, 139

Paroxítono, 182

Paulista 35, 39, 80, 81, 89, 93

Pico 74, 94, 152, 154

Pidgin 19

Ponta da língua 34, 62, 65

Portugal 18, 34, 51, 63, 143, 149, 150, 162

Português brasileiro 12, 15, 19, 23, 25, 66

Português europeu 15, 34, 35, 39, 90, 96, 166, 212, 216

Posição da língua 66, 67, 68, 72

Posição esqueletal 206, 212, 215

Posição final de sílaba 36, 50, 58, 63

Posição neutra 192, 193, 194, 196

Posição pura 206, 208

Postônico 72, 77

Pós-vocálica 58, 151

262 Índice remissivo

Princípio de boa formação 186, 205

Princípio de licenciamento da coda 212, 213

Princípio de sonoridade 206

Pretônico 77

Princípio do contorno obrigatório (PCO) 207

Processos fonológicos 191, 192, 198, 199, 201, 203, 208, 213, 223, 231

Proparoxítono, 79, 87, 97, 182, 183

Propriedades articulatórias 23, 34, 35, 63, 65, 71, 120, 128, 172, 173

Q

Qualidade vocálica 61, 63, 64, 65, 70, 71, 74, 91, 97, 169

R

R-em final de sílaba 49

R-forte 49, 110, 142, 159, 160, 161, 162, 166, 170, 231

r-fraco 48, 110, 111, 142, 160, 161, 162, 170

R ortográfico 48, 50, 51, 52, 59

R-pós-vocálico 49, 159, 160, 161

Recência 226, 227

Recife (PE) 53

+ Recuado 194

- Recuado 194

Redução vocálica 192, 196, 204

Região palatal 61, 65

Regra de redundância segmental 196, 197,

Regra de restrição sequencial 197

Regra de silabificação 203

Regra fonológica 198

Representação fonética 37, 52, 112, 119, 132, 161, 167, 195, 196, 198, 205

Representação fonológica 196, 198, 199, 202, 203, 204, 205, 208, 210, 211, 213

Representação lexical 213, 222

Representação mental 224, 225

Representação subjacente 190, 196, 198, 200, 203, 205, 210

Restrição 113, 220

Retroflexa 34, 37, 39, 41

Rima 203, 205, 206, 210, 212, 215

Rio de Janeiro 33, 51, 53, 140, 143, 144

Ritmo 77, 78, 79, 114, 215, 216, 228 da fala 77, 215

Rutgers 217

S

S ortográfico 52, 53, 54, 58, 144

São Paulo 34, 121, 159, 160, 167

Segmento consonantal 26, 35, 37, 40, 45, 47

Segmento frouxo 72

Segmento suspeito 125

Segmento tenso 72

Segmento vocálico 26, 60, 61, 66, 67, 70, 71, 76, 85, 107, 110, 112, 173, 180

Segunda língua 11, 25

Semântica 17, 20, 22, 191

Sibilante 52, 54, 55, 59, 120, 121, 145

Sílaba 35, 37, 76

Sílaba átona 100

Sílaba fechada 165

Sílaba leve 215

Sílaba pesada 215

Silabificação 206, 207, 211, 216, 220, 221

Simetria 122

Sintaxe 17, 18, 20, 22, 188, 213

Sintático 190, 210, 217, 222

Sistema articulatório 24, 25

Sistema fonatório 24

Sistema fonotático 169, 170, 171

Sistema respiratório 24, 25

Sistema sonoro 16, 19, 21, 109, 123, 125, 132, 146, 186

Sistema vocálico 66, 72, 78, 122, 165, 166, 169, 171, 173, 231

Soante 193

Sociolinguística 133

Soltura retardada 193, 194

Sonoridade 199, 206, 207, 210

Sonoro 16, 28

Sons foneticamente semelhantes 128, 129, 131, 135, 136, 137, 139, 150, 172

Sudeste 38, 57, 121, 129, 150

Sul 34, 35, 63, 162

Suprassegmento 41, 78

Suprassegmental 78, 204, 207, 215

Surda 27, 28

T

Tabela fonêmica 135, 136, 140, 142, 143, 145,146, 147, 148, 151, 164, 185

Tabela fonética 36, 37, 41, 48, 79

Teófilo Otoni (MG) 52

+ Tenso 194

- Tenso 194

Índice remissivo 263

Teoria de Exemplares 187, 223, 225, 231

Teoria Métrica 186

Teoria da Otimalidade 217

Teoria da Otimidade 217

Teoria da Otimização 187, 217, 218, 219, 220, 222, 223, 225

Teoria de Marcação 199, 200, 215

Tepe 34, 37, 39, 41, 46, 47, 48, 110, 111, 142, 159, 160

Tikuna (AM) 77

Tom 77, 78

Tonicidade 77

Tônico 48, 77

Traço distintivo 189, 192, 193, 194, 195, 196, 197, 198, 199, 203

Traço paralinguístico 78

Traço prosódico 78

Transcrição fonêmica 132, 133

Transcrição fonética ampla 36

Transcrição fonética restrita 36

Trato vocal 29, 33, 34, 38, 39, 61, 62, 66, 71, 73, 93, 125, 192, 193, 206

Tritongo 95, 100

U

Universal 118, 199, 211, 213, 217, 222, 231

V

Variação dialetal 35, 38, 54, 79, 81, 82, 83, 84, 85, 93, 94, 97, 100, 114, 115, 131, 153, 161, 171

Variação livre 133, 134, 141, 148, 150, 151

Variação posicional 141

Variante 11
  livre 133, 135
  padrão e não padrão 12
  posicional 133, 134, 135

Variantes de prestígio 12, 13

Variantes de sexo 13, 14

Variantes etárias 14

Variantes formais 14

Variantes informais 14

Velar 27, 32, 37, 38

Velarização 35, 36, 63, 150

Véu palatino 26, 28, 29, 30, 31, 32, 33, 43, 46, 61, 62, 71, 91, 93, 193

Vibrante 33, 34, 37, 39, 137

Vocalização do L 63, 110, 111, 115

Vocalização de lateral 150

Vogal 25, 26
  alta 72, 73, 90, 93, 115, 122, 146, 171, 173, 180, 186, 232
  anterior 35, 60, 122, 196, 197, 199
  arredondada 35, 41, 189, 191, 192, 199
  átona 57, 72, 77, 87, 103, 106, 150
  epentética 60
  baixa 72
  frouxa 74
  glide 26, 75, 95, 98, 109
  longa 71, 208, 215
  nasal 72, 78, 91, 92, 93
  nasalizada 61, 87, 91, 166, 167, 168, 173, 180
  oral 78, 133, 172
  posterior 122
  tensa 74

Vozeado 27, 28, 128, 194

Vozeamento espontâneo 192, 193

Bibliografia

ABAURRE, Maria Bernadete M. "Alguns casos de formação de plural em português: uma abordagem natural". *Cadernos de Estudos Linguísticos*. 5, Campinas, 1983, pp. 127-56.

_____. "Acento frasal e processos fonológicos segmentais". *Letras de Hoje*. Porto Alegre, v. 31-2, n. 104, 1996.

_____.; CAGLIARI, Luiz Carlos. "Investigação instrumental das relações de padrões rítmicos e processos fonológicos no português brasileiro". *Cadernos de Estudos Linguísticos*. 10, Campinas, 1986, pp. 39-57.

_____.; GALVES, Charlotte; SCARPA, Ester. A interface fonologia sintaxe. Evidências do português brasileiro para uma hipótese top-down na aquisição da linguagem. In: SCARPA, E. (org.) *Estudos de Prosódia*. Campinas: Editora da Unicamp, 1999.

_____.; WETZELS, Leo. "Fonologia do português". *Cadernos de Estudos Linguísticos*. 23, Campinas, 1992.

ABERCROMBIE, David. *Elements of General Phonetics*. Edinburgh: Edinburgh University Press, 1967.

ABREU, Ricardo Nascimento. Aspectos legais envolvidos na coleta de dados linguísticos. In: FREITAG, Raquel Meister Ko. (org.) *Metodologia de coleta e manipulação de dados em Sociolinguística*. São Paulo: Edgard Blücher, 2014, pp.7-18.

ALBANO, Eleonora. Fonologia de Laboratório. In: DA HORA, D.; MATZNEUER (orgs.) *Fonologia, fonologias*. São Paulo: Contexto, 2017.

ALVARENGA, Daniel. "Análise de variações ortográficas". *Revista Presença Pedagógica*. Belo Horizonte: Dimensão, ano 1, n. 2, 1995.

_____.; et al. "Da forma sonora da fala à forma gráfica da escrita: uma análise linguística do processo de alfabetização". *Cadernos de Estudos Linguísticos*. 16, Campinas, 1989, pp. 5-30.

ALVES, Marlúcia. *As vogais médias em posição tônica nos nomes do Português Brasileiro*. Belo Horizonte, 1999. Dissertação (Mestrado) – UFMG.

ANDERSON, John. Suprasegmental Dependencies. In: DURAND, Jacques (org.) *Dependency and Non-Linear Phonology*. Londres: Croom Helm, 1986.

_____. Structural Analogy and Dependency Phonology. In: ANDERSON, J.; DURAND, J. (orgs.) *Explorations in Dependency Phonology*. Dordrecht: Foris, 1987.

_____.; EWEN, Colin J. "Studies in Dependency Phonology". *Ludwigsburg Studies in Language and Linguistics*. 4, 1980.

_____. *Principles of Dependency Phonology*. Cambridge: Cambridge University Press, 1987.

_____.; DURAND, Jacques (eds.) *Explorations in Dependency Phonology*. Dordrecht: Foris, 1987.

ANDERSON, Stephen. *Phonology in the Twentieth Century. Theories of Rules and Theories of Representations*. Chicago: University of Chicago Press, 1985.

ARCHANGELLI, Diana. *Undespecification in Yawelmani Phonology and Morphology*. Cambridge, MA, 1985. Tese (Ph.D) – MIT

_____. Optimality Theory: an Introduction to Linguistics in the 1990s. In: ARCHANGELLI, D.; LANGENDOEN, T. (eds.) *Optimality Theory. an Overview*. Oxford: Blackwell, 1997.

ARCHANGELLI, Diana; LANGENDOEN, Terence. (eds.) *Optimality Theory. an Overview*. Oxford: Blackwell, 1997.

AZEVEDO, Maria A.; MARQUES, Maria L. (orgs.) *Alfabetização hoje*. São Paulo: Cortez, 1994.

BAAYEN, Harold; ERNESTUS, Mirjam. Corpora and Exemplars in Phonology. In: GOLDSMITH, J. A.; RIGGLE, J.; YU, A. C. (eds.) *The Handbook of Phonological Theory*. 2. ed. Oxford: Wiley-Blackwell, 2011, pp. 374-400.

BACK, Eurico. "São fonemas as vogais nasais do português?" *Construtura*: Revista de Linguística, Língua e Literatura. ano 1, n. 4, 1973.

BATTISTI, Elisa. "A nasalização no português brasileiro pela Teoria da Otimidade". *Revista de Estudos da Linguagem*. Belo Horizonte: UFMG, v. 7, n. 1, 1998.

BEDDOR, Patrice S. *Phonological and Phonetic Effects of Nasalization on Vowel Height*. Minnesota, 1982. Tese (Ph.D) – University of Minnesota.

BIONDO, Delson. "O estudo da sílaba na fonologia autossegmental". *Revista de Estudos da Linguagem*. Belo Horizonte: UFMG/Fale, ano 2, n. 2, 1993.

BISOL, Leda. *Harmonização vocálica.* Rio de Janeiro, 1981. Tese (Doutorado) – UFRJ.
_____. "O ditongo na perspectiva da fonologia atual". *Delta.* v. 5, n. 2, 1989, pp. 185-224.
_____. "Aspectos da fonologia atual". *Delta.* v. 8, n. 2, 1992a, pp. 263-83.
_____. "O acento e o pé métrico binário". *Cadernos de Estudos Linguísticos.* 22, 1992b, pp. 69-90.
_____. "Palatalização da oclusiva dental e fonologia lexical". *Letras.* 5, 1993, pp. 25-40.
_____. "Fonologia: análises não lineares". *Letras de Hoje.* Porto Alegre: PUCRS, v. 29, n. 4, 1994a.
_____. "O acento e o pé binário". *Letras de Hoje.* Porto Alegre: PUCRS, v. 29, n. 4, 1994b.
_____. "Atas do seminário de fonologia". *Letras de Hoje.* Porto Alegre: PUCRS, v. 31-2, n. 104, 1996a.
_____. "O sândi e a ressibilação". *Letras de Hoje.* Porto Alegre, v. 31-2, n. 104, 1996b.
_____. *Introdução a estudos de fonologia do português brasileiro.* Porto Alegre: EDIPUCRS, 1996c.
_____. "A nasalidade, um velho tema". *Delta.* v. 14, n. especial, 1998.
_____. "O acento: duas alternativas de análise". *Organon.* Porto Alegre, v. 28, n. 54, 2013, pp. 281-321.
BLOOMFIELD, Leonard. "A Set of Postulates for the Study of Language". *Language.* 1, 1926, pp. 1-5.
_____. *Language.* London: Allen and Unwin, 1933.
BOOIJ, Geert E.; RUBACH, Jerzy. "Morphological and Prosodic Domains in Lexical Phonology". *Phonology Yearbook.* 1, 1984, pp. 1-27.
BORBA, Francisco da Silva. *Introdução aos estudos linguísticos.* São Paulo: Companhia Editora Nacional, 1967.
_____. "Postcyclic *Versus* Postlexical Rules in Lexical Phonology". *Linguistic Inquiry.* 18, 1987, pp. 1-44.
BOROWSKY, Tony. *Topics in English and Lexical Phonology.* Amherst, 1986. Tese (Ph.D) – University of Massachusetts.
BROCKHAUS, Wiebke. Skeletal and Suprasegmental Structure Within Government Phonology. In: DURAND, J.; KATAMBA, F. (eds.) *Frontier of Phonology.* Atoms, Structures and Derivations. London; New York: Longman, 1995.
BROE, Michael; PIERREHUMBERT, Janet. (eds.) *Papers in Laboratory Phonology V:* Language Acquisition and the Lexicon. Cambridge: Cambridge University Press, 2000.
BROWMAN, Catherine P.; GOLDSTEIN, Louis. Tiers in Articulatory Phonology, With Some Implications for Casual Speech. In: KINGSTON, J.; BECKMAN, M. (eds.) *Papers in Laboratory Phonology I:* Between the Grammar and Physics of Speech. Cambridge: Cambridge University Press, 1990, pp. 341-76.
_____.; _____. "Articulatory Phonology: an Overview". *Phonetica.* 49, 1992, pp. 155-80.
BYBEE, Joan. Lexicalization of Sound Change and Alternating Environment. In: BROE, M.; PIERREHUMBERT, J. (eds.) *Papers in Laboratory Phonology V:* Language Acquisition and the Lexicon. Cambridge: Cambridge University Press, 2000, pp. 250-68.
_____. "Phonology and Language Use". *Cambridge Studies in Linguistics.* 94. Cambridge: Cambridge University Press, 2001a.
_____. Frequency Effects on French Liason. In: BYBEE, J.; HOPPER, P. (eds.) *Frequency and the Emergence of Linguistic Structure.* Amsterdam: John Benjamins, 2001b, pp. 337-60.
_____. "Word Frequency and Context of Use in the Lexical Diffusion". *Language Variation and Change.* Cambridge: Cambridge University Press. 14, 2002, pp. 261–90.
CAGLIARI, Luiz Carlos. *An Experimental Study of Nasality with Particular Reference to Brazilian Portuguese.* Edinburgh, 1977. Dissertação (Ph.D) – Edinburgh University.
_____. *Elementos de fonética do Português Brasileiro.* Campinas, 1981. Tese (Livre Docência) – Unicamp.
_____. *Alfabetização e linguística.* São Paulo: Scipione, 1989.
_____. "Investigando o Ritmo da Fala". *Anais do V Encontro Nacional de Linguística.* São Paulo: PUCSP, 1990, pp. 290-304.
_____. "Prosódia: algumas funções dos suprassegmentos". *Cadernos de Estudos Linguísticos.* Campinas: Unicamp/Iel, 23, 1992a, pp. 137-51.
_____. Da importância da prosódia na descrição de fatos gramaticais. In: ILARI, R. (org.) *Gramática do português falado.* Níveis de análise linguística. Campinas: Editora da Unicamp. v. 2, 1992b, pp. 39-64.
_____. *Análise fonológica.* Introdução à teoria e à prática com especial destaque para o modelo fonêmico. Coleção Espiral. v. 1. Série Linguística. Campinas: Edição do Autor, 1997a.
_____. *Fonologia do português.* Análise pela geometria de traços. Coleção Espiral. v. 2. Série Linguística. Campinas: Edição do autor, 1997b.
_____. "Apresentação sucinta da Teoria da Otimilidade na fonologia". *MS.* Campinas: CNPq-Unicamp, 1999.
_____.; MASSINI-CAGLIARI, Gladis. "Quantidade e Duração Silábicas em Português do Brasil". *Delta.* v. 14, n. especial, 1998.

Bibliografia 267

CAIRNS, Charles. "Markedness, Neutralization and Universal Redundancy Rules". *Language*. 45, 1969, pp. 863-85.

CALLOU, Dinah; LEITE, Yonne. *Iniciação a fonética e à fonologia*. Rio de Janeiro: Jorge Zahar, 1990. Coleção Letras.

_____.; _____.; MORAES, João A. de "O vocalismo do português do Brasil". *Letras de Hoje*. Porto Alegre, v. 31-2, n. 104, 1996.

_____.; et al. "Elevação e abaixamento das vogais pretônicas no Rio de Janeiro". *Organon*. Porto Alegre, v. 5, n. 18, 1991, pp. 71-8.

CAMPBELL, Lyle. Phonologial Features: Problems and Proposals. *Language*. 50, 1974, pp. 52-65.

CANTONI, Maria. *O acento no Português Brasileiro segundo uma abordagem de uso*. Belo Horizonte, 2013. Dissertação (Doutorado em Letras) – UFMG.

CARR, Philip. *Phonology*. Modern Linguistics Series. Londres: Macmillan Press, 1993.

CASTRO, E. C. *As pretônicas na variedade mineira juiz-de-forana*. Rio de Janeiro, 1990. Dissertação (Mestrado) – UFRJ.

CAVACO, Augusta M. *Os padrões das alternâncias vocálicas e da vogal zero na fonologia portuguesa*. Açores, 1993. Dissertação (Ph.D) – Universidade dos Açores.

CHARETTE, Monik. *Conditions on Phonological Government*. Cambridge: Cambridge University Press, 1991.

CHOMSKY, Noam. *Aspects of the Theory of Syntax*. Cambridge: MIT Press, 1965.

_____. *Lectures on Government and Binding*. Dordrecht: Foris, 1981.

_____. *Knowledge of Language*. Its Nature, Origin and Use. Nova York: Praeger, 1986.

_____. A Minimalist Program for Linguistic Theory. *Occasional Papers in Linguistics*, v. 1. Cambridge: MIT, 1992.

_____.; HALLE, Morris. *The Sound Pattern of English*. Nova York: Harper and Row, 1968.

CLEMENTS, George N. The Geometry of Phonological Features. *Phonology Yearbook*. 2, 1985, pp. 225-52.

_____. "Place of Articulation in Consonants and Vowels: a Unified Theory". *Working Papers of the Cornell Phonetics Laboratory*. 5, 1991, pp. 77-123.

_____.; KEYSER, Samuel. *CV Phonology: a Generative Theory of Syllable*. Cambridge: MIT Press, 1983.

COHEN, Abigail; FOUGERON, Cécile; HUFFMAN, Marie. (orgs.) *The Oxford Handbook of Laboratory Phonology*. Oxford: Oxford University Press, 2012.

COLE, Jennifer; HUALDE, José (2007). *Laboratory Phonology 9*. Berlin: Mouton de Gruyter.

_____.; _____. Underlying Representations. In: OOSTENDORP, M. van; EWEN, C.J.; HUME, E.; RICE, K. (eds.) *Companion to Phonology*. Oxford: Wiley-Blackwell, v. 1, 2011, pp. 1-26.

COLLISCHONN, Gisela. "Acento secundário em português". *Letras de Hoje*. Porto Alegre: PUC-RS, v. 29, n. 4, 1994.

_____. "Um estudo da epêntese à luz da teoria da sílaba de Junko Itô". *Letras de Hoje*. Porto Alegre: PUCRS, v. 31-2, n. 104, 1996.

CONNELL, Bruce; ARVANTINI, Amalia. *Papers in Laboratory Phonology IV:* Phonology and Phonetic Evidence. Cambridge: Cambridge University Press, 1996.

COSERIU, Eugenio. *Teoria da linguagem e linguística geral*. São Paulo: USP, 1979.

COUTO, Hildo H. do. *Introdução ao estudo das línguas crioulas e pidgins*. Brasília: Editora da UnB, 1995.

CRISTÓFARO SILVA, Thaïs. *Descrição fonética e análise de alguns processos fonológicos da língua krenak*. Belo Horizonte, 1986. Dissertação (Mestrado) – UFMG.

_____. *Nuclear Phenomena in Brazilian Portuguese*. Londres, 1992. Tese (Ph.D) – University of London.

_____. *A organização dos constituintes silábicos e a análise dos processos fonológicos no Português de Belo Horizonte*. Belo Horizonte: UFMG/Fale. Projeto de Pesquisa. 1994.

_____. "A silabificação da sequência de oclusiva velar e glide posterior". *Cadernos de Pesquisa do NAPq*. Belo Horizonte: UFMG/Fale. Especial, v. 2, 1995, pp. 7-17.

_____. "Uma proposta de análise do sistema vocálico do Português Brasileiro". Belo Horizonte: UFMG/Fale: *Anais da 3ª Semana de Estudos Portugueses*, 1996a.

_____. "Fonologia: por uma análise integrada a morfologia e a sintaxe". *Viva Voz*. Cadernos do Departamento de Letras Vernáculas. Belo Horizonte: UFMG/Fale, v. 2, 1996b, pp. 61-70.

_____. "A interpretação de glides intervocálicos no Português". *Letras de Hoje*. Porto Alegre, v. 31-2, n. 104, 1996c, pp. 169-76.

_____. "Sobre a quebra de encontros consonantais no Português Brasileiro". Bauru: *XLVII Seminário do Gel*, 1999a.

_____. "O método das vogais cardeais e as vogais do Português Brasileiro". *Revista de Estudos da Linguagem*. v. 8, n. 2, 1999b.

268 Bibliografia

_____. "Sobre a Palatalização no Português Brasileiro". Florianópolis: *II Congresso Nacional*. Abralin, 1999c.

_____. "Branching Onsets in Brazilian Portuguese". *The 30th Annual Linguistic Symposium on Romance Languages*. Gainesville: University of Florida, 2000.

_____. Difusão lexical: estudo de casos do Português Brasileiro. In: MENDES, Eliana Amarante de M.; OLIVEIRA, Paulo Motta; BENN-IBLER, Veronika (orgs.) *O novo milênio:* interfaces linguísticas e literárias. Belo Horizonte: Faculdade de Letras, 2001, pp. 209-18.

_____. Descartando fonemas: a representação lexical na 'Fonologia de uso'. In: DA HORA, Dermeval; COLLINSHCON, Gisella (org.) *Teoria Linguística*: Fonologia e outros temas. João Pessoa: Universidade Federal da Paraíba, 2003, pp. 200-31.

_____. "Fonética e Fonologia: perspectivas complementares". *Revista de Estudos da Linguagem*. v. 3, 2006, pp. 25-40.

_____. Modelos multirrepresentacionais em Fonologia. In: MARCHEZAN, Renata Coelho; CORTINA, Arnaldo (orgs.). *Os fatos da linguagem, esse conjunto heteróclito*. Araraquara: Cultura Acadêmica, 2006, pp. 171-86.

_____.; BARBOSA, Liliane; CANTONI, Maria. "Ciência da fala: desafios teóricos e metodológicos". *Revista Letras*. Curitiba, v. 83, 2011, pp. 111-31.

_____.; GOMES, Christina Abreu. "Variação linguística: questão antiga e novas perspectivas". *Lingua(gem)*. Ilapec/Macapá, v. 1, n. 2, 2004, pp. 31-41.

_____.; _____. "Representações múltiplas e organização do componente linguístico". *Fórum Linguístico*. Florianópolis: UFSC, v. 4, 2007, pp. 147-77.

_____.; _____. Teoria de Exemplares. In: DA HORA; MATZENAUER (orgs.). *Fonologia, Fonologias*. São Paulo: Contexto, 2017.

_____.; OLIVEIRA, Marco A. "Variação do 'r' pós-consonantal no português brasileiro: um caso de mudança fonotática ativada por cisão primária". *Letras de Hoje*. Porto Alegre, v. 37, 2002a, pp. 25-47.

_____.; _____. "On Phonological Generalization and Sound Change". *10th Manchester Phonology Seminar*. Manchester: Manchester University, 2002b.

_____.; VIEIRA, Maria José Blaskoviski. "Redução vocálica em postônica final". *Revista da Abralin*. v. 14, n.1, 2015, pp. 379-406.

CRYSTAL, David. *A First Dictionary of Linguistics and Phonetics*. Londres: Andre Deutsch, 1980.

_____. *The Cambridge Encyclopedia of Language*. Cambridge: Cambridge University Press, 1995.

D'ANDRADE, Ernesto; LAKS, Bernard. *Na crista da onda:* o acento de palavra em Português. Lisboa: Universidade de Lisboa/CNRS, 1991.

_____.; VIANA, M. Céu. "Ainda sobre o acento e o ritmo em Português". *Actas do IV Encontro da Associação Portuguesa de Linguística*. Lisboa: Universidade de Lisboa, 1989, pp. 3-15.

DASCAL, Marcelo (org.) *Fundamentos metodológicos da linguística*. Fonologia e Sintaxe. v. 2, Campinas, 1981.

DELGADO-MARTINS, Maria R. *Ouvir falar.* Introdução à fonética do português. Lisboa: Editora Caminho. Série Linguística, 1988.

DEMOLIN, Didier. "The Integration of Phonetics and Phonology". *Estudos Linguísticos*. XXXIV, 2005, pp. 95-104.

DIAS, Eva C. O.; SEARA, Izabel. "Redução e apagamento de vogais átonas finais na fala de crianças e adultos de Florianópolis: uma análise acústica". *Letrônica*. Porto Alegre, v. 6, n. 1, 2013, pp. 71-93.

DOCHERTY, Gerard; FOULKES, Paul; MILROY, James; MILROY, Lesley; WALSHAW, David. "Descriptive Adequacy". *Journal of Linguistics*. 33, 1997, pp. 275-310.

_____.; LADD, Robert. *Papers in Laboratory Phonology II:* Gesture, Segment, Prosody. Cambridge: Cambridge University Press, 1992.

DONEGAN, Patrícia; STAMPE, David. "O estudo da fonologia natural". *Novas Perspectivas em Fonologia*. Lisboa: Laboratório de Fonética da Faculdade de Letras de Lisboa, 1985.

DRESSLER, Wolfgang. *Morphonology*. Ann Habor: Karoma Press, 1985.

DUARTE, Yara. *As regras de atribuição do acento primário em língua portuguesa*. Brasília, 1987. Tese (Mestrado) – UnB.

DUCROT, Oswald. *O estruturalismo e a linguística*. São Paulo: Cultrix, 1968.

DURAND, Jacques. *Dependency and Non-Linear Phonology*. Londres: Croom Helm, 1986.

_____. *Generative and Non-Linear Phonology*. Londres; Nova York: Longman, 1990.

_____. Universalism in Phonology: Atoms, Structure and Derivations. DURAND, J.; KATAMBA, F. (eds.) In: *Frontier of Phonology.* Atoms, Structures and Derivations. Londres; Nova York: Longman, 1995.

Bibliografia 269

_____.; KATAMBA, Francis. (eds.) *Frontier of Phonology.* Atoms, Structures and Derivations. Londres; Nova York: Longman, 1995.

ESTEVES, Clara; GOMES, Christina; GOMES, Gastão; MENDES, Suzana; SILVA, Marcela. "Efeito de wordlikeness no processamento de não-palavras por falantes do Português Brasileiro". *Revista de Estudos da Linguagem.* v. 23, 2015, pp. 195-210.

FACÓ SOARES, Marília. "Do tratamento fonológico do ritmo". *Letras de Hoje.* Porto Alegre: PUCRS, v. 29, n. 4, 1994.

FANT, Gunnar; HALLE, Morris; JAKOBSON, Roman. *Preliminaries to Speech Analysis:* the Distinctive Features and Their Correlates. Cambridge: MIT Press, 1952.

FARACO, Carlos Alberto. *Escrita e alfabetização.* São Paulo: Contexto, 1994.

FARIA, Ingrid. *Percursos gradientes no cancelamento de ditongos crescentes átonos.* Belo Horizonte, 2013. Dissertação (Mestrado em Letras) – UFMG.

FIGUEIREDO, Ricardo M. de. *Identificação de falantes*: aspectos teóricos e metodológicos. Campinas, 1994. Tese (Doutorado) – Unicamp.

FOUGERON, Cécile; KUEHNERT, Barbara; IMPERIO, Mariapaola; VALLEE, Nathalie. *Laboratory Phonology 10.* Berlin: Mouton de Gruyter, 2010.

FOULKES, Paul; DOCHERTY, Gerrard. "The Social Life of Phonetics and Phonology". *Journal of Phonetics.* n. 34, 2006, pp. 409-38.

FRANCHI, Eglê. *Pedagogia da alfabetização.* Da oralidade à escrita. São Paulo: Cortez, 1988.

FREITAS, Myrian. "Empréstimos, teoria autossegmental e abertura vocálica". *Cadernos de Estudos Linguísticos.* 23, Campinas: Unicamp, 1992.

FREITAS, Edir. *Estrutura silábica CCV e aprendizagem da escrita.* Belo Horizonte, 2001. Dissertação (Mestrado) – UFMG.

FROMKIN, Victoria; RODMAN, Robert. *An introduction to language.* 5. ed. San Diego: Harcourt Brace Jovanovich, 1997.

FRY, Dennis. *The Physis of Speech.* Cambridge: Cambridge University Press, 1979.

FUDGE, Erik C. "Syllables". *Journal of Linguistics.* 5, 1969.

GAHL, Suzzane; YU, Alan. "Introduction to the Special Issue on Exemplar-Based Models in Linguistics". *Linguistic Review.* 23(3): 213, 2006.

GIANGOLA, James P. "Constraint Interaction and Brazilian Portuguese Glide Distribution". *Rutgers Optimality Archive-182-0397.* 1999, p. 16

GOLDINGER, Stephen. "Words and Voices: Episodic Traces in Spoken Word Identification and Recognition Memory". *Journal of Experimental Psychology:* Learning, Memory and Cognition. n. 22, 5, p. 1166-83.

GOLDSMITH, John A. *Autosegmental and Metrical Phonology.* Oxford: Basil; Blackwell, 1990.

_____. (ed.) *The Handbook of Phonological Theory.* Cambridge: Blackwell, 1995.

GOLDSTEIN, Louis; WHALEN, D. H.; BEST, Catherine T. *Laboratory Phonology 8.* Berlin: Mouton de Gruyter, 2006.

GONÇALVES VIANA, Aniceto dos Reis. *Estudos de fonética portuguesa.* Lisboa: Imprensa Nacional, 1973.

GOYVAERTS, Didier. *Aspects of Post-SPE Phonology.* Ghent: Story Scientia, 1978.

GUIMARÃES, Daniela Oliveira. *Sequências de (sibilante + africada alveopalatal) no português falado em Belo Horizonte.* Belo Horizonte, 2004. Dissertação (Mestrado em Letras) – UFMG.

GUSSENHOVEN, Carlos; WARNER, Natasha. *Laboratory Phonology 7.* Berlin: Mouton de Gruyter, 2002

HALLE, Morris. Conceitos básicos de fonologia. In: LEMLE; LEITE (eds.) *Novas perspectivas linguísticas.* Petrópolis: Editora Vozes, 1970.

_____. "On Distinctive Features and Their Articulatory Implementation". *Natural Language and Lingusitic Theory.* 1, 1983, pp. 91-105.

_____.; CLEMENTS, George N. *Problem Book in Phonology.* Cambridge: MIT Press, 1983.

_____.; JAKOBSON, Roman. *Fundamental of Language.* The Hague: Mouton, 1956.

_____.; VERGNAUD, Jean-Roger. *An Essay on Stress.* Cambridge: The MIT Press, 1987.

HAMMOND, Michael. Optimality Theory and Prosody. In: ARCHANGELLI; LANGENDOEN (orgs.) *Optimality Theory.* an Overview. Cambridge: Balckwell, 1997.

HARGUS, Sharon; KAISSE, Ellen M. (eds.) *Studies in Lexical Phonology.* San Diego: Academic Press, 1993.

HARRIS, James. "Syllable Structure and Stress in Spanish. A Non-Linear Analysis". *Linguistic Inquiry Monograph.* 8. Cambridge: MIT Press; Cambridge University Press, 1983.

270 Bibliografia

HARRIS, John. Segmental Complexity and Phonological Government. *Phonology Yearbook*. 7.2, 1990, pp. 255-300.
_____. *English Sound Structure*. Cambridge: Blackwell, 1994.
_____.; LINDSEY, Geoff. The Elements of Phonological Representation. In: DURAND, J.; KATAMBA, F. (eds.) *Frontier of Phonology*. Atoms, Structures and Derivations. Londres; Nova York: Longman, 1995.
HAUGEN, Einar. The Syllable in Linguistic Description. In: HALLE, LUNT & MCCLEAN (eds.) *For Roman Jakobson*. The Hague: Mouton, 1956, pp. 213-21.
HAUPT, Carine. "Contribuições da fonologia de uso e da teoria dos exemplares para o estudo da monotongação". *Revista de Estudos da Linguagem*. Belo Horizonte, v. 19, n. 1, 2011, pp. 167-89.
HAWKINS, Sarah.; SMITH, Rachel. "Polysp: a Polysystemic, Phonetically-Rich Approach to Speech Understanding". *Rivista di Linguistica*. 13.1, 2001, pp. 99-189.
HAY, Jennifer; PIERREHUMBERT, Janet; BECKMAN, Mary. "Speech Perception, Well-Formedness, and the Statistics of the Lexicon". *Papers in Laboratory Phonology VI*. Cambridge: Cambridge University Press, 2004, pp. 58-74.
HAYES, Bruce. *Metrical Stress Theory:* Principles and Case Studies. Los Angeles; Chicago: University of California; University of Chicago Press, 1991.
HEAD, Bryan. *A Comparison of the Segmental Phonology of Lisbon and Rio de Janeiro*. Austin, 1964. Dissertação (Ph.D) – University of Texas.
HERNANDORENA, Cármen L. M. "A geometria de traços na representação das palatais na aquisição do Português". *Letras de Hoje*. Porto Alegre: PUCRS, v. 29, n. 4, 1994.
HINTZMAN, Douglas. "Schema Abstraction in a Multiple-Trace Memory Model". *Psychological Review*. 93, 1986, pp. 411-28.
HJELMSLEV, Louis. "Le verb et la phrase nominale". In: *Mélanges de Philologie, de Littérature er d'Histoire Ancienne offerts à J. Marouzeau*. 1948, pp. 235-81.
_____. *Prolegomena to a Theory of Language*. Bloomington: Indiana University Press, 1953.
HOCKETT, Charles. "A System of Descriptive Phonology". *Language*. 18, 1942, pp. 3-21.
HOGG, Richard; McCULLY, C. *Metrical Phonology: a Course Book*. Cambridge: Cambridge University Press, 1987.
HOLM, John. *Pidgins and Creoles*. Cambridge: Cambridge University Press, 1988.
HOOPER, Joan. "The Syllable in Phonological Theory". *Language*. 48, 1972, pp. 525-40.
_____. *An Introduction to Natural Generative Phonology*. Nova York: Academic Press, 1976.
HORTA, Demerval. "A palatalização das oclusivas dentais: uma abordagem não linear". *Boletim da Abralin*. 14, 1993, pp. 139-51.
HYMAN, Larry. "How Concrete is Phonology?". *Language*. 46, 1970, pp. 58-76.
_____. *Phonology*: Theory and Analysis. Nova York: Holt, Rinehart and Winston, 1975.
INKELAS, Sharon. *Prosodic Constituency in the Lexicon*. Stanford, 1989. Dissertação (Ph.D) – Stanford University.
_____.; ZEC, Draga (orgs.) *The Phonology*. Syntax Connection. Chicago: Chicago University Press, 1990.
ITÔ, Junko. *Syllable Theory in Prosodic Phonology*. Stanford, 1986. Dissertação (Ph.D) – Stanford University.
JAKOBSON, Roman. *Fonema e fonologia:* ensaios. Rio de Janeiro: Acadêmica, 1967.
JOHNSON, Keith. Speech Perception Without Speaker Normalization: an Exemplar Model. In: JOHNSON, K.; MULLENNIX, J.W. (eds.) *Talker Variability in Speech Processing*. San Diego: Academic Press. 1997, pp. 145-66.
_____. "Resonance in an Exemplar-Based Lexicon: The Emergence of Social Identity and Phonology". *Journal of Phonetics*. 34, 2006, pp. 485-99.
_____. Decisions and Mechanisms in Exemplar-based Phonology. In: SOLE, Maria Jose; BEDDOR, Patricia; OHALA, Manjari. (eds.). *Experimental Approaches to Phonology*. In Honor of John Ohala. Oxford: Oxford University Press, 2007, pp. 25-40.
JONES, Daniel. On phonemes. *Travaux du cercle linguistique de Prague*. 4, 1931, pp. 74-9.
KAGER, René. *Optimality Theory*. Cambridge: Cambridge University Press, 1999.
KAHN, Daniel. *Syllable*. Based Generalizations in English Phonology. Bloomington: Indiana University Linguistics Club, 1976.
KAISSE, Ellen M. *Connected Speech:* the Interaction of Syntax and Phonology. Orlando: Academic Press. Florida, 1985.
KATAMBA, Francis. *An Introduction to Phonology*. Londres; Nova York: Longman, 1989.
KAYE, Jonathan Derek. On the Syllable Structure of Certain West African Languages. In: D. GOYVAERTS (ed.) *African Linguistics:* Essays in Memory of M. W. K. Semikenke. Amsterdam: J. Benjaminsm, 1985, pp. 285-308.

Bibliografia 271

_____. *Phonology:* a Cognitive View. Nova Jersey: Lawrence Erlbaum, 1989a.
_____. "'Coda' licensing". *Phonology Yearbook*. 7.2, 1989b, pp. 301-30.
_____. "On the Interaction of Theories of Lexical Phonology and Theories of Phonological Phenomena". *Phonologica.* 1988.
_____. "Government in Phonology: the Case of Moroccan Arabic". *The Linguistic Review*. 6, 1990a, pp. 131-60.
_____. (ed.) *Phonology Yearbook*. 7.2, 1990b.
_____. Derivations and Interface. In: DURAND, J.; KATABA, F. (eds.) *Frontier of phonology.* Atoms, Structures and Derivations. Londres; Nova York: Longman, 1995.
_____.; LOWENSTAMM, Jean. De la Syllabicité. In: DELL, F.; HIRST, D.; VERGNAUD, J-R. (eds.). *Forme sonore du langage*. Paris: Hermann, 1984.
_____.; _____. Compensatory Lengthening in Tiberian Hebrew. In: *Studies of Compensatory Lengthening*. Dordrecht: Foris, 1985.
_____.; _____. De la Syllabicité. In: DELL, F.; HIRST, D.; VERGNAUD, J-R. (eds.). *Forme sonore du langage*. Paris: Hermann, 1984.
_____.; _____.; VERGNAUD, Jean-Roger. The Internal Structure of Phonological Elements: a Theory of Charm and Government. *Phonology Yearbook*. 2, 1985, pp. 305-28.
_____.; _____.; _____. Constituent Structure and Government in Phonology. *Phonology Yearbook*. 7.2, 1990, pp. 193-231.
_____.; VERGNAUD, Jean-Roger. "On the Interaction of Theories of Lexical Phonology and Theories of Phonological Phenomena". *Phonologica*. 1990.
KEAN, Mary-Louise. The Strict Cycle in Phonology. *Linguistic Inquiry*. 5, 1974.
KEATING, Patricia. (ed.). *Papers in Laboratory Phonology III:* Phonological Structure and Phonetic Form. Cambridge: Cambridge University Press, 1994.
KENSTOWICZ, Michael. "The Morphophonemics of the Slovak Noun". *Papers in Linguistics*. 5, 1972, pp. 550-67.
_____. *Phonology in Generative Grammar*. Cambridge: Blackwell, 1994.
_____.; KISSEBERTH, Charles. *Generative Phonology:* Description and Theory. New York: Harcourt Brace Jovanovich, 1979.
KINGSTON, John.; BECKMAN, Mary. (ed.) *Papers in Laboratory Phonology I: Between the Grammar and Physics of Speech*. Cambridge: Cambridge University Press, 1990.
KIRCHNER, Robert. Modeling Exemplar-Based Phonologization. In: COHN, A.; HUFFMAN, M.; FOUGERON, C. (eds.) *The Oxford Handbook of Laboratory Phonology*. Oxford: Oxford University Press, 2012, pp. 332-44.
KIPARSKY, Paul. How Abstract is Phonology?. In: O. FUJIMURA (ed.) *Three Dimensions of Linguistic Theory*. Parte 1. Tóquio: TEC Corporation, 1973.
_____. Lexical Morphology and Phonology. In: YANG, I. S. (ed.) *Linguistics in the Morning Calm*. Seoul: Hanshin, 1982.
_____. Word. Formation and the Lexicon. In: INGERMAN, F. (ed.) *Proceedings of the Mid-America Linguistics Conference*. Lawrence: University of Kansas, 1983.
_____. Some Consequences of Lexical Phonology. *Phonology Yearbook*. 2, 1985, p. 85-138.
KOHLER, K. "Is the Syllable a Phonological Universal?". *Journal of Linguistics*. 2, 1966, pp. 207-8.
KOUTSOUDAS, Andreas. "The Question of Rule Ordering: Some Common Fallacies". *Journal of Linguistics*. 16, 1980, pp. 19-35.
KRÄMER, Martin. The Devil is in the Detail: Usage-Based Phonology. In: KRÄMER, Martin. *Underlying Representations*. Cambridge: Cambridge University Press, 2012.
KURYLOWICZ, Jerzy. "Contribution à la théorie de la syllabe". *Biuletyn Polskiego Towarzystwa Jezykoznawczego*. 8, 1948, pp. 80-114.
LACERDA, A. *Características da entoação portuguesa*. Coimbra: Editora Coimbra, 1941.
_____.; HEAD, B. "Análise dos sons nasais e sons nasalizados em português". *Revista do Laboratório de Fonética Experimental*. Coimbra: Universidade de Coimbra. 6, 1966, p. 5-71.
LADEFOGED, Peter. *Elements of Acoustic Phonetics*. Chicago: The University of Chicago Press, 1962.
_____. *Preliminaries to Linguisitic Phonetics*. Chicago: The University of Chicago Press, 1971.
_____. "What are Linguisitic Sounds Made of?". *Language*. 56, 1980, pp. 485-502.
_____. *A Course in Phonetics*. 2 ed. Nova York: Harcourt Brace and Jovanovich, 1982.
LANGACKER, Ronald. A Dynamic Usage-Based Model. In: KEMMER, S.; BARLOW, M. (eds.) *Usage-Based Models of Language*. Chicago: Chicago University Press, 2000.

272 Bibliografia

LASS, Roger. *Phonology.* An Introduction to Basic Concepts. Cambridge: Cambridge University Press, 1984.

LEBEN, William. *Suprasegmentnal Phonology.* Cambridge, 1973. Dissertação (Ph.D) – MIT.

LEE, Seung-Hwa. "Fonologia lexical do português". *Cadernos de Estudos Linguísticos.* 23. Campinas: Unicamp, 1992.

_____. "A regra do acento em português: outra alternativa". *Letras de Hoje*, v. 29, n. 4. Porto Alegre: PUCRS, 1994.

_____. *Morfologia e fonologia lexical do português do Brasil.* Campinas, 1995. Tese (Doutorado) – Unicamp.

_____. "Fonologia Lexical. Modelos e princípios". *Letras de Hoje.* Porto Alegre, v. 31-2, n. 104, 1996.

_____. "O acento primário do português do Brasil". *Revista de Estudos da Linguagem.* Belo Horizonte, v. 6, n. 2, 1997.

_____. "Teoria da Otimalidade e silabificação do PB". In: *Revisitações:* edição comemorativa 30 anos da Faculdade de Letras/UFMG. Belo Horizonte: Fale/UFMG, 1999.

LEITE, Yonne. *Portuguese Stress and Related Rules.* Austin, 1974. Dissertação (Ph.D) – University of Texas.

_____. "Summer Institute of Linguistics - estratégias e ação no Brasil". In: *Religião e sociedade.* Rio de Janeiro: Tempo e Presença, n. 7, 1981.

LEMLE, Míriam. *Guia teórico do alfabetizador.* São Paulo: Ática, 1987.

LEROY, Maurice. *As grandes correntes da linguística moderna.* São Paulo: Cultrix, 1971.

LIBERMAN, Mark; PRINCE, Alan. "On Stress and Linguistic Rhythm". *Linguistic Inquiry.* 8. Cambridge: MIT Press, 1977, pp. 249-336.

LOCAL, John; OGDEN, Richard; TEMPLE, Rosalind. *Laboratory Phonology VI.* Cambridge: Cambridge University Press, 2004.

LOPES, Edward. *Fundamentos da linguística contemporânea.* São Paulo: Cultrix, 1975.

LOPEZ, Barbara S. *The Sound Pattern of Brazilian Portuguese (Cariocan Dialect).* Los Angeles, 1979. Dissertação (Ph.D) – University of California.

LOWENSTAMM, Jean. "On the Maximal Cluster Approach to Syllable Structure". *Linguistic Inquiry.* 12, 1981, pp. 575-604.

_____.; PRUNET, Jean-François. "Le tigrinya et le principe du contour obligatorie". *Revue Québecoise de Linguistique.* 16, 1986, pp. 181-207.

LÜDTKE, Helmut. "Fonemática portuguesa". *Boletim de Filologia.* 13. Lisboa, 1952, pp. 273-88.

_____. "Fonemática portuguesa". *Boletim de Filologia.* 14. Lisboa, 1953, pp. 197-217.

LYONS, John. *Introdução a linguística teórica.* São Paulo: Companhia Editora Nacional, 1979.

MADDIESON, Ian. *Patterns of Sounds.* Cambridge: Cambridge University Press, 1984.

MADUREIRA, Eveline D. *Sobre as condições da vocalização da lateral palatal no Português.* Belo Horizonte, 1987. Dissertação (Mestrado) – UFMG.

MAGALHÃES, José Olímpio. *Une etude de certains processus de la phonologie portugaise dans le cadre de la théorie du charme et du gouvernement.* Montreal, 1990. Tese (Doutorado) – Universidade de Montreal.

_____. "A teoria 'charm and government' e a definição das vogais do Português". *Revista Letras & Letras.* Uberlândia: Edufu, 1992, pp. 57-65.

_____. "Aspectos fonológicos segundo a Teoria do Charme e do Governo: padrão silábico e sílaba máxima". *Letras de Hoje.* Porto Alegre: PUCRS, v. 29, n. 4, 1994.

MAJOR, R. "Stress-Timing in BP". *Journal of Phonetics*, n. 9, 1981.

_____. "Stress and Rhythm in Brazilian Portuguese". *Language.* 61, n. 2, 1985.

MAKKAI, Valerie. (ed.) *Phonological Theory.* Evolution and Current Practice. New York: Holt, Rinehaart and Winston, 1972.

MALMBERG, Bertil. *A fonética.* Lisboa: Livros do Brasil, 1954.

MARTINET, Andre. *La lingüística sincronica.* Estudos e investigaciones. Madri: Gredos, 1968.

_____. "Análise acústica das vogais orais tônicas em Português". *Boletim de Filologia.* 22, 1973, pp. 303-14.

MARTINS, Raquel; OLIVEIRA-GUIMARÃES, Daniela. "Efeitos de frequência na produção escrita de encontros consonantais". *Estudos Linguísticos.* São Paulo. v. 39, 2010, pp. 440-51.

MASSINI-CAGLIARI, Gladis. *Acento e ritmo.* São Paulo: Contexto, 1992.

_____. "Os parâmetros do ritmo do Português visto pela fonologia métrica". Estudos Linguísticos. 22. *Anais de Seminários do Gel.* Ribeirão Preto: Instituição Moura Lacerda, v. 1, 1993, pp. 938-45.

_____. "O percurso histórico da acentuação em Português através da análise do ritmo das cantigas de amigo". *Revista de Estudos da Linguagem.* 4, Belo Horizonte: UFMG, v. 2, 1996, pp. 5-33.

MATEUS, Maria Helena Mira. *Aspectos da fonologia portuguesa.* Lisboa: Centro de Estudos Filológicos. 19, 1975.

Bibliografia 273

_____. "O acento da palavra em português: uma nova proposta". *Boletim de Filologia*. 27, 1983, pp. 211-29.
_____.; et al. *Fonética, Fonologia e Morfologia do Português*. Lisboa: Universidade Aberta, 1990.
MATTOS E SILVA, Rosa Virgínia. *O Português arcaico: Fonologia*. São Paulo: Contexto, 1991.
MATTOSO CÂMARA JR., Joaquim. *Para o estudo da fonêmica portuguesa*. Rio de Janeiro: Organizações Simões, 1953.
_____. *Problemas de linguística descritiva*. Petrópolis: Vozes, 1969.
_____. *Estrutura da língua portuguesa*. 14. ed. Petrópolis: Vozes, 1984.
_____. *História da linguística*. Rio de Janeiro: Vozes, 1975.
_____. *História e estrutura da língua portuguesa*. 2. ed. Rio de Janeiro: Editora Padrão, 1976.
McCARTHY, John. "On Stress and Syllabification". *Linguistic Inquiry*. 10, 1979, pp. 443-65.
_____. "OCP Effects: Gemination and Antigemination". *Linguistic Inquiry*. 2, v. 17, 1986, pp. 207-63.
_____. "Feature Geometry and Dependency: a Review". *Phonetica*. 43, 1988, pp. 84-108.
_____.; PRINCE, Alan. *Prosodic Morphology I:* Constraint Interaction and Satisfaction. Ms. Nova Jersey: Rutgers University, 1993.
MENESES, Francisco. *As vogais desvozeadas no português brasileiro: investigação acústico-articulatória*. Campinas, 2012. Dissertação (Mestrado em Letras) – Unicamp/Lafepe/IEL.
MIRANDA, Izabel; OLIVEIRA-GUIMARÃES, Daniela. "Contribuição dos modelos multirrepresentacionais à variação fonológica". *Letrônica*. v. 6, 2013, pp. 214-27.
MÖBIUS, Bernd; SCHÜTZE, Hinrich; WADE, Travis; WALSH, Michael. "Multilevel Exemplar Theory". *Cognitive Science*. (34), 2010, pp. 537-82.
MOHANAN, K. P. *Lexical Phonology*. Cambridge, 1982. Tese (Ph.D) – MIT.
_____. *The Theory of Lexical Phonology*. Dordrecht: Reidel, 1986.
MONARETTO, Valéria N. O. "O status fonológico da vibrante". *Letras de Hoje*. Porto Alegre: PUCRS, v. 29, n. 4, 1994.
MOORE, Roger; MAIER, Viktoria. Preserving Fine Phonetic Detail Using Episodic Memory: Automatic Speech Recognition with Minerva2. In: TROUVAIN , J.; BARRY, W. J. (eds.) *Proceedings of the 16th International Congress of Phonetic Sciences (ICPhS 2007)*, 2007.
MOTA, Jacyra. *Vogais antes do acento em Ribeirópolis-SE*. Salvador, 1979. Tese (Mestrado) – UFBA.
MOTTA MAIA, Eleonora. *No reino da fala: a linguagem e seus sons*. São Paulo: Editora Ática, 1985.
MOURA, D. "Diversidade linguística e preconceito social". *Boletim da Abralin*. 17, 1995, pp. 49-51.
MOWREY, Richard; PAGLIUCA, William. "The Reductive Character of Articulatory Evolution". *Rivista de Linguistica*. 7, 1995, pp. 37-124.
NAPOLEÃO DE SOUZA, Ricardo. *A redução de vogais altas pretônicas no português de Belo Horizonte*: uma abordagem baseada na gradiência. Belo Horizonte, 2012. Dissertação (Mestrado em Letras) – UFMG.
NESPOR, Marina. "Setting Parameters at a Prelexical Stage". *Anais do I Congresso Internacional da Abralin*, 1994.
_____.; VOGEL, Irene. *Prosodic Phonology*. Dordrecht: Foris, 1986.
NINA, Terezinha J. *Aspectos da variação fonético-fonológica na fala de Belém*. Rio de Janeiro, 1991. Tese (Doutorado) – UFRJ.
NOBRE, Maria Alzira.; INGEMANN, Frances. Oral Vowel Reduction in Brazilian Portuguese. In: *In honour of Isle Lehiste*. Dordrecht: Foris, 1987.
NOSOFSKY, Robert. "Attention, Similarity, and the Identification-Categorization Relationship". *Journal of Experimental Psychology*. General 115, 1986, pp. 39-57.
ODDEN, David. "On the Role of the Obligatory Contour Principle in Phonological Theory". *Language*. 62, 1986, pp. 353-83.
OLIVEIRA, Marco Antônio. *Phonological Variation and Change in Brazilian Portuguese: the case of the Liquids*. Philadelphia, 1983. Tese (Ph.D) – University of Pensylvania.
_____. "The Neogrammarian Controversy Revisited". *International Journal of the Sociology of Language*. 89, 1991, pp. 93-105.
OLIVEIRA JR., Miguel. Aspectos técnicos na coleta de dados linguísticos orais. In: FREITAG, R. M. K. (org.). *Metodologia de coleta e manipulação de dados em sociolinguística*. 1. ed. São Paulo: Edgard Blücher, 2014, pp. 11-5.
PAGLIUCA , William; MOWREY, Richard. Articulatory Evolution. In: RAMAT, A.; CARRUBA, O. & BERNINI, G. (eds.). *Papers from the 7th International Conference on Historical Linguistics*. John Benjamins, 1987, pp. 459-72.
PAIVA, Maria da Conceição. Supressão das semivogais nos ditongos crescentes. In: *Padrões Sociolinguísticos*. Rio de Janeiro: Tempo Brasileiro, 1996.

274 Bibliografia

PALMER, Frank R. *Prosodic Analysis*. Oxford: Oxford University Press, 1970.

PERINI, Mário Alberto. *A gramática gerativa*. Belo Horizonte: Vigília, 1976.

_____. *Gramática descritiva do Português*. São Paulo: Ática, 1995.

PESETSKY, David. Optimality Theory and Syntax: Movement and Pronuciation. In: ARCHANGELLI; LANGENDOEN (eds.) *Optimality Theoryan Overview*. Cambridge: Balckwell, 1997.

PHILLIPS, Betty. "Word Frequency and the Actuation of Sound Change". *Language*. v. 60, n. 2, 1984, pp. 320-42.

_____. Lexical Diffusion, Lexical Frequency, and Lexical Analysis. In: BYBEE, J.; HOPPER, P. (eds). *Frequency and the Emergence of Linguistic Structure*. Amsterdam: John Benjamins, 2001, pp. 123-36.

PIERREHUMBERT, Janet. Syllable Structure and Word Structure: a Study of Triconsonantal Clusters in English. In: KEATING , P. (ed) *Papers in Laboratoy Phonology III:* Phonological Structure and Phonetic Form. Cambridge: Cambridge University Press, 1994.

_____. "What People Know About Sounds of Language". In: *Studies in the Linguistic Sciences*. 29.2, 2000.

_____. Exemplar Dynamics: Word Frequency, Lenition and Contrast. In: BYBEE, J.; HOPPER, P. (eds). *Frequency and the Emergence of Linguistic Structure*. Amsterdam: John Benjamins, 2001, pp. 137-57.

_____. Probabilistic Phonology: Discrimination and Robustness. In: BOD, R.; HAY, J.; JANNEDY, S. (eds). *Probability Theory in Linguistics*. Cambridge: MIT Press, 2003, pp. 177-228.

_____. The Dynamic Lexicon. In: COHN, A., HUFFMAN, M.; FOUGERON, C. (eds.). *The Oxford Handbook of Laboratory Phonology*. Oxford: Oxford University Press, 2012, pp. 173-83.

_____.; BECKMAN, Mary; LADD, Robert. Conceptual Foundations of Phonology as a Laboratory Science. In: COHN, A., HUFFMAN, M.; FOUGERON, C. (eds.). *The Oxford Handbook of Laboratory Phonology*. Oxford: Oxford University Press, 2012, pp. 17-42.

PIKE, Kenneth. *Phonetics:* a Critical Account of Phonetic Theory and a Technique for the Practical Description of Sounds. Ann Arbor: University of Michigan Press, 1943.

_____. *Phonemics:* a Technique for Reducing Languages to Writing. Ann Arbor: University of Michigan Press, 1947.

_____.; PIKE, Eunice. "Immediate Constituents of Mazateco Syllables". *International Journal of American Linguistics*. 13, 1947, pp. 78-91.

PISONI, David; NUSBAUM, H.; LUCE, P.; SLOWIACZEK, L. "Speech Perception, Word Recognition and the Structure of the Lexicon". *Speech Communication*. 4, 1985, pp. 75-95.

PONTES, Eunice. *Estrutura do verbo no português coloquial*. Petrópolis: Vozes, 1972.

PORT, Robert. "How Are Words Stored in Memory? Beyond Phones and Phonemes". *New Ideas in Psychology*. 25, 2007, pp. 143-70.

POSTAL, Paul M. *Aspects of Phonological Theory*. Nova York: Harper and Row, 1968.

PRINCE, Alan; SMOLENSKY, Paul. Optimality Theory: Constraint Interaction in Generative Grammar. 1993. *RuCCs Technical Report 2*.

PULLEYBLANK, Douglas. *Tone in Lexical Phonology*. Dordrecht: Reidel, 1986.

_____. Feature Geometry and Underspecification. In: DURAND, J.; KATAMBA, F. (eds.) *Frontier of Phonology:* Atoms, Structures and Derivations. Londres; Nova York: Longman, 1995.

_____. Optimality Theory and Features. In: ARCHANGELLI; LANGENDOEN (eds.) *Optimality Theory.* an Overview. Cambridge: Blackwell, 1997.

PULLUM, Geoffrey; ZWICKY, Arnold M. "The Syntax-Phonology Boundary and Current Syntactic Theories". *Working Papers in Linguistics*. Ohio: Ohio State University. 29, 1984, pp. 105-16.

QUEDNAU, Laura Rosane. "A vocalização variável da lateral". *Letras de Hoje*. Porto Alegre: PUCRS, v. 29, n. 4, 1994.

REDENBARGER, Wayne J. *Portuguese Vowel Height and the Phonological Theory:* a Generative Re-Analysis Based on Tongue-Root Features. Harvard, 1976. Tese (Ph.D) – Harvard University.

REED, David; LEITE, Yolanda. The Segmental Phonemes of Brazilian Portuguese: Standard Paulista Dialect. In: PIKE (org.) *Phonemics.* a Technique for Reducing Languages to Writing. Ann Arbor: University of Michigan Press, 1947.

REIS, César. *Interaction entre l'accent, l'intonation et le rythme em portugais bresilien*. Provence, 1995. Tese (Doutorado) – Universidade de Provence.

RENNICKE, Iiris. *Variation and Change in the Rhotics of Brazilian Portuguese*. Belo Horizonte, 2015. Dissertação (Doutorado em Letras) – Universidade Federal de Minas Gerais.

ROCA, Iggy. Secondary Stress and Metrical Rhythm. *Phonology Yearbook*. 3, 1986, pp. 341-70.

Bibliografia 275

_____. Constraining Extrametricality. In: DRESSLER W.; LÜSCHUTZKY, H.; PFERFFER O.; RENNIN-SON, J. (eds.) *Phonologica 1988*. Cambridge: Cambridge University Press, 1992.

_____. *Derivations and Constraints in Phonology*. Oxford: Clarendon Press, 1997.

_____.; JOHNSON, Wyn. *A Course in Phonology*. Oxford: Blackwell, 1999.

ROCHA, Luiz Carlos. *Estruturas Morfológicas do Português*. Belo Horizonte: Editora da UFMG, 1998.

RENNISON, John. (ed.). *Phonologica*. Cambridge: Cambridge University Press, 1998, pp. 239-48.

RUSSEL, Kevin. Optimality Theory and Morphology. In: ARCHANGELLI; LANGENDOEN (eds.) *Optimality Theory*. an Overview. Cambridge: Balckwell, 1997.

SÁ NOGUEIRA, Rodrigo. *Elementos para um tratado de fonética portuguesa*. Lisboa: Imprensa Nacional, 1938.

SANDMANN, Antônio J. *Morfologia Geral*. São Paulo: Contexto, 1991.

_____. *Morfologia Lexical*. São Paulo: Contexto, 1992.

SAPIR, Edward. "Sound Pattern in Languages". *Language*. 1, 1925, pp. 37-51.

_____. A realidade psicológica dos fonemas. In: DASCAL, Marcelo (org.) *Fundamentos metodológicos da linguística*. v. 2. Fonologia e Sintaxe. Campinas: Unicamp/Iel, 1981.

SAUSSURRE, Ferdinand. *Curso de linguística geral*. São Paulo: Cultrix, 1971. [1. ed. 1916].

SCARPA, Ester. "Desenvolvimento da intoação e a organização da fala inicial". *Cadernos de Estudos Linguísticos*: 14. Campinas: Unicamp/Iel, 1998.

_____. *Estudos de Prosódia*. Campinas: Editora da Unicamp, 1999.

SCHANE, Sanford. "The Phoneme Revisited". *Language*. 47, 1971, pp. 503-21.

_____. *Generative Phonology*. Englewood Cliffs: Prentice-Hall, 1973.

_____. "The Fundamentals of Particle Phonology". *Phonology Yearbook*. 1, 1984, pp. 129-55.

_____.; BENDIXEN, Brigitte. *Workbook in Generative Phonology*. Nova York: Prentice-Hall, 1978.

SCHEIN, Barry. Spirantization in Tigrinya. In: BORER; AOUN (eds.) *Theoretical Issues in the Grammar of Semitic Languages*. MIT Working Papers in Linguistics. 3, 1981, pp. 32-43.

SCHERRE, Marta; OLIVEIRA E SILVA, G. *Padrões Sociolinguísticos*. Rio de Janeiro: Tempo Brasileiro, 1996.

SEGUNDO, Sílvia. *Stress and Related Phenomena in Brazilian (Natal) Portuguese*. Londres, 1993. Tese (Ph.D) – University of London.

SELKIRK, Elizabeth. *On Prosodic Structure and Its Relation to Syntactic Structure*. Bloomington: Indiana University Linguistics Club, 1980, pp. 1-31.

_____. The Syllable. In: VAN DER HULTS; SMITH (eds.). *The Structure of Phonological Representation*. Part 2. Holanda: Foris, 1982.

_____. *Phonology and Syntax*. The Relation Between Sound and Structure. Cambridge: MIT Press, 1984.

_____. "On Derived Domains in Sentence Phonology". *Phonology Yearbook*. 3, 1986, pp. 371-404.

SHAW, Ines S. *Vowel Nasality in Brazilian Portuguese*: an Experimental Approach with Focus on Derivational and Inflectional Alternations. Lawrence, 1986. Dissertação (Ph.D) – University of Kansas.

SILVA, Ademar. *Alfabetização:* a escrita espontânea. São Paulo: Contexto, 1991.

SILVA, Édila V. Variação dialetal: as pretônicas no dialeto fluminense. *Encontro Nacional da ANPOLL, IX*. Anais. Língüística, v. 2, Tomo II. João Pessoa: UFPB, 1994, pp. 1362-64.

SILVA, Myrian B. *As pretônicas no falar baiano*. Rio de Janeiro, 1989. Tese (Doutorado) – UFRJ.

SPEAS, Margaret. Optimality Theory and Syntax: Null Pronouns and Control. In: ARCHANGELLI; LANGEN-DOEN (eds.) *Optimality Theory*. an Overview. Cambridge: Blackwell, 1997.

STAMPE, David. *How I Spent my Summer Vacation*. Chicago, 1972a. Tese (Ph.D) – University of Chicago.

_____. On the Natural History of Diphthongs. In: PERANTEAU (eds.). *Papers from the 8th Regional Meeting of the Chicago Linguistic Society*. 1972b.

_____. *A Dissertation on Natural Phonology*. Chicago, 1973. Tese (Ph.D) – University of Chicago.

_____. *Natural Phonology*. Nova York: Garland, 1980.

STETSON, R. H. Motor Phonetics. In: *Archives neérlandaises de phonétique expérimentale*. 2. ed. Amsterdam: North-Holland, 1951. [1. ed. 1928].

TEYSSIER, Paul. *História da língua portuguesa*. 3. ed. Lisboa: Sá da Costa, 1987.

_____. *História da língua portuguesa*. São Paulo: Martins Fontes, 1997.

TOMAZ, Kátia. *Alternância de vogais médias posteriores em formas nominais de plural no português de Belo Horizonte*. Belo Horizonte, 2006. Dissertação (Mestrado em Letras) – UFMG.

TROUVAIN, Jürgen; WAGNER, Petra; ZIMMERER, F. "In Defense of Stylistic Diversity in Speech Research". *Journal of Phonetics*. 48, 2015, pp. 1-12.

276 Bibliografia

TRUBETZKOY, Nicolas. *Principles of Phonology*. Los Angeles: University of California Press, 1939.

TWADDEL, William F. "On Defining the Phoneme". *Language Monographs*. Baltimore: Linguistic Society of America, n. 16, 1935.

VAN DER HULST, Harry. Radical CV Phonology: the Categorial Gesture. In: DURAND, J.; KATAMBA, F. (eds.). *Frontier of Phonology.* Atoms, Structures and Derivations. Londres; Nova York: Longman, 1995.

_____.; SMITH, Norval (eds.) *The Structure of Phonological Representations*. Part I and II. Dordrecht: Foris, 1982.

_____. (eds.) *Advances in Non-Linear Phonology*. Dordrecht: Foris, 1985.

VANDRESSEN, Paulino. "O vocalismo português: implicações teóricas". *Revista Brasileira de Linguística*. 2, 1975, pp. 80-103.

VENNEMANN, Theo. "On the Theory of Syllabic Phonology". *Linguistische Berichte*. 18, 1972a, pp. 1-18.

_____. "Phonological Uniqueness in Natural Generative Grammar". *Glossa*. 6, 1972b, pp. 105-16.

_____. Phonological Concreteness in Natural Generative Grammar. In: SHUY; BAILEY (eds.). *Towards Tomorrow Linguistics*. Washington: Georgetown University Press, 1973.

_____. Words and Syllables in Natural Generative Grammar. In: BRUCK; FOX; LA GALY (eds.) *Papers from the Parasession on Natural Phonology*. Chicago Linguistic Society, 1974.

VIEGAS, Maria do Carmo. *Alçamento das vogais pretônicas*. Belo Horizonte, 1987. Dissertação (Mestrado) – UFMG.

WETZELS, Leo. "Harmonização vocálica, truncamento, abaixamento e neutralização no sistema verbal do português: uma análise autossegmental". *Cadernos de Estudos Linguísticos*. Campinas: Unicamp, 1991.

_____. "Mid Vowel Neutralization in Brazilian Portuguese". *Cadernos de Estudos Linguísticos*. 23. Campinas: Unicamp, 1992.

_____. "Mid-Vowel Alternations in the Brazilian Portuguese Verb". *Phonology*. 12, 1995a.

_____. (org.). *Estudos fonológicos das línguas indígenas brasileiras*. Rio de Janeiro: Editora UFRJ, 1995b.

WHITLEY, Melvin S. *Generative Phonology Workbook*. Wisconsin: University of Wisconsin Press, 1978.

WILLIAMS, Edwin B. *Do latim ao português*: Fonologia e Morfologia Históricas da língua portuguesa. Rio de Janeiro: Tempo Brasileiro, 1975.

YACOVENCO, Lilian C. *As vogais médias pretônicas na fala culta carioca*. Rio de Janeiro, 1993. Dissertação (Mestrado) – UFRJ.

YIP, Moira. "The Obligatory Contour Principle and Phonological Rules: a Loss of Identity". *Linguistic Inquiry*. 19, 1988, pp. 65-100.

ZWICKY, Arnold; PULLUM, George. "The Principle of Phonology. Free Syntax: Introductory Remarks". *Working Papers in Linguistics*. Ohio: Ohio State University, 32, 1986, pp. 63-91.

GRÁFICA PAYM
Tel. [11] 4392-3344
paym@graficapaym.com.br